prête
à succomber

l'intégrale

LAUREN JAMESON

prête à succomber

l'intégrale

Traduit de l'anglais (États-Unis) par Liza Nivez

Red Velvet

1

Je veux juste me sentir sexy.

Avec une grimace, je fais glisser le tissu en soie ajourée de mes épaules. Qu'est-ce qui m'est passé par la tête? Une fille avec des formes généreuses – moi en l'occurrence – ne peut pas porter ce genre de froufrous. Cet essayage était une très mauvaise idée.

Ma frange se colle à mon front en sueur alors que je me débats pour m'extirper de la nuisette. Je m'imagine la laisser tomber à terre et la piétiner, par pure frustration, mais je résiste à cette impulsion et la remets soigneusement sur son cintre en plastique. C'est ce que je fais toujours, après tout – refouler mes vrais sentiments, afficher un joli sourire alors que j'ai envie de hurler.

Frustrée, au bord des larmes, je jette un œil au dernier article que j'ai emporté dans la cabine d'essayage de Magnifique, la boutique de lingerie chic devant laquelle je passe chaque jour depuis un an, en allant au boulot. Il est lui aussi en dentelle, mais il est sobre et n'a pas l'air d'être conçu pour une femme au corps de poupée Barbie. D'un bleu indigo profond, aussi doux que de la soie, il est plus sophistiqué que joli.

Celui-ci doit m'aller. Il le faut. Comment pourrais-je convaincre mon petit ami bien sous tous rapports de me faire l'amour dans une position qui ne soit pas celle du missionnaire si je ne trouve pas de quoi le tenter?

Je respire profondément, et tout en évitant de regarder mon corps nu dans le miroir, j'attrape la nuisette sur son cintre et l'enfile. La sensation est agréable : le tissu glisse en une caresse sensuelle sur ma peau.

Les yeux fermés, je me tourne vers le miroir, rentre le ventre et après un long discours intérieur d'encouragement, je regarde enfin mon reflet.

— Oh.

La femme dans le miroir sourit en même temps que moi, surprise et ravie. D'une main, je lisse ma longue queue-de-cheval blonde, ébouriffée par les essayages. Nerveuse, je détaille ma silhouette, cherchant les défauts que j'y vois chaque jour : un ventre trop rebondi, une poitrine un peu trop lourde, des hanches un rien trop larges.

Mais je ne vois rien de tout ça. La dentelle d'une finesse incroyable épouse mes courbes plutôt que de les mouler. Ma taille, mon ventre et mes hanches ont l'air parfaits. Mes seins apparaissent, tentateurs, dans le profond décolleté. La longueur à mi-cuisse couvre mes fesses, mais est très suggestive.

J'ai l'air… sexy.

C'est une sensation étrange.

Je ne me laisse pas le temps de changer d'avis : j'enlève la nuisette et remets les vêtements que je porte pour travailler. Ma jupe au genou, ma chemise et mon cardigan sont tous les trois noirs – les couleurs vives me donnent l'impression d'être grosse. De toute façon, le look monochrome est parfait pour Cambrige-Neilson et fils, le cabinet d'avocats dans lequel je suis assistante administrative.

C'est dans ce même cabinet d'avocats qu'exerce mon petit ami, Tom. Si j'achète cette nuisette, c'est pour lui faire plaisir. Non – je me corrige alors que je la dépose à la caisse, nerveuse

–, c'est pour me faire plaisir. C'est pour avoir l'air – et me sentir aussi, j'imagine – assez sexy pour donner envie à Tom d'être un peu plus aventureux au lit.

Peut-être même de faire quelques-unes des choses délicieusement coquines auxquelles je pense à peu près tout le temps. Et dont je rêve, aussi.

— Ça vous fait un total de deux cents dollars et soixante-dix cents.

Jusque-là, j'avais réussi à faire semblant d'être détendue, comme si j'étais habituée à acheter de la lingerie hors de prix… Mais là ! Je manque m'étouffer.

Deux cents dollars ? Pour un bout de dentelle ?

Je ne peux vraiment pas me le permettre. Je devrais laisser tomber. Ai-je vraiment envie de dépenser autant d'argent pour plaire à Tom ?

La vendeuse, qui – si on en croit l'écriture manuscrite sur son badge – s'appelle Bernadette, ne manque pas de remarquer le regard mélancolique que je pose sur le tissu bleu nuit qu'elle est en train d'emballer dans un papier de soie argenté. Je lui pardonne ses bottes élégantes et sa coupe toute fraîche quand elle me lance, avec un gentil sourire :

— C'est cher, mais on le vaut toutes bien, non ?

Je pense à moi dans cette nuisette. Puis j'imagine quelqu'un qui me regarde. Je pense à des yeux noirs qui découvrent la façon dont le bleu met en valeur ma peau laiteuse. À mes tétons qui pointent à travers la dentelle légère.

C'est sûr. Il me la faut.

— Allez-y, j'ai une autorisation de découvert.

Je fouille dans mon grand sac à main en cuir, et je finis par trouver mon portefeuille. En le sortant, il s'accroche à une enveloppe cartonnée, et le tirage photo que je viens de récupérer au laboratoire juste à côté s'en échappe et tombe sur le comptoir.

Bernadette y jette un œil, et je remarque qu'elle l'étudie un peu plus longtemps que nécessaire.

— Il me dit quelque chose...

J'examine la photo à mon tour. Tom et moi y posons sur une plage, l'air sérieux. C'était lors d'un des rares moments non planifiés que nous avions connus pendant un voyage d'affaires à Los Angeles – nous en étions encore à nous tourner autour. Je l'avais supplié de se garer pour admirer le soleil couchant. Étonnamment, il avait accepté. Avec la débauche de couleurs du crépuscule derrière nous, et le cadrage qui révélait que la photo avait été prise par l'un de nous deux avec un téléphone portable, cela aurait dû être un cliché romantique. Mais au lieu de ça, nous avions l'air atrocement sévères, en tel décalage avec le soleil couchant et l'océan que toute la scène semblait un peu idiote.

C'est pourtant la meilleure photo que j'ai de nous deux. J'avais prévu de l'encadrer et de la mettre sur mon bureau, au travail. Après tout, cela fait plus d'un an que nous sommes ensemble.

— Hum...

Avant que j'aie le temps de lui répondre, Bernadette claque des doigts, tout en récupérant ma carte de crédit d'une main experte et en l'insérant dans la machine.

— Hier! Il est venu ici hier. Un dépensier...

Quand elle découvre mon expression surprise, elle plaque la main sur sa bouche et rit nerveusement.

— Je n'aurais sans doute pas dû dire ça. Maintenant, j'ai gâché la surprise qu'il vous a préparée.

— La surprise. Bien sûr.

Les sourcils froncés, je prends le sac à rayures roses et blanches qu'elle me tend, la remercie d'un signe de tête et sors du magasin.

Je suis sûre qu'elle se trompe. J'en serais bien restée là, mais le doute que ses paroles ont fait naître ne me quitte pas de tout le chemin du retour, pas plus quand je m'assois à mon bureau et que je déchiffre lentement la lettre manuscrite qu'un des avocats m'a laissée pour que je la tape.

Tom ne m'a jamais acheté de lingerie fine. Il ne m'a jamais offert de chocolats ou de fleurs non plus, d'ailleurs. Ce n'est pas son genre. Au début de notre relation, je lui avais bêtement dit que ces démonstrations d'affection ne m'intéressaient pas.

Je ne mentais pas, elles ne sont pas vraiment importantes. Mais une partie de moi a quand même besoin de petites attentions de temps en temps, de quelque chose qui me montrerait qu'il pense à moi quand je ne suis pas là.

Je suis sûre que Tom ne me fera jamais ce genre de cadeaux. Bernadette se trompe, c'est certain.

Mais une autre pensée se forme dans ma tête pendant que je travaille et que l'après-midi avance. Et si... et si...

Non. Tom ne ferait jamais ça. Tom m'aime.

— Bonjour, Devon.

C'est le moment que choisit l'une des avocates pour passer devant moi. Je suis peut-être parano, mais le regard qu'elle me lance semble plein d'une pitié à peine masquée par un faible sourire.

C'est le déclic.

Invoquant une migraine, je demande l'autorisation de partir plus tôt, et je me précipite jusqu'à ma voiture.

Je vais seulement rentrer à la maison – la maison dans laquelle je n'ai pas encore emménagé, en réalité – et voir Tom. Quand je l'aurai vu, je ne penserai plus à toutes ces bêtises, j'en suis sûre.

En plus, me dis-je en jetant un coup d'œil au sac posé sur le siège passager, je pourrais peut-être lui faire un petit défilé dans ma nouvelle nuisette...

J'ai presque l'impression qu'il faut que je sonne à la porte. Tom m'a donné une clef la semaine dernière, après que nous avons décidé qu'il était raisonnable que je déménage mes quelques affaires chez lui. Mais je n'ai pas encore eu l'occasion de l'utiliser.

En fait, je crois je m'accroche à mon indépendance – j'adore mon petit studio, pour lequel j'ai déjà donné mon préavis d'ailleurs –, mais Tom le trouvait trop petit pour deux. En plus, son appartement est plus près du bureau.

Un trajet plus court, même à moi, ça me semblait plus intelligent. En revanche, ne pas dormir ensemble quand nous ne faisions pas l'amour, ça n'avait pas de sens, et ça n'en aurait jamais, quel que soit le nombre de fois où Tom soutenait que cela nous permettrait à tous les deux de mieux dormir. Cette seule idée me faisait grincer des dents.

Je préférais nettement avoir une moins bonne nuit de sommeil avec mon compagnon à mes côtés que d'être séparée de lui par un couloir, comme un couple marié depuis bien trop longtemps.

Je ne céderai pas là-dessus.

Soupirant profondément, je résiste à l'envie de frapper à la porte de l'appartement qui est maintenant censé être le mien, et je tourne la clef dans la serrure. Je dois forcer un peu pour que le verrou tourne, comme souvent avec les clefs neuves.

— Y'a quelqu'un?

Je n'élève pas la voix. L'appartement est sombre et silencieux, et même si je ne m'attendais pas à ce que Tom soit là – il est à un déjeuner d'affaires – je suis presque soulagée de ne pas avoir à lui poser de questions.

Je devrais prendre quelques minutes pour me remettre. Pourquoi ne pas m'asseoir et réfléchir à un moyen d'égayer un peu ce fonctionnel appartement de célibataire pour qu'il me semble plus accueillant, plus chaleureux?

Mais alors que je n'ai pas encore dépassé l'entrée, je l'entends. Un son. Faible au départ, puis de plus en plus fort, et qui provient sans aucun doute possible de la chambre.

— Oh... Oooh!

Perturbée, je penche la tête pour écouter cette voix de femme, et je fais quelques pas dans l'entrée. La voix de Tom vient alors se joindre à l'ensemble des sons clairement sexuels qui me parviennent. Je reste bouche bée. C'est comme si on venait de me donner un grand coup dans le ventre.

Tom est bien à la maison. Il est à la maison, et sauf grossière erreur de ma part, il est en train de faire l'amour avec une autre femme, dans la chambre où, moi, sa petite amie de longue date, je ne suis que rarement autorisée à dormir.

Bernadette avait raison.

J'ai une décharge d'adrénaline. Je me sens mal. Cherchant à obtenir confirmation de ce qui provoque la vague d'émotions qui s'abat sur moi, je scrute l'appartement jusqu'à ce que je le voie, par terre, à côté du canapé : un sac de chez Magnifique, dont le papier de soie a été déchiré par des doigts impatients. J'ai l'impression que je vais vomir. Je ramasse le sac et le secoue.

Ce qu'a acheté Tom hier n'y est plus – et se trouve probablement sur le sol de sa chambre –, mais le ticket, lui, est encore à l'intérieur.

Quatre cent vingt-trois dollars pour une guêpière, un porte-jarretelles et des bas, le tout en taille XS.

XS. Ce n'était donc vraiment pas pour moi. Des larmes d'humiliation me montent aux yeux et ma gorge se noue alors que je parcours du regard la moquette autour du sac abandonné. Là, juste sous mon nez, il y a d'autres signes que je ne peux pas ignorer : un unique escarpin beige dont la semelle est siglée «Prada», deux verres à vin au fond couvert d'un voile rouge.

C'est suffisant.

J'en ai terminé.

Un court instant, je m'imagine ouvrir la porte de la chambre à toute volée, leur faire face, me draper dans mon indignation et faire valoir mes droits.

Mais je n'en ai pas le courage. Non, je me connais. Je serais plutôt du genre à m'excuser de les avoir dérangés plutôt que de les incendier. C'est comme ça qu'on m'a élevée. J'ai appris à me comporter convenablement et poliment en toutes circonstances, et c'est une habitude dont il est difficile de se débarrasser.

Je suis en rage, emplie d'un sentiment d'injustice et d'humiliation – trop d'émotions à gérer. Je finis par faire la seule chose qui me vient à l'esprit. Je griffonne un message – très convenable, bien sûr – pour lui dire adieu, et je m'en vais.

2

Trois jours plus tard, j'enfouis mes orteils dans le sable, en essayant de trouver un sens à ma vie.

Cela faisait des années que je n'avais pas senti l'air marin. Et je n'avais pas d'excuse : Sacramento n'est qu'à cinq heures de route de la côte. Un trajet assez court, qu'il vaut bien le coup de faire si c'est pour quelque chose qu'on aime.

Enfin, je suis ici, maintenant…

Sans me préoccuper de ne pas salir mon short en jean, je me laisse tomber dans le sable et serre mes genoux dans mes bras. Je laisse le fracas des vagues envahir mon esprit. Je dois le remplir de quelque chose, sinon, je vais penser à ma vie qui a complètement déraillé, et me mettre à paniquer.

Après avoir quitté l'appartement de Tom, j'étais allée directement dans ce qui n'était plus mon appartement mais une coquille vide. Prise d'un besoin irrésistible de m'éloigner le plus possible de Tom, du travail, de ma vie, j'ai chargé mes quelques cartons – principalement des vêtements et quelques souvenirs –, dans le coffre de ma petite voiture bleue.

J'en aurais voulu une rouge, mais le bleu était un choix bien plus raisonnable.

J'avais ensuite roulé jusqu'au parking d'un McDonald's. Puis, alors que je mangeais un Royal Cheese et une grande frite – au diable le régime équilibré –, j'avais rédigé ma lettre de démission sur mon portable.

Il était hors de question que je retourne à la boîte, de croiser Tom chaque jour et de supporter les regards pleins de pitié de gens qui avaient sûrement été au courant bien avant moi de ce qui se passait.

Quelle idiote j'avais été!

Je passe les doigts dans mes longs cheveux emmêlés, et je tire dessus, frustrée. Je sens qu'une digue cède dans mon esprit, et la panique déferle sur moi.

Qu'est-ce qui m'a pris? Mon boulot était loin d'être formidable ou particulièrement excitant, mais c'était une première étape. Je rêvais de reprendre mes études, de devenir avocate, moi aussi. Pour cela, il me fallait économiser tout ce que je pouvais chaque mois. De l'argent qui provenait d'un travail qui payait décemment, et qui ne me demandait pas de servir de vieux libidineux qui me pinceraient les fesses au lieu de me laisser un pourboire.

Au lieu de l'héritage que j'aurais pu espérer, mes parents avaient laissé – après leur disparition dans un accident de voiture trois ans auparavant – une montagne de dettes. Je n'avais pas d'argent pour la fac de droit, à moins de mettre moi-même de côté de quoi la payer.

La panique m'envahit, insidieuse. Cette noirceur poisseuse et familière qui m'a si souvent accompagnée à l'époque qui a suivi l'accident de mes parents. J'essayais de garder la tête hors de l'eau, d'assimiler à la fois le deuil et la pauvreté qui s'était brutalement abattue sur moi, sans que j'y sois habituée ou préparée.

J'enfonce mes doigts dans le sable jusqu'à ce que je sente les grains pénétrer sous mes ongles.

Reprends-toi Devon ! J'inspire une dernière goulée de cet air salé de l'océan, si profondément que ma gorge pique. Tu t'es déjà battue pour t'en sortir par le passé, tu vas y arriver cette fois encore.

L'odeur rassurante de l'océan a beau m'aider – un peu au moins –, au plus profond de moi, je suis toujours tourmentée par les mêmes peurs.

Je venais seulement de m'habituer à ne plus me définir uniquement comme la fille du Dr Evelyn et de M. l'ambassadeur Rhys Reid.

Mais en réalité, j'étais simplement devenue la petite amie de Tom Cambrige-Neilson, jeune et brillant avocat.

Ma situation était confortable et, ce que je regrettais le plus, c'était la perte de ce confort si durement acquis.

Maintenant, il me fallait creuser, et creuser profondément, pour découvrir qui était vraiment Devon Reid.

Je suis rassurée de découvrir que le restaurant Chez Suzanne existe encore, au beau milieu de ce que les touristes et les locaux appellent le «centre-ville» de Cambria, les premiers en riant et les seconds sérieusement.

On y sert toujours la même escalope panée, avec sa purée au jus de viande et son maïs au beurre, comme dans mes souvenirs d'enfance. Même si aujourd'hui, évidemment, je l'accompagne de vin rouge plutôt que de soda à l'orange, en songeant que c'est un net progrès.

— Ne regardez pas maintenant, mais je pense que vous avez un admirateur, me dit la serveuse, probablement une des petites-filles de Suzanne – c'est en tout cas ce que je déduis des boucles qui s'échappent de sa queue-de-cheval négligée, et qui sont exactement de la même nuance de roux que ceux de la propriétaire autrefois.

Ses joues pâles s'empourprent alors qu'elle m'indique la direction d'un signe de tête discret, avant de poser un verre d'eau glacée sur la table et de s'éloigner rapidement.

Ayant bu un verre de trop pour maintenir les apparences, je me tourne dans la direction que la jeune serveuse m'a indiquée.

L'homme assis à la table voisine ne sourit pas lorsque je croise son regard, et malgré la moue presque moqueuse qu'il affiche, je me sens soudain emportée, comme si les vagues que je contemplais il y a seulement une heure avaient déferlé sur moi – comme si l'eau salée m'entraînait pour que je devienne sienne.

Il est… ténébreux. C'est ma première pensée. Sa peau bronzée a la couleur brun doré de la tequila, ses yeux celle du rhum. Ses cheveux noir corbeau et l'expression de son visage dégagent un sentiment de puissance, d'autorité et de quelque chose d'autre aussi, que je n'arrive pas à définir. Ses traits sont ciselés, arrogants et aristocratiques. Je suis certaine qu'ils ont inspiré des rêveries érotiques à plus d'une.

Et je ne vaux pas mieux qu'elles. Alors que ses yeux dorés, mis en valeur par des cils épais et sombres, plongent effrontément dans les miens, je suis parcourue d'un frisson de désir tel que je n'en ai jamais connu. Je ne suis pas vierge – non, il y a eu Tom, mon petit ami du lycée, et les deux coups d'un soir plutôt désastreux que j'ai connus entre-temps.

Mais aucun n'a inspiré ne serait-ce qu'un quart de l'attraction que provoque chez moi le regard franchement indiscret de l'homme installé à la table voisine.

Tous les fantasmes que j'ai pu avoir un jour me reviennent à l'esprit, et je suis sûre que tant lui que son air provocant sont capables d'en faire naître beaucoup d'autres.

Il lève son verre de vin et l'incline vers moi, avant de poursuivre son repas – de la nourriture saine, un plat de poisson grillé et de légumes – comme si de rien n'était. Je reste seule avec mes joues empourprées, mes tétons érigés au point de me faire mal et une douleur sourde entre mes jambes.

Que s'est-il passé? Je dois m'asseoir sur mes mains pour m'empêcher d'étendre le bras et de passer les doigts dans les cheveux de l'inconnu.

Au lieu de ça, je me concentre sur mon assiette, qui, alors qu'elle était incroyablement appétissante il y a seulement quelques instants, a maintenant perdu tout intérêt.

Je porte à mes lèvres un peu de purée, que je dois me forcer à avaler. Il m'est arrivé plusieurs fois dans ma vie de rêver de ce plat – mon préféré quand j'ai besoin de réconfort –, mais à présent je lui trouve un goût de poussière, sèche et sans intérêt.

J'avale, et j'ai l'impression que la purée se transforme en colle dans ma gorge. Pour me récompenser d'avoir réussi à accomplir ce petit geste, je m'accorde le droit de jeter un œil au bel inconnu.

Il est de nouveau en train de me regarder, et ne s'en cache même pas. La gêne me gagne, suivie de près par l'agacement, sans doute un effet du vin que j'ai bu.

— Si vous voulez me dévisager, vous feriez aussi bien de vous joindre à moi.

Une irritation en partie sincère, et en partie destinée à dissimuler le tremblement de ma lèvre inférieure.

Je dois me débarrasser de ce désir ridicule. Non seulement il n'y a aucune chance pour que cet homme – cet inconnu – éprouve la même chose que moi, mais en plus, ce n'est vraiment pas le moment pour moi de penser au sexe.

Le ton de ma voix lui fait lever un sourcil – à moins que je ne fasse erreur, il n'est pas habitué à ce qu'on lui **parle** comme ça. Puis il fronce légèrement les sourcils, comme s'il **répétait** ma phrase dans sa tête. Enfin, à ma plus grande surprise, il hausse les épaules et se lève, emportant avec lui son verre de vin.

— Avec plaisir.

Stupéfaite de sa réaction, j'avale péniblement ma salive alors qu'il se dirige vers moi. Il s'assoit à ma table, aussi à l'aise que si c'était la sienne. Le regard baissé sous mes paupières non maquillées, je l'observe tout en essayant de retrouver mon sang-froid.

Il porte une tenue décontractée, un jean et une chemise noire, mais il n'a pas le look du genre de type qui traîne dans une petite ville de surfers comme Cambria. Non, il a dû dépenser pas mal d'argent pour ce jean. Et pour cette chemise aussi.

Je jette un coup d'œil sous la table, sans prendre la peine d'être discrète. Je m'en doutais : il porte d'élégants mocassins noirs. Pas de tongs ni même de chaussures de skate, comme en portent la plupart des Californiens pendant leur temps libre.

— Le test est-il concluant ?

Prise sur le fait, je reporte mon regard sur le visage de l'homme. Ma fascination pour ses chaussures déclenche un début de sourire. Le résultat est si diaboliquement attirant que j'attrape mon verre de vin et boit une gorgée, juste pour ne pas me mettre à baver.

Qu'est-ce que je suis en train de faire ? Ma vie est une pagaille totale. Ce n'est pas le moment de fantasmer sur quelqu'un, encore moins sur un grand et ténébreux inconnu. Du sexe ne ferait que compliquer les choses.

— Je m'appelle Devon.

Je bredouille mon nom, paniquée par son sourire satisfait. C'est comme s'il savait exactement à quoi j'étais en train de penser. Les mots se bousculent dans ma tête sans que je puisse les contrôler, alors j'engloutis un morceau de viande pour m'empêcher de parler. Je le regrette aussitôt.

Le plat que j'appréciais tellement un plus tôt dans la soirée a maintenant un goût de sable qui me brûle la gorge.

— Vous n'aimez pas?

Avant que je puisse répondre, l'homme fait signe à la serveuse, qui, bien sûr, arrive immédiatement.

Moi aussi, je ferais tout ce que cet homme demande, ou presque.

— Débarrassez l'assiette de mademoiselle, s'il vous plaît. Et apportez-nous des fraises, si vous en avez. Avec de la crème.

Alors que j'aurais été pour ma part désolée de renvoyer mon plat sans l'avoir terminé, l'homme qui partage à présent ma table a le ton de quelqu'un qui sait qu'il sera obéi sans discussion.

Et bien entendu, c'est le cas.

— Il ne vous est pas venu à l'esprit que je n'avais peut-être pas fini?

Je ne suis pas sûre d'apprécier cette façon de prendre les décisions à ma place, et je sens que je commence à froncer les sourcils.

Il incline son verre de vin vers moi avant de boire une nouvelle gorgée.

— Je me suis trompé?

Bien sûr, son intonation indique qu'il sait que non. Je ne vais pas non plus mentir, alors à la place, je lui lance un regard noir.

La mauvaise humeur semble être le seul moyen de me défendre contre l'attirance qui me consume. Une attirance qui ne peut être qu'à sens unique.

— J'aimerais bien connaître le nom de l'homme qui m'offre un dessert, mais pas le dîner.

Voilà. Je l'ai encore surpris. Je me recule au fond de ma chaise avec un sourire satisfait. Je suis contente d'avoir marqué un point dans cet étrange jeu auquel nous sommes en train de jouer.

— Je suis Zach… Zach.

Il semble s'interrompre.

— Zach, je répète, en faisant tourner ce nom dans ma bouche.

Je décide que ce prénom lui va bien – ou plutôt bien – même s'il n'est pas aussi ténébreux et intrigant que lui.

Je le lui dis.

— J'imaginais plutôt quelque chose comme comte Vladimir, troisième du nom.

Zach cligne des yeux et, pendant un instant, je n'arrive pas à savoir si ma remarque le vexe ou le ravit. Puis, un grand sourire sincère s'étend sur son visage, le premier depuis que j'ai posé les yeux sur lui. J'en déduis que la seconde hypothèse est la bonne.

— Vous êtes très rafraîchissante.

Il se penche vers moi et je retiens mon souffle.

Je ne sais pas à quoi je m'attendais – ni ce que j'espérais –, mais quand il recule, je me sens étrangement déçue.

Zach semble à l'aise dans le silence qui s'installe ensuite, alors que je me tortille sur mon siège, gênée.

— D'où venez-vous?

À ma question, son visage s'assombrit. Je ne comprends pas ce qui pose problème, et pourtant je ressens le besoin de m'excuser.

— Je préférerais qu'on parle de vous.

Je suis consciente qu'il change habilement de sujet, mais après tout, s'il ne veut pas parler, je ne peux pas le forcer. Je n'en ai pas très envie non plus, mais j'ai bu juste assez de vin et je suis suffisamment déstabilisée pour ne plus m'arrêter une fois lancée.

— Je viens de Sacramento. Enfin, pas à l'origine. Je suis née à Washington. Et en fait je n'habite plus à Sacramento.

Cette pensée m'attriste. J'adorais cette ville, tout comme mon appartement. Mais je sais que je ne peux pas y retourner pour le moment.

— Bref, en ce moment, je ne suis de nulle part. Le salopard menteur qui était mon petit ami m'a trompée, alors j'ai quitté mon boulot, et je suis venue ici, parce que c'est un de mes endroits préférés. Et je n'ai aucune idée de ce que je vais faire maintenant.

Une vague de panique déferle sur moi.

Oh, non. Je ne vais pas faire une crise d'angoisse ici. Pas maintenant. Pas devant lui.

J'inspire puis expire plusieurs fois, jusqu'à ce que le calme revienne. Quand je me rends compte que je viens de faire un exercice de relaxation devant un inconnu, j'ai envie de me gifler.

Bien sûr, je viens aussi de lui avouer que mon pouvoir de séduction est tel que je ne peux pas garder un homme… alors l'exercice de relaxation n'est sans doute pas le plus grave.

Honteuse, je me mords la lèvre, puis je tente un coup d'œil vers l'homme assis en face de moi.

Il me regarde, les yeux mi-clos, et il est si sexy que j'en tremble. Littéralement. Il ouvre la bouche comme pour parler, mais il est interrompu par l'arrivée du dessert que je n'ai pas commandé, et que je ne suis pas sûre de pouvoir avaler après cette tempête d'émotions.

Je ne peux pas m'empêcher d'être troublée par la façon dont le rouge des fraises ressort sur le blanc du bol. Mon regard croise celui de la serveuse, qui me fait un clin d'œil entendu en déposant un pot rempli de crème fouettée.

Mortifiée, je sens ma peau prendre la même couleur que les fruits. Cherchant à m'occuper, je saisis une fraise et la tripote pour ne pas regarder Zach dans les yeux.

Il doit se rendre compte à quel point je suis attirée par lui, j'en suis sûre. Il n'y a pas une seule femme dans ce petit restaurant qui ne le regarde pas du coin de l'œil – y compris Suzanne, la propriétaire, qui avait déjà l'air d'avoir 80 ans quand mes parents m'ont emmenée ici pour la première fois, il y a vingt ans.

— Permettez-moi.

La voix de Zach se fait plus grave, plus séduisante encore qu'elle ne l'était déjà. Il tend le bras au-dessus de la nappe à carreaux et me prend la fraise des mains.

Le petit carré de peau que ses doigts ont effleuré sur ma main me brûle. Je sursaute et inspire brusquement, oubliant que ce n'est pas le bon moment, oubliant que je viens juste de rencontrer cet homme, oubliant que je n'aime pas particulièrement le sexe.

Son expression est aussi intense que la mienne. Je n'ai aucune idée de ce qui vient de se passer, mais à moins que je sois complètement à côté de la plaque, il l'a ressenti lui aussi.

— Ouvrez la bouche.

Zach plonge le fruit qu'il vient de me prendre des mains dans le monticule de crème fouettée avant de le presser contre mes lèvres. J'ouvre la bouche, et sors ma langue pour lécher la crème.

Il gémit doucement. Je ne sais pas où je trouve le courage de prendre une petite bouchée du fruit juteux. Je la mâche lentement, puis lèche mes lèvres après l'avoir avalée.

Ses yeux suivent chaque mouvement de ma bouche, envoûtés, avant de revenir à mes yeux.

— Qu'est-ce qui se passe?

Je regrette ces mots dès que je les ai prononcés – je ne suis pas naïve à ce point. Je sais exactement ce qui se passe, mais je n'ai pas assez d'audace pour passer à l'étape suivante.

Alors même que ma raison me crie le contraire, je prie pour que Zach me demande de le suivre à son hôtel, dans sa maison, sa tente, peu importe l'endroit, du moment que son lit s'y trouve. Ma chair est gonflée, remplie de désir à en exploser.

Avec une pensée fugitive pour la combinaison bleu indigo qui se trouve toujours dans son sac, dans ma voiture, je me dis que je mérite bien une nuit de plaisir.

Ma question lui fait l'effet d'une gifle. Une autre personnalité s'empare de Zach. Une personnalité calme qui se contrôle parfaitement et qui a effacé toute trace de la créature sexuelle qui était à sa place quelques instants auparavant.

— Je dois y aller. Je me lève tôt demain.

Il bouge sur sa chaise pour sortir son portefeuille de la poche de son jean ajusté. Ce mouvement fait saillir les muscles de son bras, et je suis aussi fascinée que perdue.

— Oh !

Sa réaction est soudaine. Je cligne des yeux, mon esprit parcourant rapidement les événements des dernières minutes.

Est-ce que j'ai dit quelque chose de mal ? Fait quelque chose de bizarre ? Je ne crois pas, et la dérobade soudaine de cet homme fascinant m'irrite.

— Eh bien, merci de m'avoir tenu compagnie, dis-je, la voix débordante de sarcasme. C'est toujours un plaisir de faire une nouvelle rencontre.

Zach, qui est en train de se lever, se redresse brutalement, comme si je l'avais frappé. Encore une fois, j'ai le sentiment qu'il n'est pas du tout habitué à être critiqué.

— Tout à fait.

Il attrape un billet dans son portefeuille, qui semble être en cuir fait main, et le dépose sur la table sans y prêter vraiment attention.

— Dites-moi juste une chose avant de partir. Que fait un homme comme vous dans une petite station balnéaire comme celle-ci ?

Je n'ai rien à perdre à poser cette question. Mes désirs ne vont manifestement pas être satisfaits, alors autant que ma curiosité le soit.

Ma demande doit être très insultante ou très personnelle, car une expression de colère passe sur son visage. Il ne répond pas et se contente d'un signe de tête avant de se diriger vers la porte d'entrée.

En le regardant partir, j'ai l'impression qu'on m'ampute d'un membre. J'essaie de me convaincre que ma mélancolie provient du tour récent qu'a pris ma vie, mais je ne suis pas dupe.

Je trouve quelque chose que je veux désespérément, quelque chose qui me semble avoir une vraie signification dans le chaos qu'est ma vie. Et cette chose reste juste assez longtemps pour me faire miroiter ce que je ne pourrai jamais avoir.

Avec un grognement de frustration, je renverse ma tête en arrière et avale une dernière gorgée de vin, et m'essuie la bouche avec le dos de ma main. Alors que je baisse le menton, je croise le regard de deux filles, à peine – ou même pas encore – sorties du lycée. Elles portent des débardeurs moulants et des shorts très courts. Bien que l'une soit blonde et l'autre brune, leurs visages sont presque identiques, tout comme leur sourire moqueur.

Je rougis. Je suis déjà suffisamment embarrassée. Alors je décide de faire ce pour quoi je semble devenir très douée. Je fuis.

— J'ai une maison à Cambria. Je viens ici depuis mon enfance.

Je sursaute au son de cette voix qui résonne dans la nuit. Je me tourne vers l'homme qui vient de parler, et je lui lance un regard noir, les mains sur les hanches.

— Quelle chance.

Je suis soudain furieuse, je m'en veux de la joie que j'ai ressentie en tombant de nouveau sur lui, je m'en veux quand je m'aperçois que le simple fait de le voir provoque d'étranges sensations dans mon ventre. Je m'éloigne d'un bon pas dans la rue calme. Mon hôtel n'est qu'à un ou deux pâtés de maisons.

La rue principale est assez proche de l'océan pour que je puisse entendre le clapotis de l'eau sur le rivage. D'habitude, ce son m'apaise, mais ce soir, il m'exaspère. Je suis presque arrivée à mon hôtel quand je sens une main se poser sur mon épaule.

Je me retourne. Zach empoigne mes cheveux, ses lèvres sont à un soupir des miennes. Ma respiration est bloquée, mon corps se presse contre le sien.

Tout mon être est attiré par sa chaleur, par son odeur, mélange de savon, de musc et d'homme.

J'ouvre la bouche pour dire quelque chose, mais au lieu de ça, j'inspire brutalement quand il tire mes cheveux, basculant ma tête en arrière jusqu'à ce que je n'aie d'autre choix que de le regarder dans les yeux.

Je sens mon sexe devenir humide. On ne m'a jamais tenue de cette façon, jamais regardée avec autant de tourment et de désir mêlés. Et j'adore ça.

— Je suis un homme qui réussit, Devon. J'ai dû me montrer sans pitié pour me faire une place.

Il plisse les yeux, comme pour jauger ma réaction. Je me rends compte que ses mots n'ont qu'un effet : me faire trembler de désir.

— Et c'est valable dans tous les domaines. Je ne suis pas un gentil.

Son expression me met au défi de le contredire. Je n'en ai pourtant pas l'intention. Il a l'air d'être bien des choses à cet instant, mais gentil, certainement pas.

— Ça m'est égal.

C'est naïf, je le sais, mais c'est la vérité. Une partie de moi est excitée par ces mots durs. Une partie de moi dont je ne soupçonnais pas l'existence.

Une expression fugitive passe sur son visage. Elle disparaît si vite qu'il est difficile de croire qu'elle a existé. Mais je sais ce que j'ai vu.

Il a aimé ma réaction. Beaucoup aimé.

— Je ne suis pas un homme pour vous.

Je m'apprête à protester, mais au lieu de ça, je gémis alors qu'il referme ses dents, lentement, délibérément, le long de la veine qui parcourt mon cou, juste sous ma mâchoire. Il mord juste assez fort pour que je le sente, et sûrement aussi assez fort pour laisser une trace. C'est un animal qui affirme sa domination sur sa proie. Pendant qu'il me mord, sa main trouve le tendre renflement de ma poitrine. Il pince mon téton à travers mon haut et mon soutien-gorge, tire, puis pince de nouveau.

Un court éclat de plaisir explose en moi, et je pousse un cri, là, en plein milieu de la rue principale.

J'essaie de rester debout alors que mes jambes tremblent furieusement. Je lève la tête vers Zach, lui jetant un regard perdu et empli de désir brut.

Et je le vois redevenir l'autre Zach – comme s'il enfilait un manteau –, le Zach calme et raisonnable, le Zach qui n'est pas gouverné par son désir. J'ouvre la bouche pour parler… En fait, je ne sais pas ce que j'aurais dit. Il m'arrête avant même que je puisse essayer de formuler une phrase.

— Ne vous approchez pas de moi.

— Excusez-moi, mademoiselle Reid?

J'essaie de masquer mon agacement en me tournant vers l'employé qui vient de me héler depuis la réception. Ce n'est pas de sa faute si je suis restée éveillée la moitié de la nuit, si de sombres rêves m'ont laissée tremblante et en sueur. Et ce n'est pas non plus de sa faute si ma promenade sur la plage au petit matin n'a pas calmé les émotions qui me bouleversent depuis hier soir.

— Oui?

L'hôtel Le Galet est charmant, et je m'attends à ce que le jeune homme me demande de remplir un questionnaire de satisfaction ou quelque chose de la sorte.

Au lieu de quoi, il fait glisser une enveloppe sur le comptoir. Sur le papier blanc, on peut lire «Devon» écrit à la main, d'une écriture masculine étonnamment soignée.

— Un homme a laissé ça pour vous pendant que vous étiez sortie vous promener.

Je le vois jeter un œil sur le sable qui macule mes mollets, puis sur les sandales que je tiens à la main. Mais pour une fois, je ne me sens pas gênée.

J'attrape l'enveloppe.

Je ne connais qu'une seule personne à Cambria, hormis Suzanne, la patronne du restaurant.

— Merci.

Je me retiens d'ouvrir l'enveloppe jusqu'à mon retour dans ma chambre, où je m'écroule sur le lit. Les mains tremblantes, je la déchire et en sors un rectangle de papier rigide.

Une carte de visite.

Elle est simple. Des lettres noires imprimées sur un fond jaune pâle. Les mots Phyrefly Aviation associés au dessin d'un élégant petit avion forment un logo. En dessous figurent un numéro de téléphone et une adresse à San Francisco.

Je retourne la carte, cherchant le nom de Zach. Un message est écrit au verso, à la main: «Si vous cherchez du boulot, vous en trouverez là-bas.»

C'est tout. Pas de signature, pas de «Ravi de vous avoir rencontrée». Pas de «Merci de m'avoir laissé vous tripoter hier soir». Pourtant, je suis absolument certaine que la carte vient de Zach, et même si je pousse un soupir d'exaspération devant ce message court et direct, je sais quelle sera la prochaine étape.

Je pars pour San Francisco.

3

Phyrefly Aviation m'a coupé le souffle. Littéralement.

Je profite du premier moment de la journée pendant lequel je me retrouve seule pour prendre de rapides bouffées d'air, et essayer de calmer ma respiration. J'ai l'impression que je n'ai fait que courir depuis six heures du matin.

Cela fait deux jours que j'ai reçu la carte de visite, à Cambria. Et une journée que je suis arrivée à San Francisco. J'ai encore du mal à me remettre du prix que coûte une chambre d'hôtel dans cette ville... Trouver un boulot est ma priorité. Même si, pour être honnête, suivre toutes les pistes me permettant de contacter l'homme qui a pris possession de mon esprit, de mes pensées comme de mes rêves est encore plus important...

Mais je ne vois pas pourquoi les deux n'iraient pas de pair!

— Mademoiselle Reid.

L'homme qui vient d'entrer dans le bureau où l'on m'a installée mesure au moins 1,95 m, mais aurait du mal à dépasser les 70 kg tout habillé. Ses cheveux châtains retombent en désordre autour de son visage. Il porte une moustache, mais j'ai l'impression que c'est plus parce qu'il a oublié de se raser que par choix.

— Je m'appelle Glen Stevens.
— Ravie de vous rencontrer.
Je me lève et lui tends la main.

C'est mon troisième entretien chez Phyrefly aujourd'hui, et je suis épuisée. En découvrant la carte de visite dans son enveloppe, j'avais imaginé que la boîte était un genre de concession automobile. Ou bien peut-être un atelier de réparation pour petits avions.

Mais en réalité, à 7 h 30 ce matin, le taxi m'avait déposée devant un imposant gratte-ciel, qui semblait construit uniquement en verre. Mon esprit avait été aussi ébloui que mes yeux. C'était le premier indice que je ne savais peut-être pas dans quoi je m'embarquais...

Quoi qu'il en soit, j'ai remarqué que je n'avais eu pas une seule crise de panique depuis ma rencontre avec Zach, et ça, c'était une bonne nouvelle. Je n'avais pas non plus eu besoin des anxiolytiques, que j'emportais partout avec moi. J'avais été bien trop occupée, et mon esprit bien trop rempli.

— J'imagine que vous avez eu une longue journée.

D'un geste, Glen m'invite à m'asseoir dans l'un des confortables fauteuils installés le long du mur de son bureau. Même s'il est cordial, je ne manque pas de remarquer le rapide coup d'œil qu'il me jette. Je sais que je viens juste d'être évaluée.

Avec ma tenue spéciale «je travaillais dans un cabinet d'avocats» – chemisier noir au décolleté souligné par un volant, jupe crayon et collants noirs eux aussi –, je suis sûre de passer le test.

— Eh bien, mademoiselle Reid, que diriez-vous de travailler chez Phyrefly Aviation?

Glen me tend une bouteille d'eau qu'il a sortie du minibar soigneusement dissimulé dans une table basse. Je ne suis pas sûre d'avoir bien entendu. J'accepte la bouteille, dévisse le bouchon et bois longuement.

La fraîcheur est agréable sur mes paumes, chaudes et moites sous l'effet du stress.

— Je… enfin… waouh. C'est rapide.

Je cligne des yeux avec un petit rire, même si je ne suis pas vraiment amusée. Non, plutôt surprise. Je sais que d'une façon ou d'une autre, Zach est derrière tout ça.

Mais quel est son statut dans cet énorme groupe – car Phyrefly Aviation en est un – pour qu'il ait les moyens de me faire embaucher comme ça? Je sais qu'il est intervenu. Toute cette journée m'a paru truquée, comme si tout le monde savait déjà que je viendrais.

Comme si ce boulot avait été créé juste pour moi.

Il s'est présenté comme un homme qui réussit. Mais qu'est-ce que ça veut dire exactement? Glen rit à son tour, mais lui semble réellement amusé. Se reculant dans son fauteuil, il se met à jongler avec sa bouteille d'eau tout en m'étudiant attentivement.

— Quand M. St Brenton décide de quelque chose, le mieux est de ne pas se mettre en travers de son chemin. C'est un rouleau compresseur.

Son petit jeu avec la bouteille d'eau commence à m'énerver – j'ai envie de me pencher pour attraper la bouteille en plein vol pour pouvoir me concentrer sur ce qu'on vient de me dire. Mon intention doit se lire sur mon visage, car Glen saisit la bouteille, l'ouvre et la boit d'une traite.

— Ah!

Il pousse un soupir d'aise pendant que je m'interroge sur les mots qu'il vient de prononcer. Quelque chose me trouble.

— Alors, votre dernier job était dans un cabinet d'avocats, c'est bien cela?

Glen rebouche la bouteille vide et se penche légèrement en avant.

— J'imagine que ce travail impliquait des tâches précises et minutieuses. Peut-être un peu de comptabilité.

— Tout à fait.

Ce n'était pas une question, mais j'acquiesce quand même tout en plaquant un grand sourire sur mon visage. Je veux vraiment ce poste, même si je suis incapable d'expliquer pourquoi.

— Je maîtrise l'environnement PC, les logiciels de reconnaissance vocale et de feuilles de calcul, Excel et PowerPoint. J'ai une bonne orthographe et je suis capable d'effectuer des tâches de comptabilité basiques. J'ai également mis au point un programme informatique capable d'aller chercher et de réunir des informations provenant de dossiers électroniques, d'inventaires, de listes de diffusion et de bases de données, et qui permet de ne plus exécuter ces tâches manuellement.

Cette dernière partie est un peu douloureuse : j'ai fait un excellent travail, et pourtant, le cabinet ne s'était pas ému de mon départ. Je n'avais pas eu de montre comme cadeau de départ, comme c'était pourtant l'usage – non, même pas un merci.

Cette fois-ci, c'est Glen qui plisse les yeux, et son expression change, passant d'une écoute polie à une véritable attention.

— Intéressant, dit-il comme pour lui-même en tapotant sa bouteille sur l'intérieur de sa cuisse. Ce Zach sait toujours ce qu'il fait.

— Zach ?

J'ai l'impression d'être frappée par la foudre.

— Hum… Je veux dire… Qui est Zach ?

Au regard que me lance Glen, je sens que je devrais déjà le savoir. Je me mords la lèvre en essayant d'avoir l'air confuse, alors qu'en réalité je brûle d'envie qu'il m'en dise plus.

— Zachariah – Zach – St Brenton est le fondateur et le PDG de Phyrefly Aviation.

Glen semble se demander s'il ne s'est pas mépris sur mes capacités, puisque je suis venue à un entretien sans me renseigner un minimum sur l'homme qui pourrait devenir mon patron.

— C'est à la fois fantastique et difficile de travailler avec lui.

Je ferme les yeux et presse mes doigts sur mes tempes devenues douloureuses sous l'effet de soudaines pulsations. Zachariah St Brenton. Zach. Alors il possède cette énorme société? Je me doutais qu'il avait fait jouer ses relations pour m'obtenir un entretien ici – bien que je ne sache pas vraiment pourquoi, mais je suis stupéfaite de découvrir qu'il détient autant de pouvoir.

Je revois la scène : moi dans mon short en jean négligé, sans maquillage, en train d'engloutir mon escalope panée et ma purée.

Je ne peux retenir une grimace. Glen prend mon expression pour de l'inquiétude provoquée par sa dernière remarque, et s'empresse de me rassurer.

— De toute façon, vous ne le verrez pas souvent, voire pas du tout. Je vous embauche au service comptabilité. Vous serez assistante administrative junior, sous la responsabilité de Bini Gallagher.

Il enchaîne en parlant de mon salaire, des avantages de la société, de sa politique, et d'autres choses encore.

Dès qu'il a cessé de parler de Zach, je n'ai plus rien écouté. Je pense à notre soirée à Cambria, à l'homme qui m'a fait manger des fraises, l'homme dont le baiser a été une dangereuse morsure, l'homme qui m'a inspiré des désirs inavouables avant de tourner les talons aussi sec. La simple mention de son nom me fait fondre, et je suis censée ne pas m'inquiéter parce que je ne vais sans doute pas le voir souvent, voire « pas du tout » ?

Rien que le fait de savoir qu'il est là quelque part, dans le même immeuble, me fait saliver et serrer les cuisses. Je le désire, et je suis certaine qu'il me désire... ou en tout cas, qu'il m'a désirée.

À quel jeu joue-t-il en me faisant venir ici et travailler pour lui? Après m'avoir avertie de ne pas m'approcher de lui...

— Nous sommes d'accord?

Glen s'est levé, attirant enfin mon attention. Laissant la bouteille d'eau, je me lève à mon tour, essuyant au passage mes paumes sur ma jupe.

Je lui serre la main, mais je ne suis pas vraiment sûre d'avoir bien compris de quoi il me parle. Merde. Je décide de lui sourire, et même si le sourire qu'il me lance en retour est un peu perplexe, mon plan fonctionne, puisqu'il répète sa question.

— Bien, vous pouvez commencer tout de suite si vous voulez. Enfin, si vous dites oui. Acceptez-vous ce poste à Phyrefly?

— Oui.

Bien sûr que je l'accepte.

Le Santa Rosa est un petit bar qui ressemble à des milliers d'autres dans le pays. Sur les murs, le folklore californien: vieilles cartes postales, planches de surf signées, publicités vintage pour du jus d'orange. Même si on ne m'a pas vraiment laissé le choix du lieu, je sens que je me détends, au moins un petit peu, pour la première fois depuis des jours. On me tend une bière et on me conduit à la table où plusieurs de mes nouveaux collègues sont installés.

Mais ce sentiment me quitte rapidement quand, alors que je repose ma bouteille après une gorgée, je m'aperçois que tous les yeux sont braqués sur moi.

Une sensation familière de panique grandit en moi, ma gorge se noue et je ne peux plus respirer. J'ai besoin d'un de mes cachets, mais je peux difficilement en attraper un dans mon sac à main sans risquer de déclencher une rumeur sur le problème de drogue de la nouvelle recrue.

— Qui veut commander de quoi grignoter pour l'apéro? C'est moi qui invite!

Glen, l'homme qui m'a fait passer le dernier entretien, me donne une discrète tape amicale dans le dos pour me rassurer, tout en faisant glisser les menus plastifiés de notre coin de la table vers les autres.

— Je vous laisse choisir.

Ce qui signifie, bien sûr, une discussion animée, où tout le monde se chamaille sur le choix des olives noires ou vertes, ou pour savoir si les artichauts sont mangeables ou non. J'adresse un sourire reconnaissant à Glen et reprends ma bière.

— Merci!

Je parle juste assez fort pour qu'il puisse m'entendre. La panique a disparu aussitôt que l'attention qu'on me portait a disparu.

Je n'aime pas être le centre de l'attention. Je n'y suis pas habituée, après avoir passé tout mon temps dans l'ombre de mes parents, puis de Tom.

Glen hoche la tête avec une expression presque paternelle, même s'il ne peut pas avoir plus de dix ans de plus que moi. Il se penche vers moi, et je l'imite.

— J'ai bien peur que vous ne deviez supporter ça quelque temps, Devon.

Je fronce les sourcils en réfléchissant au sens de ses paroles, et je vois que, malgré la diversion qu'a imaginée Glen, quelques-uns de mes collègues – Anna, la fille de l'accueil, Tony, l'assistant administratif senior de mon département, et quelques autres que je ne connais pas – jettent des coups d'œil curieux dans ma direction.

Je croise le regard sombre de Glen.

— Je ne comprends pas.

— Écoutez, je vous ai embauchée parce que vous avez un CV solide, et que vous êtes parfaitement qualifiée pour le poste.

Mais la vérité, c'est que vous auriez eu le poste même si vous aviez débarqué de nulle part, sans qualification.

Je baisse la tête et sens un poids me plomber l'estomac.

— Mais j'ai débarqué de nulle part...

Je réponds dans un murmure. Je comprends que mon intuition était la bonne. Du début à la fin, ça avait été trop facile, trop simple de devenir une employée à part entière de ce que je sais maintenant être l'une des plus grosses entreprises du pays.

Glen secoue la tête.

— Le jour où M. St Brenton est rentré de sa maison de Cambria, cette semaine, il m'a dit que si une certaine Devon Reid se présentait à l'accueil, appelait ou prenait contact de quelque façon que ce soit, je devais lui trouver un poste convenable. J'ai commencé par protester.

Ces mots sont difficiles à entendre de la part de mon seul soutien, mais il continue avant que je puisse dire quoi que ce soit.

— Il m'a dit que vous seriez tout à fait qualifiée pour de nombreux postes ici. Quoi qu'il en soit, ce n'était pas négociable. J'ai fait des recherches avant que vous ne vous présentiez, et j'ai été rassuré de ce que j'ai appris.

Je rougis, mortifiée. Glen pense que j'ai couché avec Zach – avec M. St Brenton – et que ce job est ma récompense.

— Oh mon Dieu... Je n'aurais pas dû accepter. Je vais démissionner.

Je me lève pour partir, en espérant ne pas trop attirer l'attention.

Mais Glen tire sur ma manche jusqu'à ce que je me rassoie.

— Je le pensais vraiment quand j'ai dit que je vous aurais embauchée de toute façon.

Il lève les sourcils, ce qui allonge encore plus ses traits. Je l'observe, à l'affût du moindre signe qu'il me ment, mais je n'en vois aucun.

— Pourquoi avez-vous fait des recherches sur moi? Et comment saviez-vous que je viendrais?

Glen sourit. Un sourire à la fois amusé et amer.

— Je n'ai encore jamais rencontré une femme capable de résister à Zachariah St Brenton.

Je ne sais pas quoi répondre. Glen s'écarte pour se joindre à la discussion sur les apéritifs, à l'autre bout de la table.

Personne d'autre ne m'a adressé la parole et j'ai presque fini ma bière. Je me dirige vers le bar pour en commander une autre, histoire d'avoir quelque chose à faire… et aussi parce que la bière est un remède contre l'angoisse presque aussi efficace que mes pilules.

— C'est rare, les femmes qui boivent de la bière.

Je sens la chaleur d'un corps à ma gauche. Je me tourne et me retrouve nez à nez avec Tony, l'assistant administratif senior du service comptabilité. Il désigne le verre de martini vide qu'il tient à la main.

— Les hommes aussi, d'ailleurs… Ils font un super Dry Martini, ici.

— Je m'en souviendrai pour la prochaine fois.

Mon sourire est sincère. Je suis contente qu'un de mes collègues me parle plutôt que de m'observer comme une bête curieuse.

— Je peux vous en offrir un?

J'hésite, tiraillée entre deux envies contradictoires. Je sais que je devrais être sympa avec mes nouveaux collègues si je veux qu'ils arrêtent de me considérer comme un phénomène de foire… Mais l'alcool fort provoque chez moi des comportements étranges – et souvent indésirables. Et puis Tony, bien qu'il soit plutôt mignon dans le genre latin lover, se tient un peu trop près de moi à mon goût. Je ne veux pas me faire d'idées, mais j'ai l'impression qu'il est en train de me draguer.

Je propose un compromis.

— Peut-être pas un martini, mais je veux bien une autre bière.

Le regard que me lance Tony est admiratif.

— Une femme de convictions… Je crois que je suis en train de tomber amoureux.

— J'espère sincèrement que ce n'est pas le cas.

Je sens une vague de chaleur m'envahir au moment même où l'expression de Tony se transforme. C'est lui. Zach. Il est debout à côté de nous.

Tony aussitôt oublié, je me retourne, les yeux plissés, une question sur le bout de la langue.

Mais Zach n'en a pas fini avec Tony.

— Les relations entre collègues sont interdites dans l'entreprise. Mais vous le savez déjà, n'est-ce pas, M. Figuero?

Je ne me retourne même pas pour voir la réaction de Tony. Peut-être suis-je malpolie, mais ça m'est égal. Quoi qu'il en soit, ce dernier balbutie quelques mots et s'éloigne, me laissant seule avec l'homme qui hante mes pensées depuis des jours.

— Bonjour, mademoiselle Reid.

Son visage est presque dépourvu de toute expression quand il me regarde, mais je crois discerner un éclair… d'envie? De désir?

Il doit le ressentir. Il le faut. Car l'avoir aussi près de moi me fait fondre. Seigneur qu'il est séduisant. Oubliés le jean et la chemise qu'il portait au restaurant, remplacés à présent par un costume et une chemise noirs, ainsi qu'une fine cravate violette.

— Bonjour.

Ma réponse est un chuchotement. Il est si beau qu'on en mangerait, et je manque de le lui dire, mais je me mords la langue juste à temps.

— Puis-je vous l'offrir, cette bière?

C'est une question, mais le ton qu'il emploie m'indique qu'il la commandera de toute façon. Il est autoritaire, mais d'une certaine façon, je préfère ça à la tactique de Tony.

— Oui.

Je suis prête à dire oui à un tas de choses, s'il me les suggère maintenant. Je sens la chaleur qui émane de sa peau, le même parfum qu'à Cambria, auquel s'ajoute une touche de l'eau de Cologne la plus sexy que j'aie jamais sentie.

— Deux Stone Imperial, Angie, s'il vous plaît.

Zach jette un coup d'œil rapide à la barmaid pour s'assurer qu'elle l'a entendu, mais il n'a pas l'air de remarquer – vraiment pas – qu'après avoir décapsulé les bouteilles, elle frôle volontairement sa main en les lui tendant.

— À votre service, M. St Brenton.

Elle lui lance un regard provocant sans équivoque, celui que certaines filles semblent maîtriser dès le collège, puis ajoute un petit sourire suffisant à mon attention.

Zach ne semble même pas l'entendre. Il me tend la bière et place sa main au bas de mon dos, pour me guider jusqu'à une petite table pour deux installée contre le mur du fond.

— Pourquoi n'avez-vous pas payé ces bières? Et pourquoi ne va-t-on pas s'asseoir avec les autres?

Il rit en tirant une chaise pour que je m'asseye. Mon cœur bondit dans ma poitrine, rempli d'une délicieuse impatience.

— Je n'ai pas envie de passer du temps avec les autres.

Mon Dieu. Ça signifie… que c'est avec moi qu'il a envie de passer du temps?

Je sens que mes jambes se mettent à trembler sous la table, et je passe mes mains sur mes cuisses pour essayer de les immobiliser. Zach change de sujet, comme s'il voulait me mettre à l'aise.

— Vous saviez que Cambria s'appelait à l'origine Santa Rosa?

Ses lèvres pleines me fascinent tellement que je mets un moment à comprendre ce qu'il me dit. Le bar Santa Rosa... Cambria... Il ne paie pas ses consommations... La barmaid connaît son nom...

Quand tout finit par s'éclaircir, je me redresse sur ma chaise, l'air accusateur.

— Cet endroit vous appartient!

Ma réaction semble le déconcerter. Je repose ma bière sur la table et le regarde, inquiète.

— Qu'est-ce qu'il y a?

Il se penche vers moi, préoccupé, mais je me recule, essayant de conserver une certaine distance entre nous.

— Ne faites pas ça. Je suis incapable de penser quand vous êtes si près de moi.

Je choisis ce moment pour jeter un coup d'œil, par-dessus l'épaule de Zach, vers la grande table où sont installés mes collègues. Tous sans exception – même Glen – sont en train de nous observer, sans même essayer de masquer leur curiosité. Certains ont juste l'air fascinés, mais d'autres – des femmes pour la plupart – affichent une expression choquée, dégoûtée ou même haineuse. Elles chuchotent en nous montrant du doigt, sans se préoccuper de qui peut les voir.

Elles pensent que je suis une pute. Elles pensent que je suis la maîtresse de Zach, ou sa call-girl. Pour l'amour du ciel... Une pute qu'il essaie de faire passer pour salariée de sa société.

J'ai la nausée. Le pire dans tout ça, c'est que s'il l'avait voulu, tout ça serait vrai.

— Je dois y aller.

Incapable de le regarder, ou de dire quoi que ce soit d'autre, je me dirige vers la sortie et quitte le bar aussi vite que possible.

Je suis au bord des larmes alors que je marche – que je cours presque – dans la rue. Pensant que mon hôtel était plus proche qu'il ne l'est en réalité, j'étais venue au bureau à pied le matin.

Ma gorge se noue sous l'effet de mes larmes contenues. Des larmes de honte plus que de tristesse. J'ai toujours été la gentille fille, une princesse bien propre sur elle. Je ne sais tout simplement pas comment gérer tout ça.

Les jours passés à Cambria m'ont rappelé à quel point j'aime le bruit de l'océan. Je décide en une seconde de tourner au coin de la rue pour me diriger vers la plage.

Je suis à mi-chemin quand une berline sombre ralentit près de moi, et se met à me suivre. J'accélère le pas.

Dans quel genre de ville suis-je venue m'installer?

Alors que je commence à avoir vraiment peur, la portière s'ouvre, des mains puissantes me saisissent par le coude, et on me soulève du sol.

— Ne refaites plus jamais ça.

Je ne lui fais pas le plaisir de me débattre. Je le regarde avec une méfiance que je ne ressens pas: mon corps se tend à son contact. Je suis en colère, ça oui, mais il y a chez lui un je-ne-sais-quoi qui me fait me sentir en sécurité. Ma panique est vaincue par sa seule présence. C'est une sensation étrange, mais bienvenue.

— Reposez-moi!

Je détache chaque syllabe, et mes yeux lancent des éclairs. Il n'a pas l'air content, et il me tient juste assez longtemps pour me le signifier. À la seconde où mes talons touchent le sol, je le repousse et m'éloigne d'un pas décidé, déterminée à ne pas laisser cette brute autoritaire gâcher ma promenade nocturne sur la plage.

Même si c'est une brute atrocement sexy.

Il me suit à la trace, comme une ombre impossible à semer.

— Vous ne pouvez pas vous promener comme ça toute seule dans la ville la nuit.

Il a raison, mais à ce moment précis, je m'en fiche.

— Ah oui? Pourtant, c'est ce que je suis en train de faire.

À peine ai-je prononcé ces mots qu'il m'attrape et me jette sur son épaule. Littéralement. Comme s'il était un homme des cavernes et moi la femme qu'il vient d'assommer avec un caillou.

Je pousse un cri indigné et martèle son torse de coups de pied. La rue est déserte, à l'exception d'un couple d'hommes qui promènent leur minuscule chien, main dans la main. Ils nous fixent, visiblement amusés, mais ne me viennent pas en aide.

Mais dans quel foutu genre de ville est-on?

— Reposez-moi!

Je fais de mon mieux pour parler d'une voix forte, en détachant de nouveau chaque syllabe. Mais Zach n'y prête aucune attention. Son étreinte sur mon corps se resserre, une main à plat sur mon dos, l'autre sur la courbe de mes fesses.

— Reposez-moi!

— Avec plaisir.

Une fois que nous sommes revenus à la luxueuse berline noire, il me fait lentement glisser le long de son corps, s'assurant que j'en sente bien chaque partie – dont une belle érection, dure comme de la pierre. Ça l'excite donc vraiment?

Un gémissement de frustration s'étrangle au fond de ma gorge tandis que je le repousse. Quel salopard! Mais je dois reconnaître que le seul fait qu'il me plaque si fermement contre lui me fait mouiller.

Zach penche la tête: il étudie ma posture, mes poings sur les hanches, ma mâchoire serrée…

— Vous êtes en colère contre moi!

Un coin de sa bouche se relève en un début de sourire.

— Personne ne s'énerve contre moi. Surtout pas les femmes.

— C'est ce que vous croyez!

Je suis plus que frustrée maintenant, et dans tous les sens du terme. Posant mes mains sur son torse, je tente de le repousser. Mais au lieu de me laisser un peu d'espace, il attrape mes poignets d'une prise si solide que je n'arrive pas à m'en défaire.

Nous nous dévisageons un long moment. Moi, la mâchoire toujours serrée, lui, comme si j'étais la chose la plus fascinante qu'il ait jamais vue. Avant que je puisse reprendre mon souffle, sa bouche est sur la mienne et je suis acculée contre la paroi de la voiture. À travers ma chemise, je sens le métal dur et froid dans mon dos, étrange contraste avec la vague de chaleur qui envahit ma poitrine, mon torse, mon ventre.

J'ai l'impression qu'on me marque au fer rouge. Et ça ne me dérange pas du tout. La langue de Zach trace le contour de ma bouche, exigeant d'y entrer. J'ouvre les lèvres et la laisse s'y glisser.

Mes mains remontent pour agripper ses bras musclés tandis qu'il empoigne mes cheveux et les tire en arrière, comme la dernière fois.

Quand un sifflement trouble le silence de la nuit, nous nous écartons l'un de l'autre, haletants. En nous retournant d'un même mouvement, nous apercevons les deux jeunes hommes qui promènent leur chien. Ils nous font un grand sourire depuis l'autre côté de la rue, l'un d'eux lève le pouce en signe d'approbation.

Nous rions tous les deux, essoufflés.

Cela aurait dû faire retomber la tension.

Mais non.

— Montez.

Sans attendre ma réponse, Zach me soulève et me dépose en douceur sur la longue banquette à l'arrière de la berline. Il m'y rejoint, puis fait remonter la vitre teintée qui nous sépare du chauffeur.

— Roulez! ordonne-t-il, juste avant qu'elle ne se referme.

Nous voilà seuls. Si ça ne tenait qu'à moi, je lancerai bien la discussion sur la signification de tout cela. Je lui dirais que ce n'est pas une bonne idée. Que je ne veux plus me lancer dans une relation avec un collègue de travail. Mais Zach, lui, préfère une approche plus directe.

M'attirant à lui, il me met à califourchon sur ses genoux, puis retrousse ma jupe crayon jusqu'à mes hanches et écarte largement mes jambes.

— Qu'est-ce que vous…

Coupant court à mes protestations d'un baiser, il empoigne le col de ma chemise et tire dessus jusqu'à en arracher les boutons, découvrant mon soutien-gorge noir tout simple. Il l'abaisse lentement, les bretelles s'étirant au maximum avant que mes seins ne jaillissent et ne s'offrent à lui comme une gourmandise prête à être dévorée.

— Putain… murmure Zach en les regardant tressauter, secoués par le mouvement de la voiture.

Il les fixe longuement, avant d'y enfouir son visage.

— Ils sont exactement comme je les avais imaginés.

Comme il les avait imaginés? Parce qu'il les avait imaginés? Impossible de s'attarder sur cette pensée : il aspire l'un de mes tétons érigés et le suce si fort que je suis traversée par un frisson qui court de mon sein jusqu'à mon sexe.

— Aaah!

Je me tortille, frottant mon bassin contre le sien. Il réagit en titillant mon autre téton des doigts de sa main droite.

Les deux mains sur son torse, j'essaie de maintenir entre nous un peu d'espace pour pouvoir respirer.

Mais je ne veux pas respirer. Je ne veux pas que ça s'arrête. Jamais.

— Défaites mon pantalon.

Soudain gênée, j'enfouis mon visage dans le cou de Zach et secoue la tête. Je ne crois pas que je pourrais le déshabiller, je ne suis pas assez courageuse pour ça.

Tom s'était toujours déshabillé lui-même. Et même si ce n'est pas juste de comparer les deux hommes – pour Tom en tout cas – j'ai trop peu d'expérience pour pouvoir faire autrement.

Dans le cou de Zach, mes joues sont en feu. Alors qu'il arrête de caresser mes seins, je gémis, frustrée que ce plaisir s'arrête.

— Devon.

Sa voix est suffisamment sérieuse pour me faire reculer et relever les yeux vers lui.

— Je vous autorise à enlever mon pantalon. Défaites ma ceinture, ouvrez ma braguette et sortez ma queue. Si je ne voulais pas que ce soit vous, et vous seule, qui le fassiez, je ne vous le demanderais pas.

Ces mots, que je devrais trouver étranges, sont le déclic dont j'avais besoin. Pendant que je m'exécute, il sort un petit sachet carré de sa poche, l'ouvre avec les dents et en sort l'anneau de latex. Puis il attend que j'aie terminé.

Alors que je libère enfin son sexe du tissu souple de son pantalon, un désir violent me submerge. Je n'ai jamais ressenti ça auparavant, pas avec Tom et certainement pas avec qui que ce soit d'autre. Je veux cette queue. Je veux la toucher, la lécher, l'enfouir à l'intérieur de moi.

Je veux qu'elle m'appartienne.

Mais ce puissant désir se mélange à une bonne dose de timidité. La seule chose que je réussis à faire, c'est empoigner son membre imposant. Un cri étranglé échappe des lèvres de Zach. D'une série de gestes rapides, il enfile le préservatif, tourne mon bassin vers lui, écarte ma culotte et s'enfonce en moi.

Il est loin d'être doux. Et son membre est loin d'être petit. Sa longueur et son diamètre me font écarquiller les yeux : je suis surprise, mais j'apprécie. L'avoir en moi en entier est douloureux, mais cette douleur se mélange à une dose de plaisir si phénoménale que le son qui s'échappe de ma gorge est presque un cri.

— J'aurais dû vous prévenir.

Zach me mordille le cou et, sans même me laisser un moment pour m'habituer à la sensation de son sexe qui m'emplit, il commence à donner de grands coups de bassin.

— Je ne suis pas doux. Jamais.

— Je crois que j'aime ça.

Ce qui me plaît encore plus que les vagues de plaisir dans lesquelles je me noie, c'est que je ne reconnais plus la douce et gentille Devon, qui serait choquée d'être traitée si brutalement.

Zach grogne, appréciant ma réponse.

Il agrippe mes longs cheveux, qui semblent presque blancs dans la lumière des réverbères que nous croisons. Puis il tire. Fort. La douleur ne fait que rendre ce moment plus délicieux encore. Bientôt, j'accompagne chacun de ses coups de bassin, mes doigts s'agrippant si fort à ses épaules que je suis sûre que mes ongles le griffent jusqu'au sang.

— Putain. Putain !

Ce n'est pas mon genre de jurer, mais alors que le plaisir monte et s'étire comme une corde tendue à son maximum, il ne semble pas y avoir d'autres mots.

— Putain !

Alors que je sens le plaisir culminer, Zach masse mon clitoris de son pouce. Alors qu'une expression vicieuse s'affiche sur son visage, l'orgasme m'emporte, aussi violent que si j'avais été touchée par la foudre. Incapable de contrôler la moindre partie de mon corps, je crie et pousse mon bassin vers lui aussi fort que je le peux, prenant avidement tout ce qu'il a à m'offrir.

— Devon !

Mon orgasme le fait basculer, et lui aussi crie en jouissant. Me pénétrant profondément, il pousse un long grognement sonore et se vide à l'intérieur de moi.

Nous restons ainsi un long moment, imbriqués l'un dans l'autre. Puis mon esprit se remet à fonctionner. Je ne connais pas le protocole dans une telle situation, alors je me recule et baisse les yeux vers son visage.

Il est indéchiffrable. Les murs sont de nouveau érigés, et toutes entrées solidement fermées.

— Je...

Je ne trouve rien à dire. Lentement, je me détache de lui, bien que la seule chose dont j'ai envie, c'est de rester sur ses genoux, tout contre lui.

Il me laisse faire sans commentaires. Et ça fait mal.

Je glisse sur la banquette jusqu'à ce que nous ne nous touchions plus, remets ma poitrine dans mon soutien-gorge, lisse ma jupe, et boutonne les deux boutons de ma chemise qu'il n'a pas arrachés. Je me tortille nerveusement, consciente que ma culotte est trempée et a été si malmenée qu'il me faudra sans doute la jeter.

Zach enroule le préservatif dans un mouchoir, et se nettoie avec un autre, avant de refermer son pantalon. Comme il ne me regarde pas, j'arrête de l'observer.

Il doit avoir donné un signal quelconque au chauffeur, car en quelques minutes – minutes qui s'étirent inconfortablement – nous arrivons devant mon hôtel.

Comment sait-il que c'est le mien, je n'en sais rien, mais je ne vais certainement pas le lui demander.

— Hum... Eh bien... Au revoir.

Mes émotions se bousculent, j'ai envie de crier, de pleurer, de jeter quelque chose. Je veux revivre ce plaisir. Le chauffeur m'ouvre la porte, et je m'extirpe maladroitement de la voiture.

— Devon.

Mon cœur fait un bond dans ma poitrine, et je me penche à la portière. Zach me regarde droit dans les yeux, l'air dur.

— Vous êtes une tentation.

— ... merci?

Je ne sais pas quoi dire. J'aimerais – j'ai besoin – d'un doux baiser d'adieu, que nos mains se frôlent, de quelque chose... mais après tout, il m'a prévenue. Il n'est pas attentionné.

J'ai déjà fait quelques pas, mes talons résonnant sur le pavé d'un bruit décidé – bien plus que mon état d'esprit – quand il répète mon prénom. Je me retourne et, de nouveau, c'est un homme à l'air dur qui me dévisage.

— Devon... Vous n'avez aucune idée de ce dans quoi vous vous êtes lancée.

4

— Mademoiselle Devon Reid.

Ces mots résonnent dans l'agitation de l'open space où se trouve mon petit bureau chez Phyrefly Aviation. Je n'aurais pas pu les ignorer, même s'ils n'avaient pas annoncé mon nom complet. La voix qui les a prononcés est féminine et nasillarde.

Cette voix reconnaissable entre toutes, ainsi que cette étrange habitude de s'adresser aux gens par leurs prénoms et leurs noms de famille, appartient à Bini Gallagher, chef du service administratif chez Phyrefly – ma responsable.

— Oui, madame Gallagher?

Bien qu'elle s'adresse à nous en utilisant notre nom complet, il en aurait coûté cher à celle des «filles» – terme générique qui inclut notre collègue masculin, Tony – qui aurait osé utiliser son prénom, quel que soit le contexte. J'affiche un grand sourire, que j'essaye de garder quand elle abaisse ses lunettes en écaille sur son nez pour me lancer un regard méprisant. Je fais de mon mieux – en règle générale – pour être gentille avec cette femme, parce que je suis persuadée que son attitude négative provient d'une profonde insatisfaction personnelle.

Et puis je suis ravie de cette distraction. Une semaine entière s'est écoulée depuis la dernière fois que j'ai vu Zach. Toute une semaine de silence, après l'une des expériences les plus intenses de ma vie.

Je vais devenir folle.

Cette absence de contact a cependant eu un effet positif au travail. Comme on ne nous a plus vus ensemble, la rumeur n'a plus rien eu à se mettre sous la dent, l'excitation est retombée et les gens sont passés à autre chose.

Tout cela vaut bien un grand sourire.

Mais mon sourire, pourtant sincère, ne vient pas à bout de l'air revêche de Bini, et je finis par abandonner. Je n'ai pas assez d'énergie aujourd'hui pour faire semblant d'être joyeuse, alors que j'ai encore passé la moitié de la nuit éveillée, en pensant à – ou plutôt en étant obsédée par – Zachariah St Brenton.

« Vous n'avez aucune idée de ce dans quoi vous êtes lancée.»

«Lancée», ça doit vouloir dire que quoi qu'il y ait entre nous, ce n'est pas terminé.

Mais alors où peut-il bien être ?

Mme Gallagher renifle quand elle s'aperçoit qu'elle n'a pas toute mon attention. Elle pousse un grand soupir, qui répand autour d'elle son haleine chargée de café, puis elle plaque sur mon bureau un petit colis enveloppé de papier brun.

Je ramène derrière mon oreille une mèche de cheveux qui s'est échappée de ma queue-de-cheval, et cligne des yeux en observant le paquet qui ne porte aucune indication. Quand je lève un regard interrogateur vers la femme qui me fait face, elle pousse un nouveau soupir, qui me donne l'impression que je devrais savoir ce qu'il contient.

— Ceci vient de nous être livré. Avec des instructions. Vous, et vous seule, devez le porter à M. St Brenton. Assurez-vous de bien le lui remettre en personne.

Je remarque à peine l'expression agacée de Mme Gallagher – après tout, pourquoi est-ce moi qui suis envoyée dans le saint des saints, le repère de celui qui dirige tout l'immeuble, alors qu'elle est ma supérieure? Mon cœur avait bondi dans ma poitrine dès que j'avais entendu son nom. L'impatience avait suivi, et ma peau s'était couverte de chair de poule.

Je regarde le paquet, faisant le souhait que le papier brun se défasse sous mes yeux pour me donner un indice de ce à quoi je devais m'attendre là-haut. Mais tout ce qui se passe, c'est un coup sec de stylo sur la surface brillante de mon bureau, tout près de ma main.

— Eh bien, allez-y, mademoiselle Devon Reid ! À moins que vous ne vous trouviez trop bien pour jouer les coursiers.

En murmurant une réponse négative, je me lève, saisis le paquet et me précipite vers l'ascenseur.

Je sens le regard de ma responsable qui me suit, fixé entre mes omoplates. Quand je me retourne rapidement, après avoir appuyé sur le bouton pour appeler l'ascenseur, je suis surprise de constater que l'expression sur son visage n'est plus ennuyée, mais inquiète.

Pourquoi s'inquiète-t-elle? C'est moi qui vais devoir affronter l'inconnu.

Pourquoi – oh oui, pourquoi? –, ce mot provoque-t-il en moi un sombre désir qui me vrille le ventre sous l'effet de l'impatience.

J'oublie vite Mme Gallagher à mesure que l'ascenseur grimpe depuis le troisième étage de l'immeuble, toujours plus haut vers son but: le vingt-sixième étage. J'aperçois mon reflet dans le miroir qui couvre une paroi, et je ne suis pas ravie de ce que je découvre.

Ma jupe noire et mon cardigan sont soignés, mais quelconques. Mes cheveux sont ramenés en queue-de-cheval, des mèches s'en échappant dans tous les sens, et les cernes sous mes yeux, causés par plusieurs nuits sans sommeil, sont clairement visibles à travers la fine couche de maquillage qui ne cache presque rien sous la lumière des néons.

Peu importe mon apparence, je le sais au fond de moi. Mais alors que je pense à la sensation de Zach à l'intérieur de moi, à sa bouche sur mes seins, je frissonne, mes tétons pointent, et je regrette – vraiment – de ne pas porter une autre tenue. Quelque chose de plus joli.

Quelque chose de plus sexy.

La femme qui est assise derrière un bureau immense, juste devant les portes de l'ascenseur qui s'ouvrent devant moi, est visiblement plus jeune que moi – ce qui est un exploit, puisque je n'ai que vingt-quatre ans – et ses cheveux blonds glacés sont aussi lisses que son sourire est enjôleur.

Elle darde ce sourire vers moi, pourtant je ne me sens pas la bienvenue. Elle ne parle pas, se contentant d'attendre. Je comprends qu'elle est capable d'être bien plus désagréable que je ne le serais jamais.

— Je viens remettre ceci à monsieur St Brenton.

Je relève le menton, en essayant d'oublier le petit trou que j'ai remarqué dans ma jupe ce matin, juste au niveau de ma hanche. Il est caché par mon cardigan, mais je suis si peu sûre de moi à ce moment-là, que je suis certaine que cette créature à l'apparence parfaite peut le voir.

Elle sourit de nouveau, et je lui désigne le paquet. Elle fait un geste pour le prendre, et je le serre contre moi.

— Je donnerai ceci à Zach – à M. St Brenton, dès qu'il sera disponible.

Je sais que cette façon de laisser échapper son prénom n'est pas accidentelle. Cette femme est en train de me défier, bien que je ne comprenne pas pourquoi.

— Je dois le lui remettre en personne.

Même si je suis intimidée, j'essaie de parler d'une voix ferme. Je suis certaine qu'affronter cette poupée Barbie est cent fois plus facile que ce qui me tomberait dessus si j'osais désobéir aux instructions. Instructions qui viennent, j'en suis sûre, directement de l'homme que je n'ai pas vu depuis une semaine.

Je ne le connais pas bien, mais je sais qu'il n'aime pas être défié.

— Oh, vous êtes adorable, dit la femme en souriant de nouveau, sans qu'il n'y ait pourtant aucune chaleur dans sa voix. Mais vraiment, vous pouvez me le laisser.

Je m'accroche au paquet comme à une bouée. J'ai l'impression de passer un test. J'ouvre la bouche pour dire que je n'en suis pas sûre, mais les mots restent bloqués dans ma gorge quand la voix que j'entends sans cesse dans mes rêves m'enveloppe comme une vague chaude.

— Merci, Philippa, mais j'ai en effet donné des instructions à Mlle Reid pour qu'elle me remette ce paquet en mains propres.

Le sourire de Philippa se fait plus large et plus charmant, maintenant qu'il est destiné au bel homme qui vient d'ouvrir les lourdes portes en bois de son bureau. Peu importe, elle a été balayée de mon esprit au premier regard de Zachariah.

— Mademoiselle Reid.

Il attend, ses yeux aussi brûlants que le cœur rougeoyant d'un feu. J'avance vers lui, hésitante. Quand il place sa main au bas de mon dos pour me guider jusqu'à son bureau, une décharge d'adrénaline fait trembler mes jambes.

Je reste figée juste derrière la porte, qu'il referme derrière nous. Je balaye l'immense pièce d'un coup d'œil, et je découvre un bureau et son fauteuil, deux canapés, plusieurs petites tables basses et de grandes baies vitrées. Ce sont là tous les détails que je note.

Tous mes sens sont concentrés sur l'homme qui se tient toujours derrière moi sans me toucher, mais suffisamment proche pour occuper tout mon espace.

— Vous avez obéi aux instructions de cette lettre, mademoiselle Reid. Je suis impressionné.

Je sens une chaleur se répandre dans mon cou – sa respiration – puis soudain elle disparaît, laissant derrière elle une rougeur qui s'étend sur ma peau.

— Je sais bien suivre les ordres.

C'est la vérité. Toute ma vie, j'ai fait ce qu'on m'a dit.

— Je ne crois pas que ce soit tout à fait vrai, mademoiselle Reid. D'ailleurs, vous allez avoir de gros problèmes.

J'ai envie de me pencher en arrière, de le toucher, simplement pour sentir un contact, mais sa voix est menaçante, et je sais qu'il ne le permettrait pas.

— Que... qu'est-ce que j'ai fait?

J'essaie de rester immobile, bien droite, et je serre si fort les poings que mes ongles mordent ma chair. Je tremble d'excitation et d'impatience. Je le sens se rapprocher, derrière moi. Son souffle frôle mon oreille pendant qu'il me parle, et un frisson court le long de ma colonne vertébrale.

— Je vous ai dit de ne pas m'approcher. Et vous l'avez fait. Regardez où ça nous a menés.

Il insinue son genou entre les miens, et d'une petite poussée, m'invite à avancer.

— Marchez jusqu'à mon bureau, mademoiselle Reid, et ouvrez le paquet.

Sa voix se fait plus grave, plus rauque.

Il a l'air excité. J'hésite un instant, et sa voix m'encourage.

— Allez-y.

Encore une fois, j'obéis. J'avance droit vers son bureau en titubant un peu sur mes talons. Je touche brièvement sa surface dure et lisse, avant de poser les mains sur le papier qui enveloppe le paquet.

Que peut-il donc y avoir dans cette boîte?

Et qu'est-ce que ça peut me faire?

J'essaie d'enlever le papier soigneusement, mais le stress me fait trembler, et il se déchire. La boîte est en carton fin, simple, et marron elle aussi.

Je jette un coup d'œil hésitant par-dessus mon épaule. Zach s'est avancé derrière moi, juste assez proche pour maintenir la tension.

— Ouvrez-la.

Je n'hésite pas – à présent mes muscles sont contractés sous l'effet d'une curiosité impatiente. Le carton s'abîme un peu quand je retire rapidement le couvercle, et j'entends un petit rire grave derrière moi.

— Oh!

Quoi que j'aie pu imaginer dans cette boîte, je ne pensais pas que ce soit… eh bien, cette chose – quelle qu'elle soit. On dirait presque un plumeau pour faire la poussière, sauf qu'il est en cuir et beaucoup trop joli pour ce genre de corvée. Oui, le cuir est beau. Il forme de longs rubans chocolat qui retombent autour d'un manche, de la hauteur d'une paume, autour duquel s'entrecroisent les lanières de cuir. J'ai soudain envie d'y passer les doigts.

Je trace le contour du manche, toujours sans savoir ce que je suis en train de regarder, même si je suis sûre que c'est quelque chose de très important pour l'homme qui se tient juste derrière moi. Je l'entends inspirer brusquement quand je caresse l'objet, puis sa main rejoint la mienne, plaçant ma paume sur le manche, ma peau d'un blanc pâle contre sa peau dorée par le soleil.

Il me laisse tenir l'objet pendant un long moment, avant de me le prendre des mains et de le poser sur le bureau. Puis il s'assoit dans le large fauteuil, ses mains à plat sur le bureau.

— Enlevez votre pull.

J'en reste bouche bée. Il me sourit, mais sans gentillesse. C'est un sourire de désir, de besoin, avec une once de cruauté. Mais je suis trop stupéfaite pour avoir peur.

— Je vous demande pardon?

Nous sommes dans son bureau, pour l'amour du ciel! J'ai essayé d'adopter un ton hautain, de me draper dans ma dignité, mais je sais que c'est inutile. Et, à voir le sourire qu'il me renvoie, il le sait aussi.

— C'est tout à fait déplacé.

Il se penche, son regard emprisonnant le mien.

— Je veux que vous enleviez votre haut, mademoiselle Reid, parce que je veux vous regarder. Et je pense que vous voulez que je vous regarde.

Je suis incapable de parler. Je ne peux même pas avaler ma salive. Je lui en veux pour cette semaine de silence, mais ça ne diminue en rien mon désir pour lui.

— Je…

Qu'est-ce que je suis censée répondre à ça?

— Dites-moi la vérité.

Il lit dans mes pensées ou quoi?

— Si vous ne voulez pas me laisser vous regarder, alors je vous présente de sincères excuses. Mais si vous mettez de côté votre idée de ce qui est déplacé – et ce que vous pensez vouloir –, je crois que vos désirs sont tout à fait en phase avec les miens. Vous voulez vous soumettre à moi.

Il fixe ma bouche qui s'ouvre puis se referme sans un son. Ses yeux suivent les mouvements de ma langue qui humidifie mes lèvres.

Je ne peux pas ignorer mon entrejambe brûlant et humide. Je lutte contre moi-même, et il le sait. Sa voix grave murmure, apaisante :

— Qu'est-ce que vous voulez, Devon? Qu'est-ce que vous voulez réellement?

Le son de sa voix qui prononce mon prénom est intime, et c'est finalement ce qui me fait céder.

Lentement, très lentement, je lève les mains vers le premier bouton de mon cardigan. J'ai l'impression que mes doigts sont gourds et maladroits, mais je réussis à le défaire. Zach émet un son d'approbation, une lueur de concupiscence dans le regard.

Je défais un bouton, puis un autre. Enfin, mon cardigan est ouvert, et, avant que je ne change d'avis, enlevé. Je suis debout, en soutien-gorge de coton rose pâle, jupe, bas, et talons, les bras timidement croisés sur mon ventre.

En un clin d'œil, Zach s'empare de l'étrange objet et l'agite vers moi. Je vois les lanières de cuir voler avant de sentir une morsure aiguë sur la rondeur d'un de mes seins, puis de l'autre.

Mon Dieu. Cette jolie chose en cuir est un fouet.

Il donne deux coups de plus, et cette fois le cuir mord mes tétons. Je pousse un cri et me recule, refermant les bras devant moi pour me protéger.

— Arrêtez!

Je le regarde, stupéfaite, mes yeux écarquillés par la surprise.

— Mais qu'est-ce qui vous prend?

Il me tend l'objet, et son visage affiche une expression sérieuse et honnête.

— Confisquez-le si vous voulez, Devon.

Je regarde le fouet prudemment, mais je ne bouge pas de l'endroit où je me tiens, à quelques pas du bureau.

— C'est un martinet. C'est un objet de plaisir. Un plaisir que j'aimerais vous donner.

— De douleur vous voulez dire?

Mon ton est désagréable, comme j'en avais l'intention. Il m'a déconcertée, sortie de la bulle sécurisante que je m'étais créée cette semaine, et je crois que je n'aime pas tellement ça.

— Ma douleur, pour votre plaisir?

Je remarque que, même si je viens d'être fouettée, je ne panique pas...

— Réfléchissez, Devon.

Je lui jette un regard noir. Je ne suis pas dupe de son ton rassurant.

— Est-ce que ça vous a vraiment fait mal? Je ne crois pas.

Merde, il a raison. Ça a brûlé, un peu comme quand on se coupe avec du papier. Et ça m'a vraiment surprise. Mais ça ne fait pas réellement mal – si on excepte la douleur sourde qui irradie maintenant entre mes cuisses.

Prudemment, sans que ses yeux quittent les miens, Zachariah place de nouveau sa main sur l'objet – le martinet. En le tenant fermement dans sa main, il fait le tour du bureau, jusqu'à ce qu'il soit de nouveau derrière moi. Il place le manche entre mes seins, puis pose les mains sur mes épaules, les glisse le long de mes bras, trace la ligne de mes côtes, caresse la peau de mon dos. D'un geste habile, il dégrafe mon soutien-gorge, qui tombe sur mes avant-bras. Il attrape le martinet qu'il avait glissé dans mon décolleté d'une main, et de l'autre il me retourne, tordant mon soutien-gorge au passage, afin que mes poignets soient attachés par le tissu rose pâle.

— Allongez-vous, murmure-t-il.

J'ai l'impression qu'on m'a droguée, car je n'envisage pas d'autre option que de faire ce qu'il me dit, même si la partie rationnelle de mon cerveau me crie que c'est insensé. Je sens la surface fraîche du bureau dans mon dos et je me tortille d'impatience.

— Fermez les yeux.

Je n'arrête pas de bouger, mes hanches ondulant maladroitement. Je n'ai jamais ressenti un désir aussi urgent. Je suis sur le fil.

Le fil de quoi, je ne sais pas.

Je me tends, attendant la morsure du martinet. Et j'en ai une envie irrésistible, pour être honnête.

À la place, je sens la douce caresse du cuir froid qui danse sur mon ventre. J'inspire brutalement en découvrant cette sensation si différente de ce que j'attendais, mais non moins agréable.

— C'est ce que vous ressentirez quand je vous aurai déshabillée, et que je vous embrasserai sur tout le corps.

La scène surgit dans mon esprit bien trop clairement. Moi, nue, étendue sur son bureau, en attendant le contact de sa bouche. Je gémis doucement, mais le son est étouffé par le cuir sur mes lèvres.

— Écartez les jambes.

J'obéis avant même d'y penser. Le tissu de ma jupe remonte, exposant le haut de mes bas, le tissu de ma culotte, et les quelques centimètres de peau nue entre les deux. Le cuir parcourt mes côtes dénudées, la vallée entre mes seins, mes tétons érigés. Je me mets à haleter, plus excitée que je ne l'ai jamais été de ma vie.

— Tenez-vous au bureau.

J'obéis, en avalant difficilement, et en me demandant ce qui va se passer ensuite.

À la place du martinet, je sens les doigts de Zach se promener sur ma culotte. Je gémis doucement et m'offre à ce contact, mais il ne s'attarde pas.

Habilement, il écarte le tissu, et je sens une pression à l'entrée de mon sexe. M'ouvrant instinctivement, je suis surprise de le sentir insérer quelque chose de lourd et rond dans mon intimité, rapidement suivi par un second objet identique. J'essaye de resserrer les cuisses, mais Zach arrête mon mouvement.

— Qu'est-ce...

Je me redresse pour demander à Zach ce qu'il vient de faire, et alors que je bouge, les balles bougent également. Elles exercent une pression dans des endroits délicieux et intimes, et une douleur sourde grandit dans mon ventre.

— Si vous voulez faire ce voyage avec moi, alors vous devez apprendre à me faire confiance.

Je suis trop distraite par la lourde sensation des balles qui roulent en moi pour lui demander ce qu'il veut dire.

— Ce sont des boules de geisha. Vous allez les garder jusqu'à ce que j'en décide autrement.

J'essaye de bouger, et les boules se déplacent aussi, m'imposant des sensations impossibles à ignorer.

— Penchez-vous sur le bureau.

Oh mon Dieu ! Allongée sur le ventre, les balles pèsent lourdement sur la chair au-dessus de mon clitoris. J'ai envie de me balancer d'avant en arrière, pour faire monter et soulager cette délicieuse pression, mais une paume appuyée sur la courbe de mes fesses m'en empêche.

Concentrée sur les nouvelles sensations dans mon sexe, je ne m'attends pas au sifflement du fouet ni à l'explosion de douleur qu'il provoque entre mes cuisses.

Le cuir mord d'abord sur la peau nue de chacune de mes jambes, puis frappe plusieurs petits coups sur mon entrejambe. Je pousse un cri, mes doigts tentent de s'accrocher sur la surface lisse du bureau. Il a frappé plus fort que la première fois, et les coups m'ont fait mal – vraiment mal même – en mordant ma chair la plus sensible. Mais mêlé à cette douleur, il y a un certain plaisir, un plaisir sombre et séduisant.

Alors que mon corps tressaute, les balles roulent à l'intérieur de moi. C'est presque insupportable, ce plaisir qui se mêle sans effort à la morsure du fouet.

Un plaisir qui monte, vagues après vagues, pour finalement s'écraser sur le rivage en une marée de plaisir. Je crie de nouveau quand ces sensations déferlent sur moi, emportée dans l'obscurité jusqu'à ce que l'eau reflue et que je puisse voir de nouveau.

Abasourdie, je me retourne lentement et me redresse sur mes coudes, pour regarder l'homme qui se tient devant moi. Ses yeux sont brillants comme ceux d'un chat, emplis d'une émotion que je n'arrive pas à déchiffrer.

Je ne le connais pas bien, après tout, malgré ce qu'il vient de faire subir à mon corps.

Quelque chose dans son regard, pourtant, est trop personnel, trop à vif pour qu'il accepte de le montrer. Je ne crois pas qu'il ait eu intention de me laisser le surprendre ainsi, car aussitôt qu'il s'aperçoit que je suis redescendue sur terre, son regard se ferme et son visage se tend. Je l'observe alors qu'il verrouille ses émotions et redevient un fascinant milliardaire charismatique et maître de lui.

Ainsi, même toute sa fortune ne peut le protéger des démons qui le hantent, qui nous hantent tous.

Je me sens exposée, même si ça n'a pas de sens, au point où j'en suis. Je défais mon soutien-gorge de mes poignets et le glisse dans ma poche. Je n'ai pas l'impression de pouvoir prendre le temps de le remettre. Je m'emploie à enfiler mon cardigan et le referme rapidement, sans prendre la peine de vérifier si je l'ai boutonné correctement.

Je ne sais pas ce qui vient de se passer, mais je n'ai pas l'intention d'y réfléchir ici. Zach est figé sur place. Ses yeux m'observent, leur expression indéchiffrable.

M'écartant du bureau, j'avance rapidement vers la porte, et les balles bougent avec moi, ce qui m'arrache un gémissement. Tout ça est trop… trop intense. Je ne sais pas quoi en faire. Je préfère affronter Philippa la poupée Barbie, même avec mes cheveux ébouriffés et sans soutien-gorge, plutôt que de continuer à respirer dans cette pièce où il semble soudain ne plus y avoir d'air.

— Mademoiselle Reid.

Ma main est déjà sur la porte. Je me tourne lentement, sans lâcher la poignée.

L'homme sexy qui m'a séduit s'est transformé. Ce n'est plus l'homme torturé qui m'a fait jouir. À sa place se tient le PDG froid et maître de lui, la posture arrogante, un début de sourire suffisant aux lèvres.

— Soyez à l'accueil, dans le hall, à 18 h 30. Nous devons avoir une discussion.

Son ton est dur, presque menaçant.

— N'enlevez pas les boules de geisha cet après-midi.

Je bouge, de nouveau consciente du va-et-vient des balles en moi. Alors que je viens d'avoir un énorme orgasme, je sens déjà mon désir renaître. J'essaye d'imaginer passer l'après-midi avec elles à l'intérieur de moi, travaillant à mon bureau pendant qu'elles pèsent sur mon clitoris. Cette pensée me fait rougir et ouvrir les lèvres.

— Je vous ai révélé une partie du plaisir de mon... style de vie, Devon. Mais je ne vous ai pas encore fait découvrir la douleur.

Je suis incapable de bouger, pas avec ses boules qui envoient des éclairs de désir dans tout mon corps.

— J'ai besoin de savoir si vous êtes ouverte aux deux.

Mes yeux sont écarquillés. De la douleur? Plus qu'avec le martinet? J'ai l'impression d'être face à un prédateur. J'observe, prudente, Zach qui traverse la pièce avant de relever mon menton pour un rapide et doux baiser.

— Retournez travailler maintenant. Je vous retrouve dans le hall à 18 h 30.

Un peu hébétée, comme droguée par les sensations de mon corps, j'acquiesce et me tourne pour quitter la pièce. Juste avant que je ne passe la porte, il murmure une dernière chose à mon oreille.

— Et quoi que vous fassiez, ne jouissez pas.

5

À 18 h 20, ce soir-là, je suis assise dans l'élégant et vaste hall d'accueil de Phyrefly, où j'attends Zach. Je serre si fort mes mains posées sur mes genoux que mes articulations blanchissent. Mon visage est chaud, mes jambes tremblantes sont croisées, tous mes muscles tendus.

Les boules de geisha placées tout à l'heure par Zach pèsent lourdement sur mon pelvis. J'essaie de rester parfaitement immobile, car au plus infime mouvement – n'importe quel mouvement – elles se balancent dans mon bas-ventre, provoquant des sensations qui me submergent.

Le grand immeuble semble vide, tout le monde a terminé sa journée. Pourtant, je sais que Zach est toujours là, quelque part. Je sens la tension que provoque chez moi sa proximité, vibrante dans l'air comme une substance tangible.

Je lève la tête vers l'écran de contrôle du système de surveillance, et je me demande s'il est en train de me regarder, s'il peut me voir.

En même temps, je m'observe. Une petite blonde pulpeuse habillée sévèrement de noir apparaît sur l'image en noir et blanc, légèrement distordue. La femme à l'écran semble attendre quelque chose – chercher quelque chose – et je cligne des yeux devant ma propre image, surprise par cette pensée.

Qu'est-ce que je fais ici? Suis-je vraiment en train de me jeter à la tête d'un homme, sitôt après m'être brûlé les ailes avec un autre? Puis-je vraiment découvrir qui je suis dans les bras de quelqu'un d'autre?

La sonnerie de l'ascenseur chromé s'ouvrant sur le rez-de-chaussée fait bondir mon cœur dans ma poitrine, qui semble soudain trop petite pour le contenir. Comme je sens la sueur sur mes paumes, je desserre les mains et les essuie nerveusement sur ma jupe.

— Vous êtes en avance. Ça me plaît.

Il est là. Zachariah St Brenton, le milliardaire charismatique, traverse le hall ultramoderne. Il porte un autre costume noir, visiblement hors de prix, qui le rend encore plus appétissant. Je me mets à trembler alors que ses yeux dorés se fixent sur moi, brûlants de désir.

Ma raison me dit que je ne vais pas – que je ne pourrai pas – découvrir qui je suis en courant après un homme. Mais tout le reste de mon être me crie de m'emparer de ce que je veux, pour une fois dans ma vie.

— Venez.

Zach me tend la main, et je la saisis sans poser de questions. Je suis sûre que c'est ce qu'il attend de moi. Je me rends compte que je n'ai pas envie de réfléchir, pas envie d'analyser mes actes, mes sentiments ou mes pensées.

Je veux seulement vivre – et rien ne me fait me sentir aussi vivante que cet homme.

— Oh!

Les lourdes boules roulent quand je me lève, provoquant des frissons de désir dans tout mon abdomen, et mes genoux se dérobent. Les bras musclés de Zach me rattrapent par la taille et m'aident à tenir debout.

— Je vous en demande peut-être trop.

Je relève brusquement la tête, persuadée que c'est une critique. Je suis dévastée, car, pour des raisons que je ne comprends pas bien, je veux lui plaire.

Mais les lignes qui creusent son front m'apprennent qu'il est inquiet pour moi. Je suis surprise et touchée. Et j'ai encore plus envie de lui faire plaisir.

— Non.

Zach me jette un regard sévère, et ses sourcils se rapprochent en un début de froncement. Je me dis de nouveau qu'il n'est pas le genre d'homme habitué à ce qu'on lui dise non.

— Très bien.

Ses yeux clairs m'étudient pendant un long moment, comme pour percer mes secrets. Puis, Zach me guide jusqu'à l'entrée du parking où je me suis garée ce matin. Il semble essayer de me comprendre, de me déchiffrer, ce qui me laisse perplexe.

Après tout, je ne suis pas très intéressante.

— Où allons-nous?

Les boules continuent à bouger en moi, roulant à chacun de mes pas.

Ma respiration se mue en courts halètements à mesure que le plaisir monte et tend les muscles de mon bas-ventre.

Nous dépassons la cabine vide habituellement occupée par le gardien du parking, et Zach me fait passer une porte que je n'avais pas remarquée auparavant. Elle mène jusqu'à un parking plus petit, aux finitions plus soignées, séparé de la zone principale destinée aux employés.

Il abrite une demi-douzaine de véhicules de luxe. Enfin, je n'y connais rien en voitures – rien du tout en dehors du fait que dans l'idéal, quand je mets le contact, la voiture démarre. Mais je sais quand même que, sans aucun doute, tous ces véhicules sont bien au-dessus de mes moyens. Leur brillance chromée, leur ligne élégante – tout crie le luxe.

Je me rends brusquement compte qu'ils doivent tous lui appartenir.

— Nous allons à la maison sur la falaise ce soir, Charles.

Je sursaute sous l'effet d'une décharge d'adrénaline quand un homme entièrement habillé de noir et que je n'avais absolument pas remarqué se lève de la chaise pliante sur laquelle il était assis pour saluer Zach.

— Très bien, monsieur St Brenton.

Il acquiesce avec raideur, mais je sens son regard s'attarder sur moi – sans aucune concupiscence, seulement avec curiosité. Je l'observe moi aussi en lui jetant de petits coups d'œil. C'est un homme mûr, dont on pourrait dire qu'il vient juste de rejoindre le club des seniors, mais est encore bien loin de se contenter de jouer au backgammon. Grand et musclé, son maintien rigide indique qu'il a reçu un entraînement militaire.

La méfiance est gravée dans les rides de son visage. J'avale ma salive. Je ressens le besoin de faire mes preuves. Mais comment? Je n'en ai aucune idée…

— Charles, voici mademoiselle Reid.

Zach place sa main au creux de mes reins, et je sens la chaleur de son corps traverser le coton fin de mon haut. Je frissonne, faisant rouler les boules d'avant en arrière, et je ne peux me retenir plus longtemps.

Un faible gémissement s'échappe de mes lèvres, une plainte de désir. Je n'ai jamais été aussi excitée de toute ma vie.

En entendant mon soupir, Zach baisse soudainement les yeux sur moi. Je remarque que son corps se tend, en réponse à mon désir. Il hoche rapidement la tête à l'attention de Charles, qui s'installe derrière le volant.

Alors que je m'étonne qu'un homme comme Zach – qui aime visiblement avoir le contrôle – ne conduise pas lui-même sa belle voiture, il prend mes mains et me fait me tourner face à l'arrière de la voiture. Il place mes paumes à plat sur sa surface lisse.

Je ravale un cri.

Les balles se balancent violemment en moi, et l'excitation inonde mon sexe lorsqu'elles pèsent sur son entrée.

— Qu'est-ce que vous faites?

Mon murmure s'étouffe dans ma gorge quand Zach s'accroupit derrière moi, et referme ses doigts autour de mes chevilles, avant de faire remonter ses mains à l'intérieur de mes jambes.

— Zach!

La mouille inonde ma fente, pendant qu'il continue sa caresse, douce, mais ferme, jusqu'à la peau sensible de mes cuisses, puis se glisse sous ma jupe. Mon visage devient écarlate, ma respiration un halètement, et je jette un œil vers l'avant de la voiture.

Charles est assis derrière le volant et regarde droit devant lui. Je vois son expression sérieuse et concentrée dans le rétroviseur. Il semble attentif, tout en n'étant absolument pas intéressé par ce que fait son employeur.

Peut-être que Zach emmène tout le temps des femmes dans son parking privé? Je n'en sais rien, et en ce moment, alors que ses pouces effleurent l'endroit où ma peau rencontre ma culotte, je m'en fiche.

— Détendez-vous.

Ses mots sont murmurés contre l'arrière de mes jambes. À cette heure tardive de la journée, l'ombre d'une barbe est apparue sur sa mâchoire, et il la frotte sur la peau délicate derrière mes genoux.

J'en tremble. Je sais que c'est idiot, étant donné que Charles ne semble pas regarder, mais j'essaie quand même de dissimuler mes joues rouges et mes lèvres entrouvertes sous un masque d'indifférence.

Je lutte pour couvrir mon cri en toussant quand l'une des mains de Zach écarte l'élastique de ma culotte. L'autre main presse sur les lèvres gonflées de mon sexe, jouant avec pendant un moment avant d'y pénétrer. Mes doigts essaient en vain de s'accrocher sur la surface lisse de la voiture quand Zach extrait la première boule, puis la seconde, de mon sexe humide.

Il dépose un baiser sur ma fesse droite, puis remet en place ma culotte et rabaisse ma jupe. Je le regarde bouche bée, plus excitée que jamais, mais aussi perturbée, alors qu'il me retourne vers lui et caresse ma joue d'un doigt.

— J'ai eu tort de vous demander de les garder toute la journée.

D'un geste nonchalant, il sort un mouchoir en tissu – il y a vraiment des gens qui en ont encore de nos jours? – et y enveloppe les deux boules de geisha. Les petits globes de métal brillent à la lumière, et j'ai l'impression qu'elles me font un clin d'œil malicieux avant que Zach ne les mette dans la poche de son pantalon.

— Venez.

Alors, il a l'intention de me laisser comme ça? Non, hors de question. J'ai été excitée à en avoir mal toute la journée, à tel point que ma peau me tire. Ce n'est pas juste. C'est cruel.

— Pourquoi avez-vous fait tout ça?

Je suis enfin capable de reparler, essoufflée, mais surtout très énervée. Peu importe à quel point Zach m'excite, je ne veux pas être un pantin manipulé par quelqu'un d'autre.

Un éclair de consternation passe sur les traits ciselés de Zach, mais il disparaît en un clin d'œil. Il est remplacé par ce regard – celui qui signifie qu'il a envie de moi, ici et maintenant.

Je déglutis avec difficulté. Le désir me liquéfie et disperse mes pensées.

— La satisfaction différée peut vous amener à des sommets de plaisir que vous n'avez jamais osé imaginer, mademoiselle Reid.

Il presse sa main entre mes omoplates, et frotte doucement avec son index et son majeur.

— Maintenant, dans la voiture.

Je plante fermement mes pieds dans le sol, et j'essaie de lui lancer un regard noir, même si tout mon corps me crie de faire ce qu'il me dit. Je ressens le besoin de m'affirmer, de démontrer que je ne suis pas du genre timide. Je viens à peine de comprendre que c'est exactement ce que j'ai été toute la vie. C'est le moment de changer.

— Dites-moi où nous allons. Ensuite, peut-être que je monterai dans la voiture.

L'expression de Zach s'assombrit, et j'en tremble nerveusement. Je vois son poing se serrer, ses ongles mordant dans ses paumes.

— Nous allons chez moi.

La pression de ses doigts dans mon dos s'intensifie, et je suis si surprise par ce qu'il vient de dire que j'avance et me penche pour monter dans la voiture. C'est la même que la dernière fois, son intérieur élégant semblable à celui d'une limousine. Je plaque mes mains sur ma jupe pour éviter de lui offrir un aperçu de mes dessous.

Une fois installée, je me retourne et découvre le large sourire de Zach, même si on peut encore lire le désir et le danger sur son visage.

— Quoi?

Je ne peux pas m'être rendue ridicule pendant les soixante dernières secondes, si?

— Qu'y a-t-il de si drôle?

Zach se glisse à ma suite dans la voiture, avec beaucoup plus d'élégance que moi. Je crois un moment qu'il va s'asseoir à côté de moi, me toucher – il avait sa main entre mes jambes il y a quelques instants, après tout. Mais au lieu de ça, il s'installe sur la banquette en cuir souple juste en face de moi... celle sur laquelle nous avons fait l'amour si fébrilement lors de mon premier jour de travail.

Je ne peux pas m'empêcher de le dévisager. Il desserre sa cravate, aujourd'hui à motifs verts et gris, puis passe la main dans ses cheveux.

Je m'imagine en train de faire pour lui ces deux gestes, et ma bouche s'assèche.

— Pourquoi... Pourquoi allons-nous chez vous ?

Je ne suis pas stupide – je sais parfaitement où tout ça nous mène. Cependant, cet homme et ces brusques sautes d'humeur me font suffisamment douter pour que j'aie besoin d'une confirmation.

Zach se penche, et presse un seul doigt sur mes lèvres. Je sens un parfum chaud de cuivre et comprends que cette odeur vient de moi. Je rougis intégralement, et le désir qui me noue le ventre semble le serrer plus encore.

— Nous allons y passer la nuit.

Nerveuse, j'essaie d'entretenir la conversation pendant que la voiture suit les courbes de la route, un mince ruban d'asphalte au bord de l'océan. Zach semble diverti par mon monologue, bien qu'il ne puisse certainement pas en avoir écouté ne serait-ce que le quart.

Pourtant son attention est concentrée sur moi. Ça plus la douleur sourde causée par les boules de geisha – un peu moins forte, mais toujours présente – je suis prête à grimper aux rideaux.

Ou sur lui.

— C'est une belle voiture.

Je ne m'intéresse pas vraiment aux voitures, mais ce modèle bas, ces sièges en cuir noir combinés à la vue depuis cette route côtière me donne envie de conduire vite, le toit ouvert.

— Ça doit être formidable de conduire une telle voiture sur cette route.

Zach ne répond pas, mais quelque chose change dans son silence. Je déplace mon regard de la fenêtre au grand et bel homme qui est assis en face de moi, et je comprends immédiatement que j'ai dit quelque chose qu'il ne fallait pas.

Son visage, si ouvert et passionné il y a encore quelques instants, est fermé. Quelque chose passe dans les profondeurs de ces incroyables yeux bleus.

— Je ne conduis pas.

Zach se redresse comme si on avait monté une tige d'acier dans sa colonne vertébrale.

— Excusez-moi quelques minutes, j'ai des mails à envoyer.

Ces mots à l'air inoffensif lui servent de bouclier, d'excuse pour s'éloigner de moi pendant le reste du trajet.

Mortifiée, je prends mes genoux dans mes mains. Ces derniers se sont soudain mis à trembler, et je les regarde alors que la voiture gravit la colline parsemée de maisons qui semblent de plus en plus luxueuses à mesure que l'on monte. Qu'ai-je pu bien dire pour que Zach se ferme aussi totalement?

Je déglutis avec difficulté, en osant jeter un œil vers lui entre mes cils baissés. Il fait défiler quelque chose sur son iPhone, visiblement en train de lire. Pourtant, son corps massif est tourné vers moi. Il est raide, tendu. Je sais qu'il n'est que trop conscient de ma présence dans la voiture, comme moi de la sienne.

Je me mords la lèvre, et le parcours du regard. Je cligne des yeux en voyant les contours de sa queue, qui presse contre le fin tissu de son pantalon.

Je croyais l'avoir contrarié, peut-être même énervé. Et il est excité? Oh, il est tellement déroutant!

Je garde le silence, même quand la voiture commence à ralentir et que Zach lève les yeux de son téléphone, qu'il glisse dans sa poche avant de me regarder avec une expression indéchiffrable.

La voiture s'arrête. Par la vitre, je vois s'ouvrir une grande porte de garage. Nous pénétrons à l'intérieur et la voiture se gare à côté d'une rangée d'une demi-douzaine d'autres véhicules de luxe. J'entends le bruit de la portière du conducteur qui s'ouvre, puis se ferme, et Charles apparaît à la portière arrière. Il m'aide d'abord à sortir et, alors que je me redresse, lisse ma jupe et essaie maladroitement une nouvelle fois de ne pas exposer mes sous-vêtements, j'entends Zach remercier l'homme à voix basse.

— Ce sera tout, Charles.

En relevant la tête, je m'aperçois que le chauffeur me regarde avec une curiosité plus apparente que tout à l'heure. Il fait un signe de tête à Zach, puis à moi.

— Bonne nuit, mademoiselle Reid. Monsieur.

Je me retrouve seule avec Zach. Son expression n'offre toujours aucune explication quant à son soudain changement d'humeur dans la voiture, et je n'aime pas ne pas comprendre.

Alors qu'auparavant je n'aurais rien dit, je me sens maintenant obligée de l'interroger. Peut-être qu'un peu de l'attitude brusque et confiante de Zach déteint sur moi?

— Pourquoi est-ce que Charles me regarde comme ça?

Zach ne prétend pas ne pas savoir de quoi je parle. Il soupire, passe la main dans ses cheveux, et enfonce les poings profondément dans ses poches.

— Je n'ai encore jamais emmené de femme ici.

Je veux rester méfiante – Zachariah St Brenton est sûrement sorti avec des tas de femmes –, mais la simplicité de ses mots me montre qu'il dit la vérité.

— Pourquoi?

Je suis arrivée jusque-là, après tout. Pourquoi ne pas pousser encore un peu plus loin?

Il lève un sourcil, et le début d'un sourire malicieux apparaît au coin de ses lèvres.

— Je n'en ai jamais eu envie.

Ses yeux me scrutent, comme pour me mettre au défi de lui poser une nouvelle question. Je sens le feu qui avait été étouffé par son soudain changement d'humeur repartir de plus belle.

— Et vous faites toujours ce dont vous avez envie?

Je parle sans réfléchir. Il m'agace toujours, mais en même temps, je l'envie. Comment est-ce de vivre comme ça? De faire seulement ce qu'on veut, tout le temps?

— Toujours.

Ma question était une provocation, mais alors que Zach avance soudain vers moi, je comprends qu'elle a fait mouche, mais d'une manière inattendue.

Ses yeux se sont assombris, et il a l'air de vouloir me dévorer. Et même si sentir ses mains sur moi est tout ce à quoi j'aspire depuis des jours, quand il me regarde de cette façon, je me sens légèrement – très légèrement – effrayée.

Il saisit ma nuque et penche la tête. Je ferme les yeux, attendant son baiser. Au lieu du contact de ses lèvres sur les miennes, je sens la chaleur de son haleine alors qu'il murmure.

— Voulez-vous rester cette nuit?

J'ouvre les yeux. Son visage est sérieux. Je comprends que ma réponse – mon consentement – est incroyablement importante pour lui.

Je pèse le pour et le contre, je laisse mon ange comme mon diablotin me faire la leçon. Passer la nuit dans une villa sécurisée comme une forteresse, loin de tout, avec un énigmatique inconnu n'est pas la meilleure idée que j'aie jamais eue, je suis tout à fait prête à l'admettre.

Je sais aussi que si je dis non, si Zach demande à Charles de me raccompagner chez moi immédiatement, je le regretterai pour le restant de mes jours.

— Oui.

Zach pousse un soupir en entendant ma réponse, et je me rends compte qu'il retenait son souffle. Avant que je puisse réfléchir à ce que je viens d'accepter, il me prend par la taille et me soulève.

— Zach!

Je pousse un couinement ridicule alors que mes fesses se posent sur le capot de sa voiture. Le métal sous moi est encore chaud par endroits – le moteur ayant été tout juste arrêté – et d'un froid mordant à d'autres. En traversant le fin tissu de ma jupe, ce contraste vient taquiner ma peau.

— Relevez votre jupe.

Cet ordre me laisse bouche bée, mais je m'exécute en me remémorant la sensation de ses mains à l'intérieur de mes cuisses. Son regard se pose sur mes lèvres entrouvertes, et avec un grognement, il s'en approche. Sa langue exige immédiatement d'entrer, puis prend possession de ma bouche.

— Oh!

Un gémissement étouffé s'échappe de mes lèvres. Une de ses mains plonge dans mes cheveux, tandis que l'autre glisse jusqu'à ma taille, puis remonte dans mon dos, sous mon haut. Mes hanches s'avancent instinctivement et il me mord la lèvre. Fort.

— Je n'avais pas l'intention de faire ça tout de suite.

Pinçant une derrière fois ma bouche entre ses dents, il se recule, haletant, puis son regard me parcourt de haut en bas.

— Quand je suis près de vous, je ne me contrôle plus. C'est un vrai problème.

Son regard rivé au mien, Zach se redresse et défait sa ceinture puis baisse la fermeture éclair de son pantalon.

Une chaleur m'envahit, une brûlure lente et vicieuse, quand je m'aperçois qu'il ne porte rien en dessous.

— Écartez votre culotte sur le côté avec vos doigts.

Un frisson secoue mon corps.

On ne m'a jamais parlé de cette façon, jamais traitée comme si j'étais incroyablement désirable.

J'adore ça.

Je me mets à trembler quand, écartant mes jambes et relevant mes genoux, je fais ce qu'il me demande et attrape d'un doigt l'élastique de ma culotte avant de l'écarter. Il y a quelque chose de très excitant dans le fait d'être complètement habillée tout en exposant la partie la plus intime de mon corps.

Zach se repaît du spectacle des boucles blondes soigneusement entretenues que je viens de lui dévoiler.

— Merde.

Il jure à cette vue, puis tire de sa poche un petit sachet argenté. Il saisit la base de sa queue dans sa grande main, déchire l'aluminium avec les dents et secoue l'étui pour en sortir la bague de latex avant de l'étirer le long de son membre.

La vue de ses longs doigts sur sa queue bandée me fait saliver. J'aimerais exiger qu'il vienne en moi, tout de suite – lui ordonner de me remplir, de me prendre violemment.

Je ne fais rien de tout ça. À la place, je regarde avec de grands yeux la magnifique créature qui s'approche de moi, une lueur sauvage dans le regard.

— Je ne sais pas ce qui, chez vous, peut bien provoquer ça, mademoiselle Reid.

Lâchant sa queue, il glisse une main sous mon haut, trouve et pince mon téton si érigé qu'il me fait mal. J'inspire brusquement, alors qu'il glisse deux doigts de son autre main dans mon sexe brûlant et humide avant de les replier vers lui en une série de mouvements rapides.

Ses doigts ont effleuré quelque chose à l'intérieur de moi, quelque chose de délicieusement sensible. Je pousse un cri avant de plaquer la main sur ma bouche.

— Je veux que vous me suppliiez.

Retirant ses doigts, Zach place sa queue à l'orée de mon sexe. J'ai envie de ralentir pour savourer ces merveilleuses sensations, mais en même temps, j'ai envie qu'il me pénètre, pour que j'arrête de ressentir ce foutu vide.

— Non.

Je secoue la tête en chuchotant ce mot.

En regardant par-dessus l'épaule de Zach, j'aperçois une rangée de caméras de sécurité et un écran de contrôle qui ressemble à celui du hall de Phyrefly.

— Oh !

Mon corps se tend et j'essaie de refermer les jambes. Est-ce que quelqu'un est en train de regarder ça? Charles? Une bonne? Un valet?

Zach a l'air d'être le genre à en employer.

Il suit mon regard par-dessus son épaule. Quand il se retourne vers moi, il a une délicieuse lueur joueuse dans le regard.

— Vous aimez l'idée que quelqu'un pourrait nous observer?

Avec un mouvement très contrôlé des hanches, il pousse l'extrémité de son gland en moi. Je me cambre et pousse un cri. J'en veux plus, mais il attrape ma taille à deux mains pour m'immobiliser.

— Ne bougez pas avant que je vous le dise.

Je gémis doucement, ma patience à bout depuis longtemps.

Il a joué avec moi, m'a torturée toute la journée. Je veux ma récompense pour avoir été gentille.

Il attend que je m'immobilise. Impatiemment, mes yeux reviennent vers l'écran de contrôle. Je ne suis pas sûre que j'aimerais que quelqu'un nous observe, ici dans le garage.

Mais l'idée que quelqu'un – n'importe qui – pourrait regarder un écran comme celui qui est devant moi me fait mouiller encore plus abondamment.

— Regardez-vous

J'essaie de me tourner vers Zach, mais il saisit mon menton entre ses doigts et me force à fixer l'écran. Il tourne la tête pour regarder lui aussi, et nous nous voyons tous les deux faire de même à l'écran.

— Regardez cette femme là-haut. C'est la femme la plus sexy que j'aie jamais vue.

Je n'y crois pas une seconde. Mais en regardant l'image – mes longs cheveux blonds étalés sur la surface lisse et noire du capot, mes jambes qui enlacent Zach –, je me sens dévergondée. Je me sens désirable.

Je me sens sexy.

— S'il vous plaît.

Je cède. Je veux juste qu'il soit en moi. Balançant de nouveau mes hanches en avant, je grogne quand il se retire, le bout de sa queue dure comme la pierre glissant hors de la moiteur chaude de mes lèvres.

— S'il vous plaît quoi?

Il place une main sur mon torse, à plat entre mes seins, et pousse doucement, jusqu'à ce que je sois allongée sur la voiture, les jambes autour de ses hanches. Le métal est dur et rigide contre ma peau, et je regarde avec envie la solide érection que Zach empoigne pour faire de légers va-et-vient.

— S'il vous plaît, Zach.

Je me relève sur les coudes, et je me soumets à ce qu'il veut... à tout ce qu'il veut.

— Je... Je veux...

Vas-y, Devon. Les mots se coincent dans ma gorge. Je n'ai aucune expérience des mots cochons. Mais quelque chose me dit que Zach ne cédera pas d'un pouce – il ne me donnera pas ma récompense tant que je n'aurais pas dit ce que je veux en termes clairs.

— S'il vous plaît… baisez-moi.

Je baisse la tête, embarrassée.

Toute trace de gêne s'envole quand Zach saisit une de mes hanches et plonge en moi d'une longue et violente poussée.

J'inspire brutalement et pousse un cri. Ma voix résonne sur les murs de plâtre du garage, alors qu'il se retire presque complètement, puis plonge de nouveau en moi. Il n'y a rien de doux dans ses gestes, rien de gentil. Il est un prédateur qui a acculé sa proie.

Je n'ai jamais été aussi excitée.

— Bougez!

J'avais commencé à avancer mes hanches, puis m'étais immobilisée en me rappelant l'ordre qu'il m'avait donné.

— Vous pouvez bouger autant que vous voulez, Devon.

Sa pénétration brutale m'a excitée de manière inimaginable. Abandonnant toute retenue, je m'assieds, noue mes bras autour de son torse et mes jambes autour de sa taille, et je viens à la rencontre de chacun de ses coups.

— Putain.

Il grogne quand j'érafle son dos avec mes ongles, à travers sa veste et sa chemise, frustrée de ne pas trouver sa chair.

— Putain!

Ses mouvements se font plus rapides et encore plus forts, me martelant avec furie. Je referme le poing sur la veste de son costume, sentant le plaisir enfin monter en moi pour m'amener au bord de l'orgasme. Ce n'est pas suffisant. J'en veux plus. Je veux qu'il me marque avec son corps, pour que je sache que je suis une femme capable de faire perdre le contrôle à Zachariah St Brenton.

— Plus fort!

Je reconnais à peine ma propre voix, rauque de désir.

— Ne vous retenez pas.

Une lueur sauvage brille dans le regard de Zach, puis, plaçant sa main sous mes fesses, il me soulève de la voiture et s'enfonce en moi si profondément que ça fait mal, mais la douleur est délicieuse. Mes fesses frappent contre la voiture quand il se retire puis me soulève de nouveau.

— Plus fort!

Je me cambre, rejetant la tête en arrière, et le laisse me pilonner encore et encore. Je me mords la lèvre jusqu'à sentir le sang. Je veux désespérément jouir.

— Putain!

Le monde éclate en mille morceaux lumineux quand il insère sa main entre nos corps tendus et masse mon clitoris avec son pouce. Je frissonne et m'accroche à lui avec les bras et les jambes. Je le sens me pénétrer profondément et s'abandonner. Il crie en jouissant, sa chaleur me réchauffant de l'intérieur.

Il se passe plusieurs longues minutes avant que l'un de nous deux ne bouge. Quand Zach se redresse finalement, mon corps a froid et proteste contre le départ de celui, solide et chaud, qui me plaquait contre la voiture.

J'ai l'impression que mes jambes se dérobent, mais je sens que ma méfiance refait déjà surface quand je remarque que Zach évite mon regard alors qu'il retire son sexe encore dur d'entre mes jambes. Il retire le préservatif, y fait un nœud et le jette dans la poubelle située sous le blanc aveuglant de l'écran de contrôle.

Alors qu'il se recule et referme sa braguette, je commence à me sentir exposée – un sentiment ridicule, bien sûr, étant donné ce que nous venons de faire.

Quoi qu'il en soit, j'arrange ma jupe et passe la main dans mes cheveux emmêlés. En lissant ma jupe sur mes hanches, je m'aperçois que l'élastique de ma culotte est complètement distendu et que le tissu est trempé.

Je glisse du capot de la voiture. Eh bien, à quoi est-ce que je m'attendais, en venant ici pour coucher avec mon patron? C'est exactement ce qui s'est passé, et maintenant, j'imagine qu'il va appeler Charles pour me raccompagner chez moi.

Mais au lieu de ça, il me tend la main, très formel, une expression prudente sur le visage. Je la prends avec hésitation, rougissant en pensant à ce que cette main vient de me faire.

— Allons prendre un verre, propose-t-il, à ma grande surprise.

6

Je suis bien trop nerveuse pour observer les détails de mon environnement lorsque je suis Zach dans un ascenseur. Nous montons de plusieurs étages, puis pénétrons dans un couloir sombre. Lançant des coups d'œil à travers mes cils baissés, je détaille le décor élégant et masculin, choisi par quelqu'un qui a un goût certain pour le style moderne, mais pas pour les atmosphères chaleureuses. Il n'y a dans la déco aucune des touches qui transforment une maison en foyer – je n'aperçois pas de fleurs, pas de bougies à demi consumées, pas de photos de famille ou d'amis encadrées.

J'imagine que j'ai pu les rater, puisque je suis très distraite. La menace des changements d'humeur de Zach plane au-dessus de nous comme un nuage d'orage prêt à éclater. Le son de nos pas résonne entre les murs et le plafond, et bien que je n'aie aucune idée de ce que Charles ou le reste du personnel peut faire pendant son temps libre, j'ai l'impression que nous sommes seuls dans la maison.

Ma gorge se serre malgré moi quand, à la suite de Zach, je pénètre dans la pièce gigantesque sur laquelle débouche le couloir. Elle aussi est sombre, jusqu'à ce qu'il s'empare d'une télécommande et, en quelques pressions des doigts, active une cheminée si grande qu'on pourrait y tenir debout.

— Waouh!

Je sais que ça me fait paraître naïve, mais je ne peux pas me retenir. J'ai été élevée dans une maison où on ne manquait de rien, mais, alors que la lueur du feu éclaire la pièce, je comprends que je joue bien au-dessus de ma catégorie.

Je ne sais pas si Zach m'ignore ou ne m'entend pas, mais il traverse la pièce au sol en dalles d'onyx et d'albâtre mélangés jusqu'au lourd vaisselier en bois appuyé contre un mur en verre fumé.

Pour me donner une contenance, je déambule dans la salle, laissant courir mes doigts sur le cuir doux d'un énorme canapé, sur le cachemire d'une couverture qui le recouvre, sur le vernis d'un vase émeraude qui vaut certainement plus que ma voiture. La lumière des flammes projette des ombres qui donnent aux objets un air bien plus mystérieux qu'ils ne sont en réalité. Ce qui me rappelle que je ne connais rien sur l'homme qui est maintenant en train de remplir un verre d'un liquide quelconque.

Je lui tourne délibérément le dos, et me trouve face à une baie vitrée qui occupe un mur entier. Je dois m'en approcher pour pouvoir apercevoir l'extérieur où un crépuscule indigo est tombé. Quand mes yeux s'habituent à la pénombre, je ne peux retenir une exclamation.

La maison surplombe l'océan. Quand je regarde en bas, je vois les pointes acérées de la roche et l'écume des vagues qui s'écrasent contre la falaise. Je reste bouche bée devant cette vue spectaculaire, aussi effrayante qu'à couper le souffle.

— C'est pour cette raison que j'ai construit la maison ici.

La voix de Zach est douce quand il vient se poster derrière moi. Il place un lourd verre dans ma main, et je remarque qu'il évite de toucher mes doigts.

Le simple fait d'être près de lui est suffisant pour que mon corps vibre d'impatience, alors même que mon esprit tente désespérément de suivre ses sautes d'humeur. Cet homme est terriblement perturbant, et je m'en veux d'être si intriguée.

Le silence s'installe alors que Zach sirote son verre. Je lève le mien à hauteur de mes yeux, examinant l'épais liquide doré avant de le renifler. Les vapeurs de l'alcool sont puissantes et j'ai l'impression d'en avoir bu une gorgée avant même de le goûter.

Le silence joue avec mes nerfs.

Un sentiment d'impuissance s'insinue dans mon esprit – qu'est-ce que je fais là? C'est une torture.

Non. En serrant les dents, je me rappelle que je ne suis plus un paillasson. Je veux savoir pourquoi je suis ici, alors je vais l'apprendre!

— Qu'est-ce qu'on est en train de faire, Zach?

Il relève la tête vers moi, et les flammes du feu de cheminée se reflètent dans ses yeux, lui donnant un air puissant et surnaturel. On dirait un ange déchu. Ma bouche s'assèche, et je me dépêche de boire une gorgée. Je tousse quand l'alcool que j'ai identifié comme étant du cognac coule au fond de ma gorge.

S'il est amusé par ma maladresse, il ne le montre pas. Il me fixe, et je me tortille sous ce regard sauvage.

— Ça ne va pas fonctionner, Devon.

Je déglutis avec difficulté, essayant d'ignorer ses mots, qui m'ont frappée aussi durement qu'un coup à l'estomac.

Ça ne devrait pas faire si mal – je le connais à peine.

Je ne sais pas quoi dire, alors je me mords la langue et bois une autre gorgée. Le puissant fluide me brûle la langue et les joues avant de descendre dans ma gorge. Fortifiée par ce courage liquide, je lève les yeux vers lui et soutiens son regard.

À ma grande surprise, il semble embarrassé par mon regard direct. Il fait rouler son verre entre ses paumes, et nous regardons tous les deux le cognac éclabousser les parois lisses.

— Je vous ai invitée ici ce soir pour que nous discutions d'un… arrangement.

Son visage se couvre soudain du masque qu'il semble toujours prêt à revêtir, et il me regarde froidement.

— Un arrangement… peu orthodoxe.

— Peu orthodoxe?

Je ne me fais pas d'illusions: il ne me proposerait sûrement pas de nous lancer dans une relation sérieuse. Mais un arrangement, ça sonne plus comme un contrat que ce à quoi je m'attendais.

— Ça n'a plus d'importance, maintenant. Je ne vais pas vous demander de vous engager. Ce n'est pas pour vous.

Je fronce les sourcils, mon front plissé par l'inquiétude.

— Comment savez-vous que ce n'est pas pour moi si vous ne me le demandez pas?

Je parle doucement, mais fermement. Je veux décider par moi-même. Il a l'air exaspéré. Il passe la main dans ses beaux cheveux d'un noir bleuté.

— Devon, vous n'avez rien en commun avec les femmes que je fais entrer dans ma vie d'habitude. Ce que je voulais vous demander… Ce serait uniquement pour des raisons égoïstes.

Son expression m'avertit de ne pas le contredire.

— Je n'aurais pas dû vous toucher du tout. En fait, je n'en avais pas l'intention.

— Alors pourquoi l'avez-vous fait?

Même si j'ai murmuré, ma voix semble forte dans le silence de la pièce.

— Vous m'avez tenté.

La façon dont il me regarde en disant ces mots me fait me tortiller, mes cuisses se frottant l'une contre l'autre.

— Mais peu importe à quel point j'ai envie de vous, je n'ai rien à vous offrir.

— Qu'avez-vous offert aux autres femmes, alors?

Je sens la colère gonfler dans mon ventre.

— Ne me dites pas que vous êtes chaste, parce qu'il n'y a aucun risque que quelqu'un d'aussi beau que vous reste célibataire.

L'esquisse d'un sourire passe sur les lèvres de Zach.

— C'est vrai. Je leur ai donné du plaisir. Mais c'est un plaisir qu'une personne aussi gentille que vous ne comprendrait pas.

Ce rejet me met soudain en rage. Pourquoi elles et pas moi? Je sais qu'il me veut. Même maintenant, après nos ébats explosifs dans le garage. Malgré la pénombre de la pièce, je distingue le contour de son sexe, de nouveau en érection, qui tend le tissu de son pantalon.

— Et pourquoi ne m'offrez-vous pas la même chose? Je ne suis pas assez délurée? Je n'ai pas assez d'expérience?

Peu importe la bravade que j'affiche et à laquelle je m'accroche, mon sentiment d'insécurité est toujours là.

Pourquoi ne suis-je pas assez bien pour lui?

— Vous ne comprenez pas vraiment ce que je suis en train de vous dire.

On dirait qu'il me met au défi de m'enfuir, les coins de sa bouche se relevant avec une trace de moquerie.

— Je ne m'intéresse pas au sexe conventionnel.

Même si ces paroles me prennent au dépourvu, je lève un sourcil, essayant de calmer les battements rapides de mon cœur.

Je ressens toutes sortes d'émotions, certaines dont je ne connais même pas le nom, mais je ne vais pas le laisser me manipuler comme une marionnette.

J'en ai assez de faire ce que les autres veulent juste pour éviter les conflits. Je veux – j'ai besoin – de m'affirmer, de laisser une trace de mon existence, tout comme la marée qui polit les roches à force de vagues constantes.

— Pourtant, le sexe conventionnel vous convenait bien il y a un quart d'heure.

Si l'atmosphère de la pièce n'était pas si tendue, j'aurais ri en voyant la bouche de Zach s'ouvrir très légèrement sous l'effet de la surprise.

Je suis certaine que les autres femmes qu'il a fait entrer dans sa vie n'avaient pas l'habitude de le défier.

— Il ne répond pas à mon besoin de contrôle.

Des picotements de nervosité et d'excitation parcourent mon corps en une danse sensuelle.

— Si vous saviez ce que j'ai envie de vous faire, vous partiriez en courant.

— Montrez-moi.

Ma langue semble agir indépendamment de mon esprit. Je parle avant de penser.

— Montrez-moi ce que vous voulez.

Je retiens mon souffle, regardant Zach avec un air de défi. Je le vois se transformer sous mes yeux. Sa carrure semble s'élargir encore, devenir plus raide et inflexible. Son visage affiche un désir sombre, mais aussi une lueur de cruauté.

La petite partie de mon esprit encore capable de raisonner me crie de m'enfuir à toutes jambes. Mais je n'en tiens pas compte.

L'homme dangereux qui me fait face est trop excitant.

— Ne me donnez pas d'ordres.

Même sa voix a changé, enveloppée maintenant dans un acier inflexible.

J'inspire brusquement en me demandant si je vais oser répliquer. La main qui tient mon verre de cognac, vide à présent, se met à trembler, et je me lèche les lèvres.

— Alors, donnez-m'en un.

La tension est presque palpable dans la pièce, mais c'est une tension brûlante, délicieuse, attirante.

— Dites-moi ce que vous voulez que je fasse.

Peu importe ce qu'il me demande, j'ai envie de le faire. Je ne pourrais pas expliquer pourquoi, mais je le sais.

Zach m'observe pendant un long moment, et je me sens nue sous son regard. Finalement, il hoche la tête. Je suis soulagée, comme si je venais de réussir un test.

— Au bout de ce couloir, il y a une chambre.

Zach fait un geste de la main qui ne tient pas son verre, désignant le couloir par lequel nous sommes arrivés. Alors qu'il parle, ses yeux ne quittent jamais les miens.

— Allez dans cette chambre. Coiffez vos cheveux avec la brosse que vous trouverez sur la commode, puis attachez-les en queue-de-cheval.

Je porte la main à mes cheveux emmêlés, ceux qui se sont échappés pendant nos ébats dans le garage.

— Une fois que vos cheveux seront coiffés, déshabillez-vous entièrement, à l'exception de votre culotte.

Mes tétons se durcissent pour devenir de petits boutons durs qui frottent contre le tissu de mon soutien-gorge. Ma respiration s'accélère. Je sais que je devrais me rebeller contre les ordres qu'il me lance. Mais je me rends compte qu'ils me font mouiller, trempant de nouveau le coton fin de ma culotte.

— Je vous rejoindrai dans dix minutes précisément. Quand j'entrerai dans la pièce, vous serez agenouillée au pied du lit.

Je gémis presque – comment fait-il pour rendre si délicieux quelque chose qui devrait sembler insupportablement autoritaire?

Il ne me laisse pas le temps de parler.

— Ne me décevez pas.

Jamais auparavant dix minutes ne s'étaient écoulées aussi lentement.

Ainsi qu'il me l'a ordonné, je brosse mes cheveux et je les attache en une élégante queue-de-cheval, comme celle que je porte la plupart du temps. Les doigts tremblants, je déboutonne mon haut et enlève ma jupe.

Me voilà assise au sol, sur mes talons, nue avec seulement la culotte pour qui la journée a déjà été difficile. Le coton humide tire sur ma peau moite. La température de la chambre est fraîche, j'en ai la chair de poule.

Je ne me suis jamais sentie aussi nerveuse ni aussi vulnérable. Ne pas savoir à quoi m'attendre ne fait qu'augmenter ces deux sentiments.

Enfin, enfin, la porte que j'avais refermée derrière moi s'ouvre. Mon corps se tend, et je lève de grands yeux vers Zach qui entre dans la pièce.

— Baissez les yeux vers le sol.

Ses mots sont durs, mais j'entends le désir qui les sous-tend. J'hésite avant d'obéir – je n'ai pas envie de regarder le sol.

Je veux le regarder, lui.

Il a profité des dix dernières minutes pour se débarrasser de sa cravate et de sa chemise. Son torse nu est splendide et je n'apprécie pas d'avoir l'interdiction de le contempler.

Il était resté habillé lors de nos précédents ébats. Mon rapide coup d'œil m'a permis de découvrir une peau bronzée, tendue sur ses muscles et saupoudrée de volutes de poils noirs.

— Gardez les yeux baissés.

Je fixe ses pieds nus, ridiculement sexy. J'entends le tintement de la glace contre le verre, puis le bruit du verre sur le bois quand il pose son verre sur la commode avant d'ouvrir un tiroir.

— Vous étiez prête quand je suis entré. Je suis satisfait.

Je regarde ses pieds qui avancent dans ma direction, puis les perds de vue alors qu'il passe derrière moi. Zach pose ses mains sur mes épaules, caressant légèrement ma peau avec **ses** pouces. Puis il place sur mes yeux un objet doux comme de la soie qui me prive complètement de la vue. Je pousse un cri, surprise. Il m'intime l'ordre de me taire et, retenant d'une main les longues mèches de ma frange, il lisse la soie sur mes tempes.

— Vous n'êtes pas obligée de faire quoi que ce soit que vous ne voulez pas faire. Dites simplement le mot, et j'arrêterai.

Je reste tendue pendant qu'il ajuste la soie autour de ma tête, et fait un nœud à la base de mon cou, en dessous de ma queue-de-cheval. Quand ses mains descendent pour caresser ma nuque et glisser sur mes épaules nues, je me détends, au moins un peu.

— Quel mot?

Je ris faiblement, tremblant sous ses mains. Ses doigts s'immobilisent une minute, et il murmure d'une voix grave, comme si ma question lui faisait plaisir.

— Que voudriez-vous que ce soit?

Ses doigts reprennent leur mouvement, descendant vers le haut de mes bras, puis progressant légèrement pour caresser la naissance de mes seins.

— Choisissez un mot, et ce sera votre code de sécurité. Chaque fois que je vous pousserai trop loin, utilisez ce mot, et je m'arrêterai immédiatement, sans poser de questions.

Chaque fois qu'il me poussera trop loin. Que pourrait-il me pousser à faire qui nécessite un code de sécurité?

Avant de pouvoir y réfléchir, je serre les poings, sentant mes ongles mordre dans mes paumes.

— Sombre.

Ma voix est rauque et sonne comme si elle appartenait à quelqu'un d'autre.

— Le mot que je choisis est « sombre ».

Zach prend ma poitrine dans ses mains, la soupèse. Ses pouces caressent doucement mes tétons gonflés, et un frisson me parcourt, courant droit jusqu'à mon sexe.

— « Sombre », alors.

La douce caresse se fait plus appuyée, on sent qu'une force plus masculine la guide. Il roule ma chair entre ses pouces et ses index, et chaque mouvement semble pincer une corde qui résonne profondément en moi.

— Dites-moi pourquoi vous avez choisi ce mot.

J'inspire brutalement quand il tire doucement sur mes tétons, mon sexe se mouillant en réponse. Un long moment passe – ainsi qu'une autre traction – avant que je ne trouve les mots pour répondre.

— Parce que la première fois que je vous ai vu, c'est ce que j'ai pensé.

Je cambre mon dos, appuyant mes seins plus profondément dans ses mains.

— J'ai pensé que tout en vous était sombre.

Les mains de Zach s'immobilisent, puis il les retire complètement. La disparition de leur chaleur me fait frissonner, et je ravale un grognement quand je l'entends se lever.

Je sens qu'il tourne autour de moi lentement. Je sens ses yeux sur moi, qui se délectent de la vue de mon corps nu. Je tente de voir sous les bords du bandeau, mais il l'a attaché de manière à ce que je sois plongée dans le noir.

Il se place debout en face de moi. Je retiens mon souffle.

Le bruit d'une fermeture éclair qu'on descend rompt le silence.

— Avez-vous déjà eu une queue dans la bouche, Devon ?

Je devrais être choquée par cette question directe, mais au lieu de ça, je me balance, frottant mes cuisses l'une contre l'autre, sentant la pression sur mon clitoris.

— Ou… oui.

Ces souvenirs me donnent envie de froncer le nez – pas une seule fois ça n'a été agréable pour moi. Zach s'approche et place sa paume à plat derrière ma tête. Il place ma joue sur l'os de sa hanche, nue à présent, et j'inspire profondément. J'ai envie d'enfouir ma tête dans cette chair qui sent si délicieusement lui.

— Vous allez prendre ma queue dans votre bouche, Devon.

J'ouvre la bouche avant qu'il ait fini de parler, avide de lui plaire, et il a un petit rire.

— Pas tout de suite.

Les muscles au-dessus de sa hanche se tendent quand il se penche. Quelques secondes plus tard, j'entends de nouveau le tintement de la glace contre le verre.

— Ouvrez la bouche.

Les yeux écarquillés sous le bandeau, j'ouvre les lèvres. Il y presse le verre, puis le penche pour que le liquide – encore du cognac – coule dans ma bouche.

— N'avalez pas.

Je frissonne quand les vapeurs atteignent le fond de ma gorge, puis j'ai un léger haut-le-cœur à cause d'un petit glaçon qui se loge contre la peau délicate de l'intérieur de ma joue. Je sens mon nez me piquer et mes yeux s'emplir de larmes quand le puissant alcool imprègne ma langue.

— Maintenant.

Attrapant mon menton dans ses mains, il le relève, me guidant là où il veut que j'aille.

Je sens l'extrémité glissante de sa queue s'introduire entre mes lèvres, et une légère trace de sel se mêle au goût de l'alcool. Craignant de ne pouvoir respirer, la panique me gagne un moment. Les doigts posés à l'arrière de mon crâne dessinent des cercles, caressant mes cheveux de manière apaisante. Je sens que je me détends à ce contact.

— Maintenant, avalez.

Zach pousse un peu plus loin dans ma bouche alors que j'inspire profondément par le nez, avant d'avaler autour de sa queue. Le cognac me brûle la gorge, et la glace reste logée entre ma joue et son sexe. Toutes ces sensations sont étranges, mais le fait d'entendre sa respiration rauque déclenche une vague de satisfaction dans tout mon corps.

Zach reste immobile en moi pendant un long moment. Je ne sais pas ce qu'il veut que je fasse, alors j'essaie de promener ma langue sur son gland, léchant la substance salée que j'y trouve.

Il grogne et se retire jusqu'à ce que seul le bout de son gland se retrouve entre mes lèvres.

— Ne bougez pas!

Il empoigne maintenant ma chevelure de ses deux mains, et quand il tire sur ma queue-de-cheval, je découvre que la douleur piquante qu'il provoque m'excite.

— Je vais prendre votre bouche, Devon. Je veux que vous restiez immobile pendant que je le fais.

Sa respiration est plus forte, et j'aime le fait que ce soit moi qui aie cet effet sur lui.

Pleine d'audace, je pointe la langue entre mes lèvres et descends le long de sa queue, délogeant l'éclat de glace qui s'y était collé.

Il grogne, tirant de nouveau sur mes cheveux en guise d'avertissement. Je m'immobilise, mais souris intérieurement.

— Vous ne pourrez pas parler. Si ça devient trop pour vous, je veux que vous me fassiez un signe de la main.

Il glisse d'avant en arrière pour faire un test rapide, et je presse mes lèvres plus fermement autour de lui.

— Essayez d'ouvrir votre gorge. Je veux que vous me preniez en entier.

Je ne suis pas sûre de comprendre ce qu'il veut dire, jusqu'à ce qu'il pousse avec ses hanches, enfonçant sa queue lentement dans ma bouche et au-delà. Je sens son gland appuyer au fond de ma gorge. Je me tends avec un haut-le-cœur et, de nouveau, cette étrange sensation de ne pas pouvoir respirer.

Il s'immobilise, me laissant le temps de m'y habituer. Après un long moment, je découvre que ça ne me gêne pas qu'il emplisse ainsi ma bouche. Pour lui faire comprendre que tout va bien, je presse mes lèvres sur la base de sa queue, et je tire légèrement.

— Ne faites pas ça.

Il n'a pas l'air mécontent. Lentement, il se retire. Lorsqu'il se met à me baiser comme annoncé, je dois me concentrer sur le fait de garder ma bouche et ma gorge ouvertes.

Il entre et sort, variant la profondeur et la fermeté de ses pénétrations. Je gémis autour de lui, voulant faire plus qu'être un simple réceptacle, mais chaque fois que je promène ma langue sur sa chair, il tire mes cheveux, me rappelant de ne faire que ce qu'il a dit.

Je lui jette un regard noir. J'entends sa respiration s'accélérer, mais il ne répond pas à ma supplique muette qui implore la permission de lui faire plaisir.

Il ne va quand même pas se plaindre si je désobéis à ses ordres et que je fais plus avec ma bouche que simplement la garder ouverte ?

Je serre alors plus fermement sa queue avec mes lèvres, fais courir ma langue sur la couronne de son gland, puis me mets à sucer fort, creusant mes joues à chaque aspiration.

— Devon !

Il crie mon nom en inspirant brutalement. J'y entends à la fois sa protestation et son désir.

— Non, non !

Ses mouvements contredisent ses mots. Il pousse ses hanches en avant vers la caverne chaude et humide de ma bouche, puis recommence en grognant.

Je suis euphorique quand je me rends compte du plaisir que lui procure ma bouche. Encouragée, je fais courir délicatement mes dents délicatement sous son gland.

— Putain!

Avec ce qui semble être un suprême effort, Zach place une main de chaque côté de mon visage, m'immobilisant pendant qu'il se retire. Sa queue quitte ma bouche avec un son mouillé. Avant même que je puisse fermer la bouche, Zach m'a soulevée par les coudes, me mettant sur mes pieds.

Délicatement, il passe un doigt entre la soie du bandeau et ma peau, tirant sur le tissu pour le retirer.

Je cligne des yeux quand ils sont découverts, la lumière tamisée semblant bien plus vive qu'elle ne l'est en réalité.

Il attrape mon menton entre ses mains, et me force à lever les yeux. Je peux ressentir la force du regard noir que me lancent ses iris dorés.

— Je vous ai dit d'arrêter.

Sa voix est ferme et brutale.

Qu'est-ce que j'ai fait? Je lui ai donné du plaisir avec ma bouche, il ne peut pas le nier. Et pourtant, je sens que je vais avoir des problèmes.

C'est une sensation étrange, associée au désir que je ressens pour lui.

— Vous savez ce qui se passe quand on me désobéit?

Zach se penche jusqu'à ce que ses lèvres effleurent les miennes. Je lève un peu plus le menton, attendant qu'il m'embrasse.

Mais ça n'arrive pas.

Au lieu de ça, ses bras musclés entourent fermement ma taille. Zach s'assoit sur le lit, et me tire pour me coucher sur ses genoux. Je pousse un cri ridicule pendant qu'il se recule sur le matelas king size, m'entraînant avec lui sur la couette noire jusqu'à ce que je me retrouve allongée sur lui, en travers de ses genoux.

Non. Ma respiration reste bloquée dans ma gorge quand même mon esprit plutôt ingénu comprend le but de sa manœuvre.

— Oh!

Je deviens écarlate et m'agite, bien consciente que je ne porte rien d'autre qu'une culotte en coton trempée.

Il ne peut pas envisager de... les gens normaux ne...

— Je vais vous fesser, Devon.

Il l'a dit. Il l'a vraiment dit. J'en reste bouche bée, et je me tortille sur ses genoux.

Il a un petit rire, sombre et sensuel, et parcourt les courbes de mes fesses de sa main.

— C'est ce qui vous arrivera à chaque fois que vous me désobéirez d'une manière ou d'une autre. Vous comprenez?

Sa main s'immobilise sur mes fesses, et il semble attendre une réponse.

J'ai tellement de pensées en tête, et pourtant rien à dire.

Une indéniable excitation m'a envahie quand il m'a dit ce qu'il s'apprêtait à faire, faisant fourmiller mes tétons et battre le sang dans mon clitoris. Et pourtant...

— Souvenez-vous, Devon, j'arrête si vous me demandez d'arrêter.

J'ouvre la bouche, mais les mots ne sortent pas.

Est-ce que j'ai vraiment envie que ça s'arrête?

Zach continue, ses mains caressant de nouveau mes fesses de manière apaisante, comme s'il rassurait un animal nerveux.

— Je vous ai déjà demandé d'oublier ce que vous pensiez devoir dire. Continuez à avancer, et pensez à ce que vous voulez vraiment, à ce moment précis.

J'aspire l'air entre mes dents serrées. Je connais la réponse sans avoir à y réfléchir...

Zach a tout à fait raison en disant que je proteste parce que je pense que c'est ce que je dois faire.

J'inspire profondément, et ferme les yeux très fort. Je veux que mon corps se détende sur ses genoux, je veux m'abandonner à ce contact.

— Vous me faites très plaisir, Devon.

Ses doigts s'égarent plus bas, le long de la raie de mes fesses. Il pince le tissu de ma culotte entre ses doigts et tire dessus, créant une soudaine et délicieuse pression sur mon clitoris.

— Est-ce que ça va faire mal?

J'enfouis mon visage dans mes bras et dans le coton frais de la couette. Même si j'ai admis ce que je voulais, je suis quand même mortifiée.

— Oui.

La voix de Zach ne contient aucune trace de compassion, contrairement à ce que j'imaginais.

— Mais comme vous l'avez découvert dans mon bureau cet après-midi, la douleur est souvent une porte d'entrée vers beaucoup, beaucoup de plaisir.

Sans prévenir, sa main s'abat sur ma fesse droite. Mon corps tout entier est secoué, se tend sous la douleur, et je pousse un cri.

Les cercles apaisants reprennent, et je sens l'humidité qui inonde mon sexe alors que je tente de reprendre le contrôle de mes pensées.

— Si vous voulez dire non, faites-le maintenant.

Zach bouge sous moi, et je sens la saillie incroyablement dure de son érection qui presse sur la chair tendre de mon ventre. Je m'appuie contre elle, et il m'ordonne d'arrêter d'un coup sec des doigts juste sur mon entrejambe.

— Je croyais que je pouvais utiliser le code de sécurité?

Ma voix est essoufflée. J'essaie de rester immobile.

Putain, je veux cette douleur vive sur les fesses.

Zach s'arrête, et je peux sentir cette noirceur qui s'abat parfois sur lui épaissir l'air autour de nous. Quand il parle enfin, il est plus sérieux que jamais.

— Vous pouvez utiliser le code de sécurité, et j'arrêterai.

Quelque chose dans son ton m'indique que ce qu'il est en train de dire a une grande importance pour lui.

— Mais il faut que vous compreniez que vous pouvez me faire confiance. Le but de tout ça est que vous me fassiez confiance. Je vous pousserai au-delà de vos limites, je vous emmènerai à des endroits en vous dont vous ne soupçonniez pas l'existence. Mais pour cela, vous devez me faire confiance.

Je comprends. Si j'utilise le code de sécurité, ça – quoi que ce soit – sera terminé.

Je suis terrifiée. Je le veux quand même.

Je me rends compte que ma gorge est si sèche que je ne peux pas parler. Je me cambre, offrant mes fesses pour témoigner de mon abandon.

L'inspiration brutale de Zach résonne dans l'air chargé de la chambre.

— Je vais vous donner douze claques, six de chaque côté.

Sa voix est tendue de désir. J'aspire plus d'air que ne peuvent en contenir mes poumons, des fourmillements d'excitation parcourent ma peau.

Douze claques? C'est trop, non?

— Un.

Avant que je puisse protester ou supplier, la première claque atterrit sur ma fesse droite. Le claquement de sa paume ouverte frappant ma chair est aussi assourdissant que le tonnerre.

— Aaah!

La peau me brûle. Je gigote maladroitement.

— Deux!

Sa main ouverte atterrit sur mon autre fesse. Je pousse un nouveau cri alors que la chaleur envahit ma peau.

Trois. Quatre. Neuf. Dix. Je compte chaque cri que je pousse pendant que les claques tombent, ma peau plus brûlante à chaque fois.

J'ai l'impression que douze n'arrivera jamais.

— Douze !

Je me mets à trembler quand il termine, non pas d'un trop-plein de douleur, mais à cause de la charge d'émotions qui m'emporte.

Je suis embarrassée, impatiente, en colère et, plus que tout, excitée. Je sens la respiration de Zach au-dessus de moi, rapide et forte. Je sens sa queue sous moi et l'immanquable rigidité de son érection.

— Vos fesses sont si jolies et roses maintenant.

Inexplicablement, ce compliment me met du baume au cœur. Je lui ai fait plaisir, et ça me fait plaisir à mon tour.

Je me mets à me tortiller de nouveau, sachant que ses yeux parcourent la peau rougie de mes fesses. Les claques ont résonné en moi et je mouille plus que jamais, attendant désespérément qu'il me touche.

— Savez-vous pourquoi vous avez besoin d'être fessée, Devon ?

Attrapant de nouveau ma culotte entre ses doigts, Zach tire doucement.

J'inspire brutalement quand le tissu presse légèrement sur mon clitoris, maintenant gonflé et sensible.

— Oui... Non.

Il tire encore, cette fois en remontant le tissu et le faisant glisser vers l'arrière. J'inspire de nouveau quand il frotte mon clitoris et la raie de mes fesses avant d'être retiré de l'autre côté.

— Zach... s'il vous plaît.

Je me presse contre cette sensation hallucinante. Quand je bouge avidement, il s'immobilise, et je peux sentir sa désapprobation.

— Vous allez devoir apprendre à me faire confiance, Devon.

Un sanglot s'étrangle dans ma gorge. Je ne me suis jamais sentie aussi bouleversée, si remplie de désir.

Zach attend que je m'immobilise pour reprendre ses gestes, tirant ma culotte d'un côté puis de l'autre, stimulant mon clitoris, diffusant les sensations jusqu'à mon autre orifice.

— Je vous ai fessée parce que vous m'avez désobéi.

Une de ses mains continue à tirer sur le tissu de ma culotte, jouant avec mon clitoris. L'autre s'enfouit dans les boucles humides sous le coton et écarte habilement mes lèvres.

Son doigt glisse en moi, testant mon excitation. J'étouffe un gémissement quand il se met à le bouger comme j'aimerais qu'il le fasse avec sa queue.

— Vous aviez... l'air d'aimer ça... à ce moment-là.

Je halète, mon corps tendu, impatient de parvenir à cette délicieuse délivrance que je n'ai ressentie qu'avec lui. Dès que je parle, ses doigts s'immobilisent.

— Vous avez la langue bien pendue, petite coquine.

Il retire complètement ses doigts.

J'en pleurerais. Je suis au-delà de la frustration.

— Je vous ai dit de ne pas bouger parce que je voulais m'occuper d'abord de votre plaisir.

Sa voix me réprimande calmement, et mon cœur se met à battre plus rapidement.

Ses mots sont si simples, si pragmatiques, que je me sens idiote d'avoir fait tout ça.

— Vous devez me faire confiance et savoir que quand je vous donne un ordre, il y a une raison.

Il repasse un doigt sous l'élastique de ma culotte. Même si je comprends ses paroles, et que j'entends qu'elles sont importantes pour lui, à ce moment je ferais n'importe quoi, je dirais n'importe quoi pour qu'il me touche.

— Alors, acceptez-vous ces conditions, ou bien dois-je aller chercher une cravache pour poursuivre cette discussion?

Je couine de nouveau. Même si j'ai entendu l'ironie dans sa voix, je ne suis pas tout à fait sûre qu'il plaisante.

— Je suis d'accord.

Ma voix est douce, et je sens mes muscles se détendre quand je prononce ces mots à voix haute. C'est étonnant, le bien que me fait cette décision consciente d'abandonner le contrôle à Zach, qui le veut si clairement.

Qui en a besoin.

— Devon.

Il murmure mon nom comme une prière. M'attrapant sous la poitrine et les genoux, Zach me soulève. Me tenant tendrement dans ses bras – des bras musclés, comme je ne peux m'empêcher de le remarquer –, il me repose à quatre pattes sur le lit.

— Ne bougez pas.

Le tissu sous moi est frais au toucher. J'y enfouis ma joue, tout à coup intimidée, sans indice sur ce que je dois faire ensuite.

Je sens la caresse d'un doigt qui descend le long de ma colonne vertébrale et de la raie de mes fesses. Un contact délicat et joueur qui parcourt ma peau rougie. Puis il passe un doigt de chaque côté de ma culotte.

Clac. Sous l'effet d'une violente traction, l'élastique cède. Je me cabre, mais la main de Zach au creux de mes reins me maintient doucement.

— Ne bougez pas. Ressentez.

Une main sur mon ventre, l'autre sur mon dos, Zach se met à faire glisser le tissu d'avant en arrière le long de ma fente. Il peut désormais le faire bouger librement et atteindre chaque point sensible entre mes jambes, ce qu'il fait sans pitié.

Le tissu accroche, tire ma chair sensible. Ma respiration s'accélère, mon cœur bat plus vite. L'excitation s'empare de tout mon corps, et mes hanches se balancent au rythme de ses mouvements.

— Jouissez pour moi, Devon.

Un frisson parcourt tout mon corps, et je sens ce désir sombre, ce besoin qui se tord dans mon ventre. Zach continue à frictionner ma chair avec le tissu tendu de la culotte qu'il a arrachée, et je pousse vers lui, vers l'orgasme.

— Oh. Oh, je...

Mes mots s'étranglent dans ma gorge quand le tissu presse sur l'extrémité de mon clitoris. Un mouvement vif et habile de Zach m'arrache un cri, puis la pression accumulée est libérée, inondant mon corps de plaisir.

— Putain!

Lâchant ma culotte, les mains de Zach remontent depuis mes hanches le long de mon torse et saisissent mes seins. Je frissonne. Prenant les tétons entre ses doigts, il les pince, ajoutant une nouvelle onde de choc à mon orgasme.

— Putain, Devon. Vous avez des seins magnifiques. Tout en vous est beau.

— Quoi?

Je suis incapable de réfléchir, et pas sûre de l'avoir bien entendu. Pinçant de nouveau mes tétons érigés, Zach recule, descendant du lit. Je grogne. Le plus fort de mon désir est passé, mais je suis encore loin d'être rassasiée.

J'entends le bruit de l'étui d'un préservatif qu'on déchire, puis le sifflement laborieux de sa respiration quand il déroule le latex sur son sexe. Je ferme les yeux, imagine ses doigts agiles qui glissent le long de sa queue, et je sens mon sexe se contracter.

— Je veux être en vous.

Debout derrière moi, Zach saisit mes hanches et m'attire jusqu'à ce que mes fesses soient ajustées confortablement contre son pelvis. Je les pousse vers lui, savourant la sensation de sa peau fraîche contre le feu de ma peau.

— Je vous veux en moi.

Appuyant mes seins contre le lit, mes paumes à plat de chaque côté de mes épaules, je lève les fesses pour lui faciliter l'accès.

— S'il vous plaît, Zach. Maintenant.

— Regardez-moi cette jolie chatte.

Sans prévenir, il se penche et passe la langue entre mes lèvres humides. Je gémis et me tortille pour me rapprocher de lui.

— J'ai envie d'enfouir mon visage entre vos cuisses, petite coquine. De savourer votre goût.

Il se relève, la respiration saccadée. Écartant mes fesses de ses mains, sa queue glisse sur ma raie avant de s'arrêter à l'entrée humide de mon sexe.

— J'ai trop envie d'être en vous pour prendre mon temps maintenant. Mais bientôt, je vous baiserai avec ma bouche, avec ma langue.

On ne m'a jamais parlé comme ça, jamais traitée comme si mon corps pouvait être un tel délice pour une autre personne.

J'en suis ravie.

J'adore ça.

— Préparez-vous.

J'ai un court moment pour me souvenir qu'il n'est pas doux, puis il est à l'intérieur de moi jusqu'aux bourses, sa longueur et son épaisseur m'étirant au point de me faire mal.

— Devon.

Il prononce mon prénom d'une voix rauque, et j'adore ça. J'empoigne les draps alors que Zach se retire presque entièrement, puis me pénètre de nouveau, exigeant que je le prenne entièrement.

— Putain, vous êtes si étroite.

Je grogne et pousse vers lui. Il a raison – je suis étroite et il est épais, plus épais que ce que je pourrais confortablement recevoir en moi. Je découvre que la quasi-douleur qui me transperce quand il s'enfonce encore et encore, exigeant que je m'ouvre à lui, est étonnamment délicieuse.

— Encore.

Ma vision se trouble et mon monde se réduit jusqu'à ce que je ne sois plus consciente de rien d'autre que de la sensation de son corps chevauchant le mien.

— J'en veux encore.

— Devon.

Cette fois mon prénom est un juron, et de nouveau je sens que j'ai fait quelque chose qui lui plaît. Il se met à bouger plus vite, claquant contre moi encore et encore, ses bourses frappant la peau chauffée de mes fesses à chaque coup.

— Je vais jouir.

Il bouge plus rapidement, plus fort. Mon sexe brûle, se contracte – j'en veux encore.

— Oui!

Je veux tout. Le désir semble resserrer ma peau.

— Mettez-vous à genoux.

J'obéis sans hésitation. Zach m'attrape par la taille, un bras bandé sur mon ventre, et me serre contre lui, son torse tout contre mon dos. Son autre main glisse le long de mes hanches, entre mes jambes. Lentement, en continuant à me pilonner, il insère un doigt dans mon sexe, à côté de sa queue. Ma chatte brûle.

— Oh... Oh!

Je suis pleine, si pleine – pleine de lui.

Écartant les jambes pour le prendre, je me penche et pose mes mains sur le matelas. Zach me tient toujours par la taille, mais maintenant il accompagne chaque pénétration avec son doigt, son articulation frottant mon clitoris à chaque coup.

Même si j'ai déjà joui, les sensations m'envahissent et me conduisent vers un nouvel orgasme. Je crie sans prêter attention à qui pourrait m'entendre.

Quand ma chatte remplie à son maximum se resserre autour de lui, Zach s'enfonce en moi aussi profondément que possible. J'essaie d'écarter encore plus les jambes, pour lui donner accès au plus profond de moi, tandis que son corps est ravagé par le plaisir et que sa chaleur me réchauffe de l'intérieur.

— Devon.

Il enfouit son visage dans mes cheveux, sa voix est presque désespérée.

— Parfaite.

Alors même que je suis secouée par les répliques de mon orgasme, ses mots me font trembler.

Je ne me suis jamais sentie parfaite. Pas même proche de la perfection.

Son orgasme refluant enfin, Zach s'immobilise, me tenant toujours serrée contre lui. Je savoure la sensation de chaleur, jusqu'à ce que je sente sa jouissance, combinée à la mienne, couler le long de mes cuisses.

— Allongez-vous.

Il se retire doucement. Je grimace, non d'inconfort, mais plutôt à cause de la sensation de vide. Je fais ce qu'il me dit et me roule en position fœtale, la tête sur l'oreiller. Je le regarde à travers mes paupières lourdes alors qu'il se rend dans ce qui semble être une salle de bains.

Je ne peux pas m'empêcher de me lécher les lèvres en voyant pour la première fois ses fesses dures et parfaitement musclées.

Ses pieds nus font un bruit doux quand il marche sur le sol. Un bruit de chasse d'eau – il s'est débarrassé du préservatif. Le robinet coule, puis il revient, une serviette blanche à la main, et se dirige vers le lit où je suis recroquevillée.

— Allongez-vous sur le dos.

De nouveau intimidée, je m'exécute, sachant que rien d'autre ne le satisfera. Pourtant, je me sens exposée – vulnérable, même. Une sensation étrange à ce moment-là, après ce que je viens de le laisser faire à mon corps.

Zach presse la serviette sur ma joue. Elle est chaude et humide. Il me masse les joues, puis les lèvres, et la chaleur aide à atténuer la douleur dans ma mâchoire, provoquée par ses coups puissants dans ma bouche.

— Vous avez été très bien.

Je ne sais pas ce que j'ai fait à part lui donner accès à mon corps, mais malgré tout, ces félicitations me remontent le moral, tout comme son expression presque respectueuse alors qu'il me masse la poitrine avec la serviette.

Quand il atteint mon sexe et commence à me nettoyer, je grogne, endolorie par ses attentions.

— Ne bougez pas.

Il appuie plus fermement, et la douleur se dissipe à mesure que la serviette chaude apaise ma chair malmenée. Ma peau humide frissonne à l'air frais quand il rapporte la serviette dans la salle de bains.

Je m'assois, serrant mes genoux sur mon torse, essayant de me réchauffer.

Quand il revient, Zach s'assoit au bord du lit et me regarde. Ses yeux dorés semblent contenir tellement d'émotions intenses… mais je n'arrive pas à en déchiffrer une seule.

Que fait-on maintenant?

Je n'ai pas l'expérience de ce genre de choses. Tom et moi étions sortis ensemble pendant des mois avant de faire l'amour, et, à ce stade de notre relation, il avait semblé naturel que je dorme chez lui.

Zach m'a demandé de passer la nuit ici.

Mais nous nous sommes aussi disputés.

Je suis la première femme qu'il emmène dans cette maison.

— Est-ce que… je peux… rester là?

C'est ridicule de se sentir aussi mal à l'aise avec quelqu'un qui vient de jouer de mon corps comme un virtuose de son instrument, mais je sens que je ne peux pas présumer qu'il sera d'accord. Peu importe à quel point nous nous désirons. Ce qui me rappelle que, quelle que soit la connaissance de mon corps qu'a cet homme, il est quand même un inconnu pour moi.

— Oui.

Il fait une pause. Je l'observe se glisser sous les draps parfaitement tirés, un peu contrariée par l'embarras dont il fait preuve.

C'est Zachariah St Brenton, le milliardaire avide de contrôle. Il est censé savoir ce qu'il fait. Tout le temps.

Il lève les draps, me faisant signe de le rejoindre. Je rechigne un instant – c'est si étrange d'être nue dans le lit. D'habitude, je dors en T-shirt large et bas de pyjama en flanelle.

Bon, nous sommes tous les deux mal à l'aise, alors.

Je m'allonge sur l'oreiller, consciente de la présence de Zach à mes côtés. Nous fixons tous les deux le plafond sans nous toucher.

C'est ridicule. Il était en moi il y a quelques minutes. Suivant mon instinct, je me tourne sur le côté et avance la tête jusqu'à ce qu'elle repose sur son épaule. Il se tend un moment, surpris, puis passe un bras autour de moi et semble se détendre.

Dans la pénombre de la pièce, je souris et inspire profondément, appréciant mon odeur sur sa peau.

— Bonne nuit, Devon.

Je repense à ma journée, rapidement, me demandant si, au réveil, je ne découvrirai pas que tout ça n'était qu'un rêve.

À ce moment précis, ça m'est égal. Je me blottis contre lui, profitant de la chaleur de son étreinte.

7

Je n'arrive pas à dormir.

Quand j'ai roulé dans ses bras, Zach a d'abord été aussi raide et mal à l'aise que moi. Je sais qu'il n'a pas l'habitude de demander aux femmes de dormir avec lui dans son lit. Pourtant, la tension a rapidement disparu des bras qui m'enlacent, et il n'a fallu que quelques minutes avant qu'il pousse un soupir dans mes cheveux et s'endorme.

Cela fait des heures maintenant, et je n'arrive toujours pas à trouver le sommeil. Je suis incroyablement heureuse d'être blottie dans ses bras alors qu'il respire calmement à mes côtés, mais je ne suis pas habituée au contact peau à peau alors que j'essaie de dormir. Tom était rarement enthousiaste à l'idée que je reste dormir chez lui, et j'avais toujours manqué de courage pour insister.

À présent, je me rends compte que, même si c'est dans le lit de Zach que je me trouve, j'ai besoin de mon espace.

En plus, j'ai trop chaud, pressée comme ça tout contre lui, et je dois aller aux toilettes.

Roulant sur le dos, je jette un œil aux chiffres bleu irisé de l'horloge accrochée au mur de l'autre côté de la chambre.

Pensant être victime de mes sens brouillés, je cligne plusieurs fois des yeux pour en chasser le sommeil. Mais l'heure ne change pas.

Il est quatre heures et treize minutes.

Je pousse un grognement en réalisant que je dois aller travailler aujourd'hui. Un frisson d'incertitude me traverse à la pensée que je dois encore me doucher et me préparer pour le boulot… et que pour ça, je dois d'abord rentrer chez moi. Je pourrais appeler un taxi, j'imagine… sauf que je ne suis pas tout à fait sûre de l'endroit où je me trouve.

Heureusement que, pour l'instant, rien n'indique que Zach soit un tueur fou, parce que je n'arrête pas de prendre des décisions stupides quand je suis avec lui.

Je soupire et me déplace doucement, essayant de m'extraire de l'étreinte de Zach. Il roule sur le côté et gémit quand je me glisse hors de ses bras. Je suis tentée de passer la main sur son front pour lisser les plis qui contrastent avec l'expression paisible du reste de son visage.

Le mystérieux milliardaire semble beaucoup plus vulnérable dans son sommeil… beaucoup plus humain. C'est étrange d'en être le témoin.

Ma vessie se rappelle à moi, et je me dirige vers la salle de bains. Une fois que j'ai fait ce pour quoi je m'y suis rendue, je me lève et jette un regard fatigué autour de moi.

Découvrir une salle de bains plus opulente que tout ce dont je pourrais rêver me fait un drôle d'effet. Je savais que Zach était riche, j'avais entendu le terme milliardaire associé à son nom, mais là… waouh.

C'est plutôt amusant qu'il ait fallu une salle de bains pour que je comprenne à quel point l'homme qui a été en moi il y a quelques heures est riche.

Mal à l'aise et impressionnée, je fais le tour de la pièce. Le sol est fait de galets emprisonnés dans un vernis clair et épais. Leur surface diffuse de la chaleur jusque dans mes orteils froids alors que je les agite. Le revêtement semble chauffer uniquement à l'endroit où se posent mes pieds pour refroidir ensuite. J'imagine que tout cela est contrôlé par une sorte de détecteur de mouvement ou de poids.

Je n'ai jamais entendu parler d'une chose pareille, et pourtant j'ai grandi dans une famille aisée. Je fixe ce sol magnifique et ma peau pâle qui se détache dessus.

Ma vie est si radicalement différente de celle de Zach. Je ne sais pas exactement ce qu'il y a entre nous, mais peu importe le terme, je sais à ce moment-là que ça ne pourra pas durer.

Il est bien au-dessus de ma catégorie.

Je ne me sens pas très bien et secoue la tête pour me débarrasser de cette pensée déprimante. Puisque je suis debout, je décide de prendre une douche – je vais me laver, puis m'habiller avec mes vêtements de la veille. Enfin… sans ma culotte, devenue inutilisable. Ensuite, je pourrai peut-être trouver Charles pour qu'il me ramène à ma chambre d'hôtel, où je pourrai me changer.

Même sans tenir compte de Zach, j'aime vraiment mon nouveau boulot. J'aime San Francisco. Je suis presque sûre de vouloir rester, y trouver une maison. Il faut donc que je sois prête à temps pour aller travailler, même si le grand patron lui-même sait que je n'ai pas exactement passé une soirée reposante toute seule.

Au plus profond de moi, je n'ai pas envie de partir. Je veux soulager mes muscles endoloris sous l'eau chaude avant de retourner dans le lit de Zach, dans ses bras protecteurs.

Mais je sais déjà que je m'emballe. Un homme qui peut s'offrir une telle maison, qui possède une entreprise comme Phyrefly, n'éprouvera pas de sentiments pour moi en dehors de sa chambre à coucher.

Je me mets à frissonner malgré la chaleur des galets sous mes pieds. Je traverse la pièce, ouvre la porte en verre transparent et entre dans la cabine de douche, assez vaste pour accueillir toute une équipe de foot.

Waou! Je fais lentement un tour sur moi-même, inspectant cette douche plus grande que ma chambre d'hôtel. L'air lui-même résonne dans l'espace gigantesque.

Je lève la tête et découvre non pas une, mais quatre pommes de douche plus larges que des assiettes.

Je pense au misérable filet qui s'écoule de la tuyauterie rouillée de ma chambre d'hôtel, et mon corps endolori se tend, impatient de profiter de la cascade d'eau chaude. Je suis peut-être superficielle, mais à ce moment précis j'apprécie vraiment la richesse de Zach, ou en tout cas son goût en matière de salle de bains.

La seule chose qui pourrait rendre cette expérience meilleure, c'est qu'il me rejoigne.

Même si mon sexe se contracte à cette seule idée, je pense qu'il vaut mieux ne pas le réveiller pour l'inviter à prendre une douche à deux. Ses sautes d'humeur sont telles que, malgré la tendresse dont il a fait preuve la nuit dernière, je ne sais pas quelle facette de Zach est révélatrice de sa vraie nature.

Renfrognée à présent, je tends la main vers les robinets, et découvre qu'il n'y en a pas! Perplexe, je regarde en haut, puis en bas, et je ne vois rien d'autre qu'un panneau de contrôle avec plusieurs boutons.

Ils ne portent pas d'inscriptions. J'en choisis un au hasard et le pousse. Je sursaute quand, une seconde après, une cheminée protégée par une paroi en verre s'enflamme au fond de la cabine.

Je la fixe bouche bée. Il a une cheminée dans sa douche. Définitivement perturbée, je pousse de nouveau le bouton qui contrôle la cheminée, éteignant les flammes avant de me précipiter hors de la cabine. Mon corps endolori proteste.

— Et merde!

Je lance un regard noir à la douche, avant de me tourner vers la baignoire. Elle est de la taille d'une petite piscine et semble être creusée dans une sorte de pierre gris argenté. Des marches mènent à l'intérieur.

En dehors de sa taille et de son luxe, pourtant, elle semble n'être rien d'autre qu'une baignoire. Je suis raisonnablement sûre de ne pas trouver de cheminée dans ses profondeurs.

Me perchant sur le bord du bassin, je tourne le robinet d'eau chaude à fond, et celui d'eau froide à demi. La fraîcheur de la pierre me pique les fesses alors que j'attends que la baignoire se remplisse, les genoux serrés contre ma poitrine.

Quand je relève les yeux de l'eau cristalline et tourbillonnante, je me retrouve face à la vue qui m'a éblouie la veille. La salle de bains surplombe l'océan, me donnant la sensation que je vais me baigner dans les flots gris-bleu de la mer.

Je fixe la baie vitrée, les yeux écarquillés d'émerveillement, tout en m'enfonçant dans l'eau de la baignoire. La chaleur est très agréable, même si je grogne quand les chairs sensibles de mon entrejambe sont immergées. Zach n'a pas été délicat, et même si j'ai aimé ça, je suis incroyablement meurtrie.

Le souvenir de la façon dont il a traité mon corps me fait rougir une nouvelle fois. Malgré la température de l'eau, je frissonne.

Peu importe ce que me dit la partie rationnelle de mon cerveau, peu importe que nous ne soyons ensemble que depuis quelques heures, j'ai envie de lui avec une férocité dont je ne me savais pas capable.

Je ne peux pas recommencer ça.

Je ne devrais pas recommencer. Mais cette simple idée m'attriste. J'attrape la bouteille de gel douche posée sur le bord de la baignoire et je me lave à la hâte.

Je retrouve l'odeur de Zach dans le savon.

J'en frictionne mes longues mèches de cheveux, puis m'allonge pour les rincer. Même en étant étendue de tout mon long, la baignoire est tellement grande que je ne touche pas les bords. Je flotte pendant un moment, profitant de l'eau chaude qui me remonte le moral alors que mes pensées me tirent vers le bas.

Je me rassois et lisse en arrière mes cheveux mouillés. Je crois d'abord que les sons que j'entends sont seulement le résultat de mon ouïe perturbée après mon immersion dans le bain.

— Non! Non!

Les mots semblent étranglés, comme arrachés de la poitrine de quelqu'un. Je me redresse, le corps soudain tendu. Mes sens ne me trompent pas... Ce que j'entends, c'est Zach, aux prises avec ce qui semble être un terrible cauchemar.

— Plus lentement... va plus lentement...

Mon cœur se serre alors que je sors de la baignoire, l'eau dégoulinant en ruisseaux sur ma peau nue. J'ai moi-même fait des cauchemars pendant longtemps après la mort de mes parents. J'en ai encore de temps en temps. Je sais à quel point ils peuvent sembler réels, même après le réveil.

Les sons qui provenaient de la chambre s'arrêtent et je suis soulagée. J'attrape quand même une serviette. Je vais aller voir s'il va bien avant de m'habiller.

Même si je ne le connais pas bien, je sais que Zach n'aimerait pas être surpris dans un moment de vulnérabilité, peu importe de quoi il rêvait. Mais je sais aussi qu'être seul quand des images terribles passent comme un film dans votre esprit peut vous rendre malade.

J'entends un froissement, le bruit d'un corps qui bouge dans les draps, puis des pas sur la moquette. Il est réveillé.

Mes sentiments passent de la sollicitude à l'appréhension.

Je n'ai jamais connu de premier matin comme celui-ci.

La lourde porte en bois s'ouvre, et Zach apparaît soudain. Il est toujours entièrement nu, et je peux voir que chacun des muscles de son corps est tendu, comme s'il s'attendait à recevoir un coup.

Un coup d'œil m'apprend qu'il n'est pas encore entièrement réveillé – ses yeux sont ouverts, mais parcourent la pièce comme s'ils ne l'avaient jamais vue.

Je reste immobile, bouche bée, le désarroi gravé sur mon visage alors que son regard balaie la salle de bains avant de finalement s'arrêter sur moi. Son regard noir sur mon corps nu et frissonnant me fait l'effet d'un couteau chaud découpant du beurre tendre.

— Tout va bien?

Il cligne des yeux, essayant visiblement de se concentrer sur moi dans le brouillard qui obscurcit encore sa conscience. Je me sens si exposée, alors qu'il m'a vue tout entière la nuit dernière. J'aimerais avoir eu le temps de tirer la serviette de bain sur moi pour couvrir ma nudité.

Le regard de Zach se durcit encore devant mes yeux écarquillés. Il semble plus en colère que jamais. Je ne sais pas ce que j'ai fait pour l'irriter, si j'ai fait quelque chose – j'ignore s'il est toujours prisonnier de son cauchemar comme d'une toile d'araignée collante ou bien s'il est revenu à la réalité.

Il traverse la pièce en trois longues foulées, m'attrape par les épaules et me secoue. Alors que ses doigts agrippent mes omoplates, une trace de trouble se mêle à la fureur toujours apparente sur son visage. Mon cœur fond, alors même que la nervosité provoque des fourmillements dans tout mon corps.

Un frisson moite s'abat sur moi lorsqu'il parle enfin, la voix encore rauque de sommeil.

— Mais qu'est-ce que tu fous ici?

8

— Vous êtes réveillé, maintenant?

Assise au bord de l'immense lit, je serre dans mes poings le tissu frais des draps. Leur désordre témoigne de l'intensité du cauchemar qui lui colle encore à la peau.

Bien que cette idée me trouble profondément, je reconnais la noirceur qui l'enveloppe comme un linceul. Elle me ramène directement aux premiers mois abominables qui ont suivi la disparition de mes parents. Même s'il refuse d'en parler, la douleur de Zach rouvre ma blessure aussi sûrement que le tranchant d'un couteau.

Pourtant, c'est pour cette raison que je me suis forcée à rester, à passer outre la sensation de ses doigts plantés dans mes bras et la peur que j'ai ressentie quand il m'a regardée dans les yeux sans me reconnaître.

Je le comprends. J'imagine que la plupart des gens qui l'entourent en sont incapables... Enfin, s'ils s'intéressent assez à lui pour s'apercevoir que quelque chose ne va pas.

— Je suis réveillé, maintenant.

Le regard de Zach, à présent débarrassé du brouillard du sommeil, est voilé par l'ombre d'une douleur. Il se tient face à moi, nu, sans aucune gêne. Il me dévisage, et son expression est indéchiffrable.

Même enveloppée dans une serviette qui me couvre des épaules aux genoux, mes cheveux mouillés et les gouttes d'eau qui s'accrochent à ma peau me font frissonner. Je me sens exposée sous son regard intense, alors que je suis couverte et que Zach ne l'est pas.

Je suis complètement hors de mon élément. Cela fait des années maintenant que j'ai pris l'habitude de refouler mes émotions, faute d'avoir la force de les affronter. Du coup, je me sens comme rouillée quand il s'agit de faire face aux vagues de sensations que cet homme fait continuellement déferler sur moi.

— Devon.

Il se penche vers moi et empoigne mes cheveux, tirant juste assez fort pour réveiller les nerfs qui parcourent mon cuir chevelu. Je pousse un grognement de douleur, mais ma protestation est étouffée par la bouche de Zach s'emparant de la mienne.

— Zach!

J'ai la tête qui tourne. Il m'embrasse avec ferveur, comme si sa vie en dépendait. Je reste un instant immobile, figée sur place. Je suis encore perturbée par ce qui s'est passé ce matin, mais ne veux pas le repousser.

La façon dont ses lèvres pressent les miennes et la légère douleur causée par la traction de mes cheveux m'arrache à mon incertitude, la brise en mille morceaux. Répondant au désir brûlant qui émane de lui en vagues géantes, je plante mes doigts dans ses larges épaules et l'attire plus près de moi, ouvrant ma bouche avidement pour accueillir sa langue.

Un grognement approbateur monte de sa gorge. Sa main quitte mes cheveux, écarte mes genoux et remonte à l'intérieur de mes cuisses nues sous l'épaisse serviette. Elle avance rapidement jusqu'à la chaleur de mon sexe déjà humide.

Zach glisse un doigt en moi sans prévenir, et je pousse un cri contre ses lèvres. Mon esprit bascule dans un vide merveilleux alors que j'avance les hanches pour me rapprocher de lui.

Quand il interrompt brutalement son baiser et s'écarte, je frissonne sous l'effet de l'air frais qui a remplacé l'intense chaleur de son corps. Un lourd silence règne dans la chambre pendant que Zach parcourt l'épaisse moquette jusqu'à sa commode. Son magnifique corps musclé est exposé, et je savoure le spectacle.

Il ouvre le tiroir du haut, en sort un objet puis le referme. Il se retourne et je vois la longue torsade de cuir glisser de ses mains jusqu'au sol. Mon estomac se noue.

— Zach…

Je ne suis pas d'humeur à jouer.

Certes, il s'est excusé – avec raideur – de m'avoir agrippé le bras, et je crois sincèrement qu'il était endormi et ne m'avait pas reconnue. Pourtant l'intimité de la nuit dernière a disparu.

Je ne pense pas qu'il me ferait du mal – je suis même sûre que non, au plus profond de moi. Mais la noirceur qui l'entoure alors qu'il vient se planter devant moi me donne des frissons.

J'ouvre la bouche pour dire quelque chose, mais je suis si surprise quand Zach place le fouet dans mes mains que je reste silencieuse. Le cuir du manche est froid contre la peau moite de mes paumes. Je lève de grands yeux vers lui, penche la tête et le dévisage.

— Je veux que vous me fouettiez.

J'entends dans sa voix l'esprit de domination dont il m'a donné un avant-goût la nuit dernière, mais il est mélangé à une peine si profonde qu'elle semble l'étouffer.

Quand nos yeux se croisent, je perçois l'angoisse qui menace de submerger le grand et bel homme qui se tient face à moi.

Sous mon regard interrogateur, le visage de Zach se ferme. L'angoisse fait place à l'arrogance et à l'autorité.

— Je vous ai demandé de me fouetter.

Sa voix est elle-même un fouet qui cingle ma chair nue.

Je déglutis avec difficulté. Une partie de moi est attirée par ce qu'il représente en ce moment, la douleur et ses nuages sombres intimement mêlés au plaisir. Je ne suis pas sûre d'aimer ça, surtout pas maintenant.

Tout en moi tend à satisfaire à cet homme… mais je n'ai pas l'impression que le fouetter lui donnerait du plaisir en fin de compte.

— Devon.

Zach le dominant faiblit un moment, me laissant entrevoir ses cauchemars. Ce que j'y découvre – la douleur et l'angoisse qui nagent dans les profondeurs sombres de ses yeux – provoque au plus profond de moi un sentiment de compassion.

Il me demande de l'aider à soulager sa peine, même si je ne comprends pas vraiment comment le fouetter y contribuerait.

Comment pourrais-je refuser, alors qu'il a déjà tellement apporté à ma vie?

Je mords ma lèvre jusqu'à sentir le goût du sang sur ma langue, et me débats intérieurement pour prendre une décision, même si je sais déjà ce que je vais finir par faire. Mon désir profond est de lui obéir et de le satisfaire. Je suis même excitée par cette idée.

J'aimerais juste être sûre que le frapper lui apportera la paix.

Grimaçant intérieurement, je lève la tête et lui tends le fouet.

— Vous allez devoir me montrer comment faire.

Sa respiration est rauque et l'air s'échappe de ses poumons en courts halètements. Je comprends que, dominant ou non, il est aussi incertain que moi de ce que nous faisons.

Inquiet, mais excité quand même. Quand il me tend la main pour m'aider à descendre du lit, sa queue se raidit rapidement et la soie chaude de sa peau effleure ma hanche à travers ma serviette entrouverte. Même si je me pose mille questions, tout en moi se contracte sous l'effet du désir que ce contact provoque.

— Comme ça.

Il m'attire vers lui, mon dos contre son torse, et m'aide à empoigner le manche du fouet, couvrant mes doigts des siens.

— La force doit venir de votre corps, pas de votre bras ou de votre poignet.

Levant nos bras enlacés, il les rabaisse rapidement, et je sens les muscles de son torse onduler. Le cuir tressé du long fouet fend un air lourd de tension, son claquement légèrement assourdi par la moquette moelleuse dans laquelle il s'enfonce.

L'air quitte mes poumons en un souffle brûlant, mes tétons durcissent et l'humidité inonde mon sexe. Je suis toujours aussi inquiète, mais, en même temps, je perçois avec une clarté étonnante la relation entre plaisir et douleur. Quand je brandis le fouet, je me sens puissante, provocante. Dangereuse.

Comment me sentirais-je en faisant rougir sa peau sous la morsure du cuir? Ou en éprouvant moi-même cette morsure?

Tous ceux que je connaissais dans ma vie d'avant seraient choqués de me savoir séduite par cette idée. Moi-même, je lutte contre la honte. Je sais que je le fais surtout pour Zach, mais je suis incapable de réduire au silence ce qui en moi en a envie pour d'autres raisons, attirée comme un papillon vers la lumière.

Essayant de faire le vide dans mon esprit, je respire profondément. Les yeux écarquillés, je me tourne vers Zach. La douleur est toujours présente dans ses yeux, mais il y a aussi du désir. Du désir pour moi.

— Encore.

Sa voix est rauque alors qu'il lève mon bras avec le sien et qu'ils s'abattent ensemble. Le fouet frappe le sol, encore et encore.

Ma respiration s'accélère, je me presse contre lui, recherchant sa chaleur. Après trois coups d'essai, Zach démêle tendrement ses doigts des miens et recule, laissant le fouet pendre de ma main.

D'un doigt, il trace un chemin brûlant depuis ma nuque jusqu'au bord de l'épaisse serviette. Insérant un doigt entre le tissu et ma peau, il tire doucement et la serviette tombe sur le sol autour de mes chevilles.

Son doigt glisse sur les contours de mon corps jusqu'à la raie de mes fesses. Ma bouche est sèche, ma main serrée autour du manche du fouet devient moite de sueur.

— Vous êtes prête.

J'inspire brusquement quand son doigt remonte rapidement sur toute la longueur de ma fente pour aller presser le bourgeon gonflé de mon clitoris. Mes hanches s'avancent instinctivement à ce contact.

Il passe devant moi, et je frissonne alors que le contact de son corps chaud contre mon dos disparaît. Il avance jusqu'à la grosse commode en bois de laquelle il a tiré le fouet, place ses paumes à plat sur la surface vernie et se penche, m'offrant le spectacle délicieux de son dos musclé, de sa taille fine, de ses hanches étroites et de son cul ferme.

Bien qu'excitée par nos échanges, je n'ai pas envie de marquer sa peau bronzée. J'hésite à lever le fouet.

— Maintenant, Devon.

Même alors qu'il est penché et suppliant, sa voix a des accents de domination, et j'ai envie d'obéir.

— Vous ne me ferez pas mal.

Mais je sais que je vais lui faire mal, et que c'est ce qu'il veut. Je cligne des yeux, et soudain, alors que ma main s'abaisse avant même que j'aie levé le fouet à mi-hauteur, je comprends.

Il me demande de faire ça parce qu'il veut être puni, puni pour tous les démons qui hantent ses rêves.

Je ne peux pas, pas alors qu'il refuse de me parler de ce qui le tourmente. Ce n'est pas de cette façon que j'ai envie de l'aider.

Qui plus est, je ne veux pas. Je commence à peine à me connaître vraiment, mais je sais que je ne peux pas prendre part à ça.

— Non, Zach.

Je tends la main qui tient le fouet. C'est un bel instrument, long et fin, de la couleur chaude du cognac. Il m'attire, il m'excite, mais l'idée de m'en servir sur Zach me rend malade.

Zach se tourne lentement et me lance un regard mauvais.

— Vous défiez mes ordres?

Je pourrais trembler si je ne voyais pas les ombres qui dansent encore sur son visage. Il les dissimule bien, mais elles sont là, à peine décelables à l'œil nu.

— Cet ordre n'a rien à voir avec moi ni avec le sexe, Zach.

La douleur étreint mon cœur alors que je lui parle. Ses yeux lancent des éclairs.

Le corps tendu par la colère, il me prend le fouet des mains.

C'est fini. Je sais qu'il ne tolère pas la désobéissance, ou, plus exactement, le fait que j'ai entraperçu sa vulnérabilité. Je n'ai aucune chance.

Ça ne devrait pas faire aussi mal, je ne suis avec lui que depuis si peu de temps. Pourtant c'est le cas.

— Vous ne savez rien de moi, fillette.

Ses mots sont faits pour blesser – et ils font mouche. Émotionnellement, je chancelle sous le coup, mais je lève le menton et le regarde droit dans les yeux.

Je ne vais pas lui faciliter les choses.

— Je dois me préparer pour aller au travail.

La tension est rompue, mais seulement en surface. Zach se dirige vers la salle de bains, ses mouvements décontractés et arrogants.

— Il y a une chambre d'amis à côté de celle-ci. Vous y trouverez vos affaires.

Il ferme la porte de la salle de bains, me laissant seule.

Le roi dans son château, renvoyant sa petite pute.

J'ai envie de pleurer. Même si je sais que je ne suis pas vraiment en cause, en réalité, je me sens mal.

Enfin, à quoi est-ce que je m'attendais? Je connais à peine cet homme, et il ne me connaît pas plus. C'était idiot de ma part d'imaginer qu'il se confie à moi.

Peu importe à quel point les choses semblaient à leur place quand nous étions ensemble. Je baisse les yeux vers le fouet dans ma main, magnifique objet de cuir, avant de le jeter sur le lit comme s'il me brûlait la paume.

Je ne veux plus jamais voir cette chose.

J'entends le bruit de la douche dans la salle de bains. Tremblante et perdue, je scrute la chambre à la recherche de mes vêtements. Ils ne sont nulle part : c'est de ça qu'il devait parler quand il a dit que mes affaires étaient dans la chambre d'à côté.

Très bien. J'irai dans le couloir en serviette, même si ça me met très mal à l'aise. Je n'ai pas le choix, après tout... Je me penche et ramasse la serviette sur le sol, m'enveloppe dedans et la noue autour de ma poitrine.

Sa douceur chaude me réconforte, même si elle n'aide pas beaucoup à lutter contre le froid qui s'est emparé de moi.

Je pousse un cri quand j'ouvre la porte de la chambre et que je me retrouve nez à nez avec Charles, le poing levé, prêt à frapper à la porte. Je serre la serviette sur ma poitrine en attendant que l'homme se détourne.

Mais il ne le fait pas. Il me regarde dans les yeux, n'éprouvant aucunement la gêne que je ressens, me faisant rougir comme une pivoine.

— Bonjour, mademoiselle Reid. Si vous voulez bien me suivre, je vais vous conduire à votre chambre.

Ma chambre? C'est certainement un lapsus. Je fronce les sourcils quand Charles se retourne. Il se comporte exactement comme si j'étais toute habillée.

Il a l'air très bon dans son job. Peut-être est-il habitué à conduire des femmes à demi nues dans les grandioses demeures de Zach? Cette idée me contrarie encore plus.

— Par ici, mademoiselle Reid.

Charles ouvre une porte à mi-chemin dans le large couloir. Les premiers rayons de la lumière pâle du matin commencent à filtrer à travers les lucarnes. Je baisse les yeux vers mes jambes, blanches dans la lumière délavée.

— Merci… Charles.

Serrant encore plus ma serviette sur ma poitrine, je me glisse devant lui, puis dans la chambre. Elle n'est pas aussi immense que la chambre principale, mais tout de même plus grande que ma chambre d'hôtel.

Une pile de vêtements soigneusement pliés est posée sur le grand lit en fer forgé recouvert d'un luxueux dessus de lit en soie noire.

Ravalant ma pudeur, je me tourne vers l'homme sérieux qui se tient toujours sur le pas de la porte.

— Charles, vous pourriez me laisser une minute pour m'habiller et me ramener à mon hôtel, s'il vous plaît?

Je grimace – c'est sordide de vivre toujours à l'hôtel. Je dois y remédier, et vite.

Enfin, si je reste à San Francisco. Je suis bien payée chez Phyrefly, mais après avoir couché avec mon patron, est-ce que j'ai encore un boulot?

Je crois discerner un éclair de compassion dans le visage d'habitude stoïque de Charles avant qu'il secoue lentement la tête. Son maintien est si rigide qu'aucune autre partie de son corps ne bouge.

— Je suis désolé, mademoiselle Reid. M. St Brenton a laissé des instructions: vous devez vous habiller, manger puis partir avec lui au travail.

J'en reste bouche bée.

Alors comme ça, il a donné des instructions? Quand? Et comment? A-t-il appelé depuis la salle de bains, après avoir sous-entendu qu'il ne voulait plus rien avoir affaire avec moi?

Est-ce qu'il ose vraiment espérer que je lui obéisse après la façon dont il vient de me traiter?

— Merci Charles.

J'essaie de contenir les étincelles de colère dans ma voix: ce n'est pas de sa faute après tout. Non, mon courroux est uniquement dirigé contre l'homme borné qui est en train de prendre sa douche dans cette immense salle de bains ostentatoire.

— Je vais m'habiller. Je ne prends pas de petit déjeuner d'habitude, j'espère que vous ne vous êtes pas donné trop de mal. Je ne crois pas que je ferai d'exception aujourd'hui.

Je vois les coins de la bouche de Charles frémir, et je fronce les sourcils, énervée. Je pense un moment qu'il est sur le point de me faire la leçon avant de comprendre tout à coup qu'il a l'air amusé. Oui, très légèrement amusé.

Eh bien. Peut-être que les gens n'ont pas l'habitude de défier les ordres de Zachariah St Brenton. Je repense à lui, appuyé contre la commode, donnant des ordres alors même qu'il s'offrait à moi, et je me rends compte que cet homme fort et fier m'a cédé son pouvoir. Et que je l'ai repoussé, sachant que je n'étais pas capable de lui causer de la douleur.

Je n'ai plus rien à perdre.

— Une fois habillée, j'irai attendre à la porte du garage.

Enfin, si je réussis à la trouver. En tout cas, je ne vais pas endurer un repas où je serais mal à l'aise, que Zach soit présent ou non. Je ne peux pas m'imaginer assise à côté de l'homme qui a placé un fouet dans ma main, à manger des pancakes et des œufs brouillés sans qu'aucun de nous deux ne parle.

— Très bien, mademoiselle Reid.

Toute trace d'amusement a disparu du visage de Charles quand il quitte la pièce et referme la porte derrière lui. Enfin seule, je ferme les yeux un long moment et presse mes doigts sur mes tempes, y sentant battre mon pouls.

Même si Charles ne voudra certainement pas enfreindre les instructions de Zach et me reconduire à l'hôtel, je suis sûre que je pourrais au moins le convaincre de m'appeler un taxi. Il semble être le genre d'homme qui aime les demoiselles en détresse, et je me sens effectivement très en détresse.

Mais une pensée me retient. Si je demande à Charles de m'appeler un taxi, alors ça – quoi que «ça» soit entre Zach et moi – sera vraiment fini.

C'est lâche, mais je ne suis pas sûre d'y être prête. Mon cœur se serre quand je pense à la froideur de Zach au moment où il m'a laissée seule dans sa chambre.

Il a peut-être déjà pris la décision pour moi.

Je pousse un soupir tremblotant. Cette palette d'émotions intenses est épuisante. Je laisse tomber la serviette au sol, attrape les vêtements si soigneusement pliés et fronce les sourcils en me rendant compte que ce ne sont pas les miens.

À la place de la légère jupe noire et du haut assorti que je portais hier, je trouve un pantalon élégant, un cardigan incroyablement doux et son débardeur assorti. Le pantalon a l'air cher, et le twin-set est en pur cachemire.

Je ferme les yeux pour lutter contre la migraine qui menace soudain, et j'essaie de me faire à l'idée qu'il y a également des chaussures – une paire d'escarpins noirs avec de hauts talons sexy.

En homme attentionné, Zach n'a pas oublié les sous-vêtements: une culotte et un soutien-gorge assortis aux bords en
dentelle, également noir corbeau, ma couleur préférée.

Zach ne m'avait pas quittée depuis que nous étions entrés
dans la maison hier soir. Il a donc dû envoyer quelqu'un – certainement Charles – m'acheter de nouveaux vêtements. Même si
c'est prévenant de sa part, c'est aussi terriblement embarrassant.

Quelqu'un d'autre a choisi mes sous-vêtements. Ça, ce n'est
pas une chose à laquelle j'étais préparée. La pensée de l'impassible Charles, avec ces muscles saillants et sa coupe en brosse,
passant en revue les portants de culottes pour femmes me fait
ravaler un rire hystérique.

Ridicule. Tout ça est juste complètement fou. Qu'est-ce que
je fiche ici?

Je m'imagine débarquer dans sa chambre, et exiger de
savoir où sont mes vêtements – mes vêtements raisonnables, à
un prix abordable.

Je... ne peux pas faire ça. Même si la scène dans la salle
de bains de Zach a été très désagréable, le fait qu'il ait voulu
m'épargner la honte d'un retour au bureau avec mes vêtements
de la veille est une attention délicate. Même très remontée
contre lui, je n'ai pas le cœur de la lui jeter au visage.

Alors que je ravale ma fierté et enfile les vêtements, je ne
peux pas m'empêcher de remarquer qu'ils me vont mieux que
les miens. C'est comme s'ils avaient été faits pour moi, ou au
moins repris à mes mesures. Ils sont également de bien meilleure qualité que tout ce que je peux m'offrir. J'essaie d'ignorer
le sigle de créateur sur la semelle de mon escarpin: si je m'autorise à y penser, je vais m'étouffer en imaginant le prix que la
paire a dû coûter.

Les vêtements sont tous noirs, autre détail qui ne m'a pas
échappé.

Zach a vraiment été attentif.

Je découvre un choix de produits de beauté dans la salle de bains. Il y a de tout, du déodorant au mascara en passant par le parfum. Ils sont encore tous dans leurs emballages. Et tous de marques que j'utilise, même la brosse à dents, qui est la réplique exacte de celle qui se trouve sur le lavabo dans ma chambre d'hôtel, y compris sa couleur rose vif.

Un sentiment étrange m'envahit pendant que je me maquille un minimum, juste assez pour atténuer les cernes noirs apparus sur ma peau fine et pâle, et tire mes cheveux mouillés et en bataille en queue-de-cheval, coinçant les mèches indomptables derrière mes oreilles. Je n'arrive pas à faire coexister l'homme qui prend le temps de découvrir la marque du baume à lèvres que je préfère et celui, fantomatique, qui m'a tendu un fouet. Et aucun des deux ne va avec la créature dominatrice qui m'a envoûtés à la minute où j'ai posé les yeux sur elle.

Qui est vraiment Zachariah St Brenton? Il n'y a rien dans cette chambre d'amis qui puisse me l'apprendre, aucun détail personnel. Et même si la lumière matinale me permet de voir plus de détails de la maison, je n'ai aucune révélation quand je quitte prudemment ma chambre et retrouve le chemin du garage.

— Vous ne faites jamais rien de ce qu'on vous demande?

Je fais volte-face, surprise par la voix puissante. Je m'appuie contre le mur et sens la fraîcheur du plâtre dans mon dos. Zach avance vers moi, le visage assombri par la colère.

Il est habillé pour aller travailler, son costume noir si parfaitement ajusté à son corps magnifique que je suis presque jalouse du fin tissu. Aujourd'hui, sa cravate est rouge sombre. J'ai l'eau à la bouche et une seule envie : la lui enlever.

Ça ne devrait pas exister, un homme aussi beau. Ce n'est pas juste pour les autres, ceux qui doivent réussir à vivre normalement à côté de lui.

— Je ferais ce qu'on me dit si on me demandait de faire des choses qui ont un sens.

Même si sa seule vue provoque chez moi un désir brut, je n'ai pas oublié ce qui s'est passé entre nous. La colère me transperce, comme autant de lames de rasoir entaillant ma peau. Son apparence irréprochable, alors que je suis pâle, lessivée émotionnellement et physiquement, est contrariante.

— Ce n'était pas juste de me demander ça, Zach.

Son regard noir se teinte de surprise, et – est-ce mon imagination? – d'incertitude. Des sentiments que je ne comprends pas vraiment me font trembler en le regardant lutter pour se contrôler.

Je sais qu'il n'est pas aussi parfait que la plupart des gens le pensent, même si à mes yeux, ses zones d'ombre ne font que le rendre encore plus intrigant. Suis-je la seule à voir au-delà de sa beauté et de son argent?

Zach s'avance et, avant que j'aie le temps de dire ouf, je me retrouve collée au mur, un bras puissant tendu de chaque côté de ma tête. Ainsi piégée, je peux sentir le savon, l'eau de Cologne et cette odeur qui est devenue si intime et familière pour moi la nuit précédente – ce parfum qui n'appartient qu'à lui.

Je lève la tête, avec l'espoir fou qu'il pose ses lèvres sur les miennes, tout en me maudissant d'y aspirer.

Le baiser ne vient pas. Il baisse les yeux vers moi, son regard intense m'écorche partout où il se pose.

— Zach...

C'est un murmure qui s'échappe de mes lèvres. Comme si je l'avais brûlé, il s'écarte en un sursaut, mettant de la distance entre nous, dans tous les sens du terme.

Je baisse les yeux, la gorge serrée. J'aimerais pouvoir adoucir ses tourments, quels qu'ils soient. Si le fouetter pouvait aider, alors je lacérerais sa peau dans la minute. Mais je ne vois pas comment une pluie de coups pourrait exorciser la douleur qu'il tente visiblement d'apaiser.

Si seulement il pouvait comprendre ça.

— Partons-nous maintenant?

J'ai besoin de rompre le silence. J'ai l'impression qu'il va m'étouffer à chaque respiration.

Zach se drape dans son arrogance et me congédie, comme s'il n'avait pas été à un doigt de me revendiquer comme sienne il y a à peine quelques instants.

— Charles va vous conduire au bureau maintenant.

Malgré l'expression de son visage, qui indique comment je me rends au travail lui importe peu, je sais que, en quelque sorte, l'homme qui a envoyé quelqu'un m'acheter des sous-vêtements en dentelle s'intéresse à moi. Mais c'est incroyablement frustrant, cette façon qu'il a de le montrer.

— Je partirai ensuite. Arriver ensemble provoquerait des rumeurs qu'il vaut mieux éviter.

Je hoche la tête, aussi soulagée que déçue, mais surtout lasse.

— Et je vous fais confiance pour être extrêmement discrète chez Phyrefly.

Son regard sombre plonge dans le mien, et je sais que c'est un ordre auquel je ne désobéirai pas.

— Les rumeurs ne nuiraient pas à celui qui signe les fiches de paie, mais elles pourraient faire des dégâts pour quelqu'un de nouveau, quelqu'un avec beaucoup de potentiel. Et ce n'est pas ce que je veux.

Même si le visage de Zach reste lisse comme de la pierre, ces mots révèlent à nouveau son côté séduisant, irrésistible. J'en grognerais de frustration.

Comment lui montrer ce que je vois, cet aspect de sa personnalité, et qu'il m'attire?

— Merci pour les vêtements.

Je lève lentement la main vers le décolleté de mon débardeur et passe les doigts sur le cachemire, appréciant sa douceur.

Le regard de Zach suit mes doigts avant de descendre le long mon corps. Une légère rougeur apparaît sur sa peau, et quand j'ose baisser les yeux, je vois que sa queue fait une bosse sous son pantalon.

Je lis sur son visage qu'il est en train de penser aux sous-vêtements qu'il a fait acheter. Puisqu'il était avec moi tout le temps, il ne sait pas à quoi ils ressemblent, et y penser le fait bander.

Mon pouls s'accélère, mon cœur bondit dans ma poitrine alors que la chaleur m'envahit. Peu importe ce qui s'est passé, j'ai envie de lui.

Et il a envie de moi.

Mais il ne répond rien, hoche la tête, se retourne et s'en va.

Ça fait une semaine.

Je suis assise à mon bureau, incapable de me concentrer, pour la énième fois. Je suis en retard dans mon travail, et ma responsable, Mme Gallagher, me pourchasse à propos d'un rapport que je dois rendre cet après-midi. C'est de pire en pire chaque jour. Je ne dors plus. Je ne mange plus.

Je sirote une tisane fraise-hibiscus dont je n'ai pas particulièrement envie, mais je m'imprègne de la chaleur de la tasse en porcelaine sur la peau froide de mes mains, et j'essaie de me concentrer.

— *Mais elles pourraient faire des dégâts pour quelqu'un de nouveau, quelqu'un avec beaucoup de potentiel. Et ce n'est pas ce que je veux.*

Les derniers mots prononcés par Zach indiquent qu'il ressent quelque chose pour moi, quelque chose de plus que le désir qui nous enflamme quand nous sommes dans la même pièce. Malgré toutes les leçons de morale que je me suis faites pendant cette dernière semaine, j'espérais... quelque chose de lui. Une attention. Un signe.

Au lieu de ça, c'est comme si nous ne nous étions jamais rencontrés. Pas de coup de téléphone, pas de texto. Je ne l'ai même pas vu chez Phyrefly. J'ai envie de prendre l'ascenseur jusqu'au dernier étage, de foncer devant Philippa-la-poupée-Barbie et de mettre Zach au pied du mur, de lui demander ce qui se passe.

Mon aventure avec lui était censée être différente de toutes les autres relations que j'ai eues auparavant, j'étais censée en sortir plus forte, plus sûre de moi. Mais cette semaine de silence me fait me sentir encore plus mal que je ne l'étais juste après avoir découvert l'infidélité de Tom.

Même si Tom et moi avions été ensemble bien plus long-temps, l'intensité de mes sentiments pour lui n'était qu'un pâle reflet de ce que je ressens déjà pour Zach.

Je suis tout aussi tentée de quitter Phyrefly pour ne plus jamais y revenir. De retrouver mon univers familier à Sacramento – mais sans Tom – ou d'aller dans un endroit entièrement nou-veau, où personne ne me connaît ou n'a d'attentes vis-à-vis de moi.

Pourtant, au plus profond de moi, je ne veux plus fuir. J'aime ce boulot. J'aime cette ville.

Et plus que tout ça, je sais qu'il y a encore des choses à découvrir entre Zach et moi, même s'il est trop borné pour l'admettre.

L'air renfrogné, je pose ma tasse sur le bureau assez violem-ment pour que Tony, depuis son propre bureau, juste à côté du mien, tourne la tête vers moi.

— Tout va bien?

Il a été parfaitement poli depuis que Zach lui a ordonné de se tenir à distance, mais je l'ai quand même surpris en train de regarder mes fesses quand il pensait que je ne le voyais pas. Ça ne me dérange pas vraiment – c'est agréable qu'on vous trouve attirante, et Tony est un bel homme. Mais ses attentions ne me remontent le moral que l'espace d'un instant.

La seule pensée de Zach en train de me regarder, de quelque manière que ce soit, même avec son terrible regard noir, fait immédiatement monter ma température.

Comme si mes pensées étaient devenues réalité, je relève la tête et croise le regard de Zach. Sous le choc, j'ouvre la bouche alors que mon pouls s'accélère brusquement.

Je sens la chaleur dans son regard qui me détaille alors que je suis toujours bouche bée.

Puis, comme si nos regards ne s'étaient pas intimement rencontrés, il se retourne vers le groupe d'individus en costume qu'il conduit vers la salle de réunion.

Je vois rouge. Je n'ai même jamais ressenti une telle fureur. Avant même de me rendre compte de ce que je suis en train de faire, je suis debout et j'ai déjà parcouru la moitié de la pièce. J'entends vaguement Tony qui m'appelle, mais je m'en fiche.

Zach n'a pas le droit de me traiter comme ça. Pas le droit de m'utiliser comme il le fait.

Je ne serai plus le paillasson de qui que ce soit. Non, plus jamais.

Je suis à deux doigts de me précipiter dans la salle de réunion quand je pense soudain à ce que Zach fera si je le mets dans l'embarras devant son équipe. J'imagine son visage sombre et la fureur se dégageant de tout son corps.

Plus que tout, je veux plaire à cet homme, alors je m'arrête. Il me vient aussi à l'esprit que j'ai envie de garder mon boulot.

J'inspire profondément, fais demi-tour et retourne à mon bureau. De nombreuses têtes sont tournées vers moi avec curiosité, et même si mon visage est écarlate, je les ignore et me rassois à mon bureau.

Je sens le regard de Tony, qui m'observe avec circonspection. Je fais semblant de faire défiler le rapport sur mon écran, alors qu'en réalité les mots défilent sous mes yeux en un flot noir et blanc indistinct.

Pour empêcher mes mains de trembler, je saisis ma tasse et bois ma tisane. Sa chaleur me réconforte un peu et ma fureur diminue très légèrement.

Je dois parler à Zach, ne serait-ce que pour ma propre tranquillité d'esprit. J'aimerais presque avoir eu la force de continuer et d'entrer dans cette salle de réunion, parce qu'il me semble maintenant difficile de réussir à lui demander des comptes.

— Tu as une minute, Devon?

Le visage de Tony est prudent quand je lève les yeux vers son bureau. Même si j'ai envie de mordre, je sais bien que ce n'est pas contre lui que je suis en colère.

Je force mes lèvres à dessiner un semblant de sourire et je lève un sourcil interrogateur.

— Je me demandais si tu pouvais jeter un coup d'œil au rapport trimestriel de Spartacus Records.

Cette maison de disque est un gros client de Phyrefly. Ils commandent tous leurs jets privés chez nous.

— J'ai dû faire une erreur de saisie quelque part. Je l'ai vérifié trois fois, mais je n'arrive pas à trouver le problème.

Des chiffres. Des feuilles de calculs. Ça, je sais faire. Quelques minutes plus tard, Tony m'a envoyé le fichier et je l'étudie, suffisamment concentrée pour que ma colère baisse d'un cran supplémentaire.

— Ici!

Je suis tout excitée quand mes yeux repèrent l'erreur, et je fais signe à Tony de venir, en la lui indiquant sur l'écran.

— C'est juste là, dans la colonne D.

— Mais comment est-ce que tu as fait pour la trouver si vite?

Le regard que me lance Tony est plein d'admiration, et je ne suis pas assez énervée pour le rater.

— Cette feuille de calcul fait des pages!

— Oh...

Je rougis à ce compliment, et pointe le total, en bas de la colonne.

— Eh bien, quand deux colonnes devraient s'équilibrer et qu'elles ne le font pas, une méthode simple pour les vérifier consiste à soustraire un total à l'autre. Si la différence est 1, 10, 100, 9 ou 99, alors c'est sans doute une erreur dans une addition. Ici, tu as tapé un «O» à la place d'un zéro, et ça a faussé tout le calcul.

— Tu es incroyable.

Tony se penche légèrement, et l'intérêt se lit sur son visage. Je déglutis en souhaitant de toutes mes forces être attirée par Tony ou par quelqu'un comme lui.

Ma vie serait vraiment beaucoup plus simple si c'était le cas.

Comme s'il avait lu dans mes pensées, je sens sur ma peau le fourmillement familier que je ressens quand il est près de moi. Je relève la tête et je le vois, debout juste devant la porte de la salle de réunion. Il est en train de parler avec un membre de son équipe.

Mais ses yeux sont fixés sur Tony et moi, sur nos têtes si proches l'une de l'autre, et il n'a pas l'air d'apprécier.

Un frisson me parcourt. Il sera seul dans une minute. C'est le moment ou jamais. Il faut que j'y aille avant de me dégonfler.

— Tony, tu veux bien m'excuser une minute?

Je lui fais un sourire le plus sincère possible. Ce n'est pas de sa faute si je suis obsédée par quelqu'un dont les sautes d'humeur ne cessent de me dévaster.

— Bien sûr.

Le regard de Tony suit le mien pendant que je me lève et lisse ma jupe. Il fronce les sourcils.

— Devon, je sais que personne n'arrive à la cheville du merveilleux St Brenton, mais je te garantis que je te traiterais mieux que lui.

Je souris à Tony, d'un sourire plein de regrets. Je déteste l'idée de le blesser, alors je choisis de contourner la vérité, qui est qu'après Zach, je ne suis pas sûre que je pourrais être de nouveau attirée par quelqu'un d'autre.

— Dommage que des collègues du même service ne puissent pas sortir ensemble.

Tony renifle avec dédain, comprenant très bien que ce n'est qu'un prétexte. Mais en retournant à son bureau, il passe la main sur mon épaule en me souriant.

— Passe-lui un savon, Devon.

Les paroles de Tony me donnent du courage. Zach semble avoir bientôt terminé sa conversation, alors je prends une grande inspiration et je me dépêche traverser une nouvelle fois le bureau.

Me voyant m'approcher, Zach plisse les yeux en un avertissement muet. Je me sens bouillir de colère, et cette fois-ci, elle déborde.

— Monsieur St Brenton.

Je l'interpelle dès que sa conversation est terminée. Je sais qu'il me faut un témoin pour qu'il accepte de coopérer.

— Je dois vous parler une seconde, si ça ne vous dérange pas.

Mon ton est poli, mais l'homme avec qui discutait Zach me regarde avec curiosité, ce qui m'indique que ma colère n'est peut-être pas aussi bien dissimulée que je le pensais.

— Je vous laisse.

L'homme hoche la tête vers nous avant de partir. Zach fait mine de le suivre et je siffle entre mes dents.

— Je ne veux pas faire de scène, Zach, mais il faut qu'on parle. Cinq minutes. Vous me devez bien ça.

Zach me fixe d'un regard brûlant, mais son visage ne reflète aucune émotion.

— Très bien.

Je suis soulagée quand il entre dans la salle de réunion, je n'ai plus qu'à le suivre.

Le pic de colère laisse place à un frisson quand je me retrouve seule avec lui pour la première fois depuis une semaine. Je me mets à trembler de stress et d'impatience – un mélange grisant, surtout mêlé à la violente rage que je ressens.

Je suis consciente des regards curieux de mes collègues qui essaient de nous observer sans en avoir l'air depuis l'extérieur de la salle de réunion.

J'essaie de ne pas trahir mes émotions, ce qui est bien difficile puisque je tremble.

— Vous ne pouvez pas me traiter de cette façon.

Le visage de Zach est impassible. J'ai envie de pleurer de frustration.

— Si ce que nous avons vécu n'était qu'une passade, alors très bien. Mais vous pourriez avoir la courtoisie de me dire que c'est terminé au lieu de me laisser dans le vague. C'est cruel.

Une lueur de colère passe sur le visage de Zach, mais je n'arrive pas à savoir si c'est moi qui l'irrite. Il attrape une télécommande, appuie sur une série de boutons, et les murs vitrés de la salle de réunion s'opacifient. L'excitation m'envahit.

— Il n'est pas question que je fasse partie de votre cour et que j'attende les miettes d'attention que vous voudrez bien me jeter.

Pendant la semaine, j'ai fait l'erreur de chercher sur Internet des informations à son sujet, des indices sur son passé. Je n'y ai trouvé que des tonnes de rumeurs sur la vie privée de l'homme d'affaires milliardaire, c'est-à-dire sur toutes les femmes avec qui son nom a été associé. Il y en a tellement – certaines célèbres, d'autres non, toutes sublimes – que ça m'a littéralement rendue malade.

— Venez ici.

La voix brûlante de Zach m'atteint au plus profond de moi. Ma raison me dit qu'obéir serait la chose la plus stupide que j'ai jamais faite. Mon corps n'en a rien à faire.

Je dois lutter pour rester immobile. J'ai quelque chose à lui dire avant de le laisser me toucher à nouveau.

— Est-ce que c'est terminé entre nous, ou bien sommes-nous en train de chercher ce qui se passe entre nous?

C'est si difficile d'empêcher ma voix de trembler.

— Je ne vous demande pas de vous engager. Mais si on décide d'aller plus loin, alors je dois savoir que… que c'est ce que vous voulez.

S'il pose ses mains sur ma peau puis m'abandonne une nouvelle fois, je ne sais pas comment je m'en remettrai. Je le ferai – j'en suis capable, en tout cas –, mais je ne veux pas avoir à en passer par là si nous ne sommes pas sur la même longueur d'onde.

Comment peut-il avoir envie de moi – comment a-t-il pu avoir un jour envie de moi? – après toutes les femmes belles, intelligentes et accomplies qu'il a connues par le passé?

— Venez ici, Devon.

Prudemment, je traverse la grande salle de réunion jusqu'à lui. Il est si grand, si arrogant, si mâle. Je sens la chaleur sensuelle de son corps qui m'attire et qui me réchauffe jusqu'à la moelle.

Fais attention, Devon. Cet homme est dangereux. Plus que quiconque que tu as connu.

Je me tiens devant lui, mes doigts tortillant nerveusement le tissu de ma chemise noire. Quand il m'attrape par les épaules et me retourne, pressant mon dos contre son corps et sa queue tendue, j'inspire brutalement, et la chaleur inonde aussitôt mon sexe.

Je le maudis de provoquer ces sensations au moindre contact.

Empoignant ma queue-de-cheval, il tourne ma tête vers lui jusqu'à ce que je le regarde dans les yeux. Son regard sombre étincelle du même feu que celui qui m'envahit.

— Tant que nous sommes ensemble, aucun autre homme n'a le droit de vous toucher.

Son souffle est brûlant à mon oreille. Ses mots sont suivis d'une morsure d'avertissement sur la peau tendre de mon lobe. J'ai la gorge sèche, mais il tire de nouveau sur mes cheveux, exigeant une réponse. Je chuchote :

— Personne d'autre que vous.

Il gronde de sa voix grave et basse.

— Enlevez votre culotte.

J'inspire brusquement et jette un regard oblique à la cloison de verre dépoli qui nous sépare de ceux qui s'activent à l'extérieur de la salle de réunion. Même si, quand le verre est opacifié, on ne peut rien distinguer – et j'ai été de l'autre côté de ce mur pendant assez de réunions pour savoir que c'est le cas – je me sens incroyablement exposée.

La porte n'est même pas fermée à clef.

— C'est vous qui l'avez voulu, Devon.

De sa main libre, Zach encercle ma gorge, pressant doucement. Ce geste me rappelle notre nuit ensemble, la semaine dernière.

Je dois lui faire confiance, et vice versa. Sinon, notre histoire sera finie avant même d'avoir commencé.

— Vous voulez bien m'aider avec ma jupe?

Je sens l'excitation qui cravache son corps serré contre moi. Son sexe gonflé se niche dans le creux de mes reins pendant que je me penche en avant, ravie de constater que je lui fais un tel effet.

Il fait descendre ses mains sur mes hanches, et presse mes cuisses avant de soulever lentement le tissu de ma jupe trapèze.

Quand je sens l'air frais de la pièce effleurer la peau du haut de mes cuisses, je passe les doigts sous les bandes de dentelles de ma culotte sur mes hanches et tire sur le tissu jusqu'à ce qu'elle tombe au sol en glissant le long de mes jambes.

— Faites un pas en avant.

J'obéis, les genoux tremblants.

— Maintenant, ramassez-la.

Il attire mes fesses contre son pelvis pour que je me penche en avant. Je sens la raideur de son érection pressée contre mon sexe brûlant alors que je me baisse et attrape ma culotte entre mes doigts tremblants. Je me presse contre lui, l'esprit soudain traversé par l'image de lui ouvrant sa braguette, et enfonçant sa queue dans ma fente humide, là, tout de suite.

Je sens chaque centimètre de sa chair dressée alors que je me redresse.

— Donnez-la-moi.

Je me force à relever les yeux vers lui, à le regarder pendant qu'il me prend la culotte des mains. Elle est en dentelle noire. Elle fait partie de la lingerie que j'ai trouvée chez lui la semaine dernière.

On est loin du coton simple et de bon goût que je porte habituellement. L'étincelle dans ses yeux m'indique qu'il sait que cette culotte est celle qu'il m'a offerte.

Prenant mon menton dans sa main, il fait courir un doigt sur mon visage. Ma bouche est gonflée de désir.

— Ça vous excite de savoir qu'on pourrait nous surprendre à chaque instant?

Ses mots me font frissonner. Je passe la langue sur mes lèvres desséchées. Cela semblait si obscène, si différent de ce qui devrait me plaire... et pourtant, je ne peux pas nier que je suis excitée.

— Tout en vous m'excite.

Ma voix est douce. Je lis sur le visage de Zach que ma réponse lui fait de l'effet, un court instant, avant qu'il ne retrouve son habituelle maîtrise.

Il me lâche et fait quelques pas en arrière, laissant un espace calculé entre nous. Il lève ma culotte à son nez et inspire, comme s'il humait le parfum d'un bon vin.

Sous le choc, je reste bouche bée. Est-ce qu'il vient réellement de renifler ma culotte ? J'écarquille les yeux quand il range la pièce de dentelle dans la poche de son pantalon. Elle est si petite qu'il semble ne rien y avoir dans cette poche.

— Retournez travailler, Devon.

Avant que je puisse faire quoi que ce soit d'irréfléchi, comme me jeter sur lui par exemple, il appuie sur les boutons de la télécommande et les baies vitrées de la salle de réunion redeviennent transparentes.

Je passe nerveusement la main dans ma queue-de-cheval ébouriffée, puis réajuste mes vêtements et serre les poings le long de mon corps. Ma peau est couverte d'une sueur qui colle les mèches de ma frange.

Sans même avoir besoin de regarder, je sais que les yeux de tous ceux qui se trouvent autour de la salle sont tournés vers nous. Nous sommes en vitrine. Je soupçonne que la plupart des gens qui occupent l'immense bureau de la comptabilité sont aussi en train de nous regarder.

Je ne travaille pas ici depuis très longtemps, mais j'ai déjà compris que les employés de Phyrefly sont fascinés par tout ce qui concerne leur mystérieux PDG.

Nous n'avons pas été seuls à l'intérieur suffisamment de temps pour qu'il se soit passé quelque chose d'inapproprié. Mais je sais, et Zach le sait aussi, que ma culotte est dans sa poche. Et je sais que je l'ai excité.

— Je veux la récupérer.

Plaquant un sourire sur mon visage, je lui jette un regard noir pour lui montrer que je suis sérieuse.

— C'est un cadeau.

Enfin, enfin, le sourire que j'aime tant fait son apparition. Il éclate de rire. Je maintiens mon regard noir, même si je suis ravie de lui avoir arraché ce rire.

— Vous la récupérerez.

Pour les gens à l'extérieur de la salle, Zach semble simplement en train de rire d'une blague avec une employée. Mais moi, je suis suffisamment près de lui pour remarquer l'éclat dangereux de ses yeux.

— J'ai l'intention de vous la remettre en main propre.

9

Même après avoir rencontré Zach, mon après-midi s'avère aussi peu productive que ma matinée. Je suis trop consciente de ma peau contre le tissu doux de ma jupe. Je m'aperçois qu'être assise à mon bureau, nue sous mes vêtements, est plus excitant qu'embarrassant. À chaque fois que je bouge et que mes cuisses se pressent l'une contre l'autre, je perçois à quel point mon excitation est à fleur de peau.

Que fait Zach avec ma culotte? Est-ce qu'il l'a posée sur son bureau? Est-ce qu'il l'a dans sa main? Ou bien est-elle toujours dans sa poche? Je suis ravie de ce secret que nous sommes les deux seuls à partager.

Frustrée au-delà du raisonnable, je me lève et me dirige vers le bureau de Mme Gallagher. Même si je suis au travail, que nous sommes tous des adultes et que j'ai parfaitement le droit de m'absenter pour une courte pause, je ressens le besoin de lui demander son autorisation. Avec elle, j'ai l'impression d'être de nouveau à l'école primaire. C'est une sensation perturbante.

— Je descends rapidement prendre un café, madame Gallagher. Voulez-vous quelque chose?

Elle coince une mèche de cheveux cuivrés derrière son oreille et fait glisser ses lunettes en écaille sur le bout de son nez pour pouvoir me regarder, alors que je me tiens à l'entrée de son bureau.

Une chose me frappe alors : c'est une femme attirante, même si elle le dissimule sous sa condescendance et ses manières agaçantes.

— Je ne prends pas de boissons à la caféine après dix heures du matin, mademoiselle Devon Reid.

Elle remonte ses lunettes et tourne son regard vers l'écran de son ordinateur. Je comprends qu'elle vient de me donner congé.

— Et si vous aviez eu une vraie nuit de sommeil au lieu de batifoler jusqu'à l'aube, vous n'en auriez pas besoin vous non plus.

Je me sens rougir. Une semaine est passée depuis la dernière fois que j'ai veillé tard pour une bonne raison, mais le souvenir de cette nuit perturbe mon sommeil depuis. La façon dont elle me parle me reste en travers de la gorge, mais d'après ce que j'ai pu constater, elle est aussi directe avec tout le monde.

Alors que je me tiens devant les ascenseurs, je ressens des picotements dans la nuque qui m'avertissent que quelqu'un m'observe. Je me retourne et aperçois Mme Gallagher, qui me regarde, l'air préoccupé.

Elle détourne ostensiblement les yeux, mais ce n'est pas la première fois que je la surprends en train de m'examiner avec inquiétude. Une attitude tellement étrange, si l'on considère son comportement habituel à mon égard, que je ne vois vraiment pas ce qui pourrait l'inquiéter.

Je suis bien trop fatiguée pour me poser la question.

Le hall d'accueil est calme. Une fois franchis les portiques à l'entrée de la zone réservée aux employés, je suis l'odeur des grains d'arabica torréfiés et rejoins une longue file d'attente. L'immeuble de Phyrefly compte trente-deux étages, et même si on trouve des machines à café à chacun d'entre eux, aller à la cafétéria du rez-de-chaussée donne l'occasion de se dégourdir les jambes et de discuter quelques minutes. L'endroit est donc très populaire. J'anticipe déjà le coup de fouet de la caféine, qui pourra peut-être m'aider à tenir le reste de la journée ; j'hésite à prendre aussi un donut quand un brouhaha parvient soudainement depuis le hall d'accueil.

— Seuls les employés ont accès à cette zone.

La voix grave est celle d'un des agents de sécurité qui surveillent l'entrée du gigantesque bâtiment. On entend gronder les deux autres agents – de grands hommes à l'air intimidant –, mais par-dessus le vacarme, je distingue une voix que je connais très bien.

— Ma petite amie travaille ici, j'ai quand même bien le droit de lui rendre visite !

Le ton est aigu, arrogant, très agité. Encore quelque chose que je connais très bien.

Non. Ce n'est pas possible.

Je me retourne lentement, espérant que tout ceci soit le fruit de mon imagination.

Mais non. Se débattant entre les bras musclés de Ron, l'agent de sécurité qui me sourit de temps en temps, j'aperçois Tom, mon ex-petit ami.

Tom, le salopard menteur.

Perplexe, j'observe Ron qui le lâche. Tom se redresse. On dirait un oiseau aux plumes ébouriffées. Puis il s'ébroue, comme pour se débarrasser de l'empreinte des mains de Ron sur lui. Il porte ce qui est pour lui une tenue décontractée : un pantalon impeccablement repassé et une chemise amidonnée à carreaux bleu marine et blanc. À présent, ses vêtements sont froissés, et une mèche se dresse au milieu de ses cheveux dorés soigneusement peignés.

Je ne suis pas contente de le voir. Mais je ne ressens pas non plus un besoin irrésistible de me précipiter sur lui pour le gifler.

J'ai surtout envie de me cacher. Je ne veux pas avoir à m'occuper de lui ni des sentiments que son apparition fait ressurgir, alors que mon esprit est déjà entièrement occupé par Zach.

— Merde.

Je marmonne entre mes dents. L'homme qui me précède dans la file d'attente me lance un regard désagréable avant de s'éloigner de quelques centimètres. Je grimace pendant que mes pensées se bousculent. Je dois me comporter en adulte. Même si Tom est tout fait dans son tort, je n'ai pas vraiment agi en adulte en prenant la fuite et je dois rectifier le tir.

J'inspire profondément, redresse les épaules et quitte la cafétéria pour traverser le hall d'accueil jusqu'à l'endroit où mon ex est toujours en train de marmonner.

— Tom.

Ma voix est calme. Il lève les yeux, me voit et se secoue une dernière fois, sans doute pour effacer toute sensation d'avoir été malmené.

— Dans quel fichu genre de boîte tu bosses, Devon?

Maintenant qu'il s'est rajusté – en dehors de sa mèche de cheveux, mais je ne vais certainement pas lui faire remarquer –, je le vois retrouver son arrogance habituelle.

Une attitude qui est loin d'être flatteuse. Il est sans doute injuste de faire la comparaison, mais quand je pense à Zach et à l'autorité qui émane de chacun de ses actes, je sens une chaleur m'envahir.

— C'est le rôle de la sécurité de protéger les employés, Tom.

Il a l'air un peu surpris que je ne sois pas d'accord avec lui. Une partie de moi ressent le besoin de se glisser dans mes anciennes habitudes – d'acquiescer, de l'apaiser.

Mais je ne peux pas faire ça. Je me force à relever le menton et le regarde droit dans les yeux. Mon attitude le laisse manifestement perplexe.

— Ils n'ont pas le droit de bousculer des gens innocents!

Tom chasse de la main une poussière invisible sur sa chemise. Me retenant de lever les yeux au ciel, je croise, par-dessus l'épaule de Tom, le regard incrédule de Ron qui signifie quelque chose comme : «Tu connais vraiment cet imbécile?». Je dois me mordre la joue pour m'empêcher de sourire.

Je connaissais cet imbécile, il y a bien longtemps. Et même si je ne sais pas où Zach et moi en sommes, je sais que je ne me contenterai plus de quelqu'un comme Tom.

Je ne peux pas lui reprocher mon sentiment d'insécurité – c'est mon problème, même s'il n'a pas aidé à le régler. Sans même parler du fait qu'il m'a trompée, il ne m'a jamais rien fait ressentir d'aussi intense que Zach. Et l'idée de vivre sans connaître de telles sensations me fait frissonner.

— Tom, si tu as essayé d'éviter les portiques de sécurité, c'est que tu n'étais pas si innocent que ça, et tu le sais bien.

J'entends le tranchant de ma voix, et au lieu d'essayer de l'adoucir, je l'assume. Voir Tom fait ressurgir tout un tas de sentiments négatifs. Ces dernières semaines, j'ai de mieux en mieux réussi à les dépasser, et je me rends compte que je n'apprécie pas du tout d'y être de nouveau confrontée.

— Comment m'as-tu retrouvée?

Je n'avais dit à personne où j'allais – je ne le savais pas moi-même – avant d'arriver ici.

Tom pince les lèvres, m'observant comme pour découvrir ce qui a changé chez moi avant de répondre.

— J'ai relié nos téléphones portables il y a plusieurs mois. Tout ce que j'ai eu à faire c'est me connecter au programme que j'ai installé. Tu es ici tous les jours pendant les heures de bureau depuis deux semaines. C'était facile.

Son culot me laisse bouche bée. Il y a tellement de choses inacceptables dans cette histoire… Zach a peut-être découvert ma taille de vêtements et mes préférences en matière de cosmétique, et les ressources auxquelles il a dû avoir accès pour obtenir ces informations sont simplement hallucinantes. Mais il n'a jamais fait mystère de l'influence que sa fortune lui procure, pas plus que son besoin de contrôle. Et j'ai bien l'intention de discuter avec lui de son intrusion dans ma vie privée. Pourtant, alors que ce qu'a fait Zach m'a seulement irritée, je trouve effrayant le fait que Tom espionne mon téléphone portable. Et ça me met en colère. Je pensais être vraiment seule à San Francisco, et l'idée que personne au monde ne sache où j'étais me réconfortait. Apprendre que ce n'était pas le cas me perturbe profondément.

— Mais qu'est-ce qui t'a pris de faire ça?

C'était bien lui qui avait voulu qu'on garde des comptes séparés, alors ce n'est pas comme si on avait partagé notre facture de téléphone, ou même une simple liste de courses.

Une minuscule lueur de culpabilité passe sur le visage de Tom, et soudain, je comprends. J'ai beau ne plus avoir aucun sentiment pour mon ex, sa trahison me blesse profondément.

— Tu voulais toujours pouvoir savoir où je me trouvais pour ne pas te faire prendre.

Ce n'est pas une question. Quel salopard. Quel salopard menteur et infidèle.

J'en ai assez. Je lui adresse le sourire le plus méprisant dont je suis capable, et je tourne les talons, me dirigeant vers les portiques de sécurité sur lesquels Tom s'est cassé le nez.

Moi, je suis employée chez Phyrefly Aviation. Et je suis bien décidée à passer ces portiques pour foutre le camp le plus loin possible de Tom.

— Devon, attends. S'il te plaît!

Je ralentis en grinçant des dents.

— Est-ce qu'on peut au moins prendre un café et discuter?

Il réussit à faire paraître très raisonnable sa proposition, comme si je lui devais bien ça. Et peut-être est-ce vrai. Voilà que je fais volte-face et me dirige vers lui, même si chacun de mes pas me donne l'impression de patauger dans la boue.

— Rapidement, alors, Tom. Je dois retourner travailler.

Sans attendre de voir s'il me suit ou non, j'entre de nouveau dans la cafétéria.

Après tout, j'ai toujours envie d'un café. Je vais en avoir besoin pour survivre à cette journée.

J'observe Tom qui regarde, bouche bée par la fenêtre, le couple qui vient de passer. Deux femmes se tiennent la main, une grande blonde attirante, qui porte un tailleur bien coupé, et une petite aux cheveux bleu vif, avec des piercings aux oreilles, au nez et aux sourcils.

— Mais dans quel fichu genre de ville tu vis, Devon ?

Il se tourne vers moi et ce n'est pas de la surprise que je lis dans ses yeux, mais du mépris. Je me hérisse. J'adore la vitalité de San Francisco, j'aime le fait que tout le monde ici semble bien dans sa peau.

Même si San Francisco et Sacramento ne sont pas très éloignées géographiquement, ce sont des villes extrêmement différentes.

Et même si je n'ai pas encore tout à fait la mentalité de ma ville d'adoption, j'y travaille.

— Tom, dépêche-toi, s'il te plaît.

Plus je passerai de temps face à ces yeux calculateurs qui me jaugent, plus je risque de redevenir la douce et docile Devon, celle avec qui même Tom, l'homme le plus insipide que j'aie jamais rencontré, a fini par s'ennuyer.

J'avais l'impression d'être coincée au beau milieu de vagues violentes qui s'abattaient au pied de la maison de Zach, et d'essayer de garder la tête hors de l'eau.

— Quand vas-tu arrêter ces bêtises et rentrer à la maison, Devon?

Tom se recule sur sa chaise et sirote son café d'un air dégagé.

Posant ma tasse sur la table, je le dévisage, consciente de l'incrédulité qui doit se lire sur mon visage. Je le fixe en attendant qu'il s'explique.

Il a l'air ennuyé que je ne réponde pas immédiatement.

— Tom, je t'ai laissé un message. Je t'ai dit que je m'en allais. Étant donné ce qui se passait dans ton appartement quand je l'ai fait, je pense que tu es tout à fait au courant de la raison pour laquelle je suis partie.

Je l'observe. Manifestement, il est énervé. Il pose son gobelet de café assez fort pour que le liquide chaud éclabousse la table à travers la petite ouverture du couvercle.

— Tu n'es pas sérieuse, Devon!

Encore du mépris. La colère monte en moi.

— Je t'ai laissé du temps, puisque tu en avais visiblement besoin pour… gérer la situation. J'ai même convaincu les autres associés du cabinet de garder ta place. Mais ils… enfin… nous attendons que tu reviennes.

Du temps pour gérer la situation? Sérieusement? Je suis prise d'un fou rire, puis un autre. Je sens que je devrais être furieuse, mais il me semble tout à coup très clair que ce type ne mérite pas une émotion aussi forte.

— On va se marier, Devon. L'année prochaine, on achètera une maison. C'est ce qu'on a prévu.

Tom a l'air incroyablement perturbé que je ne lui tombe pas dans les bras. Je secoue la tête, incrédule.

— Tu délires, Tom.

Je m'avance sur ma chaise pour l'observer attentivement. Il est beau, mais d'une beauté fade. Et ce que je découvre maintenant de sa personnalité me le fait paraître maigre et chétif.

Même si je n'avais pas rencontré Zach et découvert ce qu'était un homme, un vrai, je ne m'imaginerais pas mariée à cet ersatz d'être humain pour le reste de ma vie.

— Je n'aurais peut-être pas dû m'enfuir comme ça. Mais tu m'as trompée. Trompée, Tom! Tu as baisé avec quelqu'un d'autre.

Tom recule devant ma vulgarité, devant ces mots que je n'aurais sans doute pas utilisés quelques semaines plus tôt.

Je m'en fiche. Je suis lancée.

— Je mérite mieux que ça, Tom.

Je n'arrive pas vraiment à mettre un terme sur ce que j'éprouve alors que je repousse ma chaise loin de la table.

— Et je ne veux plus te revoir.

— Devon!

Tom m'agrippe avant que je puisse m'éloigner. Je baisse les yeux vers sa main autour de mon poignet, légèrement moite contre ma peau sèche.

Je ne ressens rien. Ni chaleur ni désespoir.

Seulement rien.

— Enlevez vos sales pattes de là.

Le grognement qui s'est élevé dans mon dos pourrait provenir d'un animal sauvage. Je dégage mon bras de l'emprise de Tom et me retourne. Une décharge d'adrénaline me transperce, j'ai le cœur au bord des lèvres.

La présence de Zach domine quasiment tout le monde dans la cafétéria. Comme d'habitude, il occupe plus d'espace que n'importe qui d'autre. Même s'il porte son costume chic et sa cravate verte, tout dans sa posture et dans son expression transpire le danger. Il lance un regard mauvais à Tom.

Voilà tout ce que je recherchais. Voilà tout ce que Tom et moi n'avons jamais été.

Même si je connais assez bien Tom pour percevoir son anxiété, il se réfugie derrière son personnage habituel. Sans prendre la peine de se lever, il tente tout de même de prendre Zach de haut.

— Qui êtes-vous? Un autre musclor de la sécurité?

À ma grande surprise, Zach se met à rire, mais ce n'est pas un rire agréable. Même si ses lèvres sourient, il a l'air capable de commettre un meurtre.

Découvrir que je suis excitée par la violence à peine contenue qu'il dégage me choque. Quoi qu'il se passe dans son esprit, cela répond à un besoin profond chez moi. Je m'aperçois, et je n'en suis pas fière, que j'aime être capable de provoquer cette réaction viscérale chez lui.

— Ce n'était pas une blague.

Se sentant – enfin – menacé, Tom se lève. À côté de Zach, il a presque l'air d'un enfant, faible et immature.

— Je ne le croyais pas.

Zach tend la main vers moi. Au lieu d'agripper mon poignet comme Tom, il me laisse le choix de prendre sa main. Même si je suis stupéfaite par l'intensité de sa réaction face à l'étrange situation dans laquelle je me trouve, je n'ai pas besoin de réfléchir, pas même une fraction de seconde.

Je saisis sa main, et le laisse m'attirer à ses côtés.

Tom a un sourire méchant, et je frissonne. J'ai failli emménager avec cet homme – si je n'étais pas entrée dans l'appartement à ce moment précis, je l'aurais sûrement épousé.

— Je comprends ce qui se passe.

Mon ex ose jauger Zach comme s'il était son égal. Je me mords la langue. J'ai envie de lui dire qu'il ne joue vraiment pas dans la même cour.

Tom, c'est la télévision en noir et blanc. Zach, un grand écran en haute définition avec son dolby surround.

— Faites bien attention à ce que vous lui dites.

La voix de Zach est basse et je suis sûre d'être la seule à entendre la menace sous-jacente. Je pose la main sur son bras et le presse en un avertissement muet.

Nul besoin de devenir violent.

Tom ignore Zach, et je me mords la lèvre, effrayée par ce qui va se passer.

— Tu ne manques pas de culot. Tu es partie parce que j'étais avec quelqu'un d'autre, alors que tu fais exactement la même chose!

Les yeux de Tom font l'aller-retour entre Zach et moi, comme pour essayer de comprendre comment nous pouvons être ensemble.

S'il me restait encore un soupçon de sentiments envers Tom, il aurait disparu ici et maintenant. Comment – et pourquoi – pourrais-je être avec un homme qui ne reconnaît pas ma valeur?

Tom s'avance pour m'attraper une nouvelle fois – pour un avocat, il n'est pas très malin. Zach l'arrête à mi-chemin, sa large paume avalant la main de Tom. Puis il serre lentement.

— Il en faut beaucoup pour me faire perdre mon sang-froid, monsieur Cambrige-Neilson.

Je le regarde, abasourdie, augmenter peu à peu la pression sur la main de Tom. Je ne suis pas surprise que Zach connaisse le nom de mon ancien petit ami. Tom hurle. Les autres consommateurs sont silencieux, regardant le spectacle aussi attentivement que s'ils en faisaient partie.

— Mais j'en suis dangereusement proche en ce moment. Maintenant, écoutez-moi bien. Ne touchez pas à Devon. Ne lui adressez pas la parole. Pas d'appels, pas de textos. Rien. En fait, je ne veux même pas vous voir dans cette ville quand elle y est.

Ron et un autre agent de sécurité rejoignent Zach, mais ils restent en retrait, attendant que leur patron leur fasse un signe. Tom remarque leur arrivée et comprend qu'il a perdu.

Mais il ne veut pas abandonner.

— Vous vous en prenez à la mauvaise personne, mon pote.

Comment est-ce que j'avais fait pour ne pas remarquer sa voix nasillarde avant? Il essaie de se libérer de l'emprise de son adversaire et son visage rougit alors que Zach le retient juste plus longtemps que nécessaire, pour lui montrer qu'il maîtrise la situation.

— Je suis avocat. Je vais vous poursuivre pour avoir levé la main sur moi.

Tom ne me regarde même pas. Sa tentative pour me ramener à la maison est terminée. Il est bien plus intéressé par son fragile ego.

— Vous allez le regretter!

Tom s'avance, visiblement persuadé que Zach va s'écarter pour le laisser passer, ce qu'il ne fait pas, et Tom doit le contourner maladroitement.

— Est-ce que votre patron sait comment vous traitez les gens dans ses locaux?

Se tournant d'un air presque indolent, Zach fait enfin un signe de tête à Ron. Tom pousse un cri quand les deux agents de sécurité l'encadrent et le font sortir de la cafétéria.

— Pour qui est-ce que vous vous prenez?

Zach ne se donne même pas la peine de répondre. Il se contente d'observer Tom, escorté jusqu'à la porte de l'immeuble de Phyrefly. Juste avant de le jeter à la rue, Ron secoue la tête et j'entends son commentaire.

— C'est Zachariah St Brenton, imbécile. Il possède cette entreprise, cet immeuble et la moitié du putain de pays. Tu as déjà entendu parler de lui?

Je ne suis pas près d'oublier ma dernière vision de Tom. Il me fixe avec de grands yeux, bouche ouverte, silencieux pour la première fois depuis que je l'ai rencontré. Dès qu'il a disparu, je me sens plus légère, comme s'il avait emporté avec lui le poids qui pesait sur mes épaules.

Mais cette légèreté disparaît dès que je reprends conscience de mon environnement. Je regarde autour de moi: tout est silencieux, et tout le monde nous fixe, stupéfait.

Zach baisse les yeux vers moi, et je lis une fureur à peine masquée sur son visage.

— Venez avec moi.

Ces mots s'échappent entre ses mâchoires serrées.

— Maintenant.

10

Chez Phyrefly, les ascenseurs peuvent accueillir confortablement vingt personnes.

Pourtant, quand j'entre avec Zach dans l'élégante cabine,
elle me semble exiguë. Trop petite pour nous deux, surtout si
tous nos problèmes font le trajet avec nous.

Le silence est lourd, et j'ai l'impression que je vais étouffer si
je tente de respirer cet air pesant une minute de plus.

— Vous n'avez pas pris votre café.

Je prononce cette phrase en me tenant aux côtés de Zach,
les bras fermement croisés sur ma poitrine. Les quelques centimètres qui nous séparent me semblent être des kilomètres.
Est-ce que nous arriverons un jour à trouver comment gérer les
choses entre nous?

Il me regarde comme si je parlais une langue étrangère.

— Je ne suis pas descendu prendre un café, Devon.

La façon dont il insiste sur le mot café me permet de comprendre ce qu'il veut dire.

Il est venu pour moi.

Mais comment a-t-il su que j'étais avec Tom?

— Comment...

Je m'interromps avant même que les mots ne soient sortis de ma bouche.

Le bâtiment de Phyrefly Aviation est truffé de caméras de sécurité.

Je ne connais peut-être pas très bien Zach, mais je sais que son besoin de contrôle est bien trop important pour qu'il n'ait pas accès à ces caméras en permanence.

Je ne sais pas si je devrais être flattée ou en colère qu'il m'ait ainsi observée.

Quand je relève la tête, ses yeux sont braqués sur moi, son expression me mettant au défi de le lui reprocher.

— Je veille jalousement sur ce qui m'appartient Devon.

Ses paroles sont la goutte d'eau qui fait déborder le vase.

Toute ma vie, on a attendu des choses précises de moi, et j'ai toujours eu le sentiment de ne pas être tout à fait à la hauteur. Je pensais que Zach serait peut-être différent puisqu'il semblait m'apprécier comme j'étais. Et pourtant, voilà où nous en sommes. Mon amant milliardaire est furieux contre moi parce que j'ai enfreint des règles dont j'ignorais l'existence.

— Je ne suis pas votre propriété, Zach.

Je frissonne à la fois de désir et de fureur quand il fait un pas vers moi, les pupilles dilatées à tel point que ses yeux semblent entièrement noirs.

— Tout ce que j'ai fait, c'est prendre un café avec un ex. Maintenant, je peux tourner la page.

— Vous êtes trop bien pour ce salopard.

Il tend la main vers moi et la pose à l'endroit où mon cœur s'est mis à battre trois fois trop vite.

Je sursaute et me cambre à son contact. Puis je ferme les yeux, pour savourer les sensations qui m'envahissent. Il retire sa main comme s'il s'était brûlé les doigts, un masque distant sur le visage.

— N'importe qui est trop bien pour lui, en fait. Je n'arrive pas à croire qu'il ait déjà eu une petite amie.

Son ton désinvolte me serre le cœur.

Pendant un instant... pendant un instant seulement, je me suis **sentie** spéciale. Comme si Zach était en colère contre Tom parce j'avais été sa petite amie.

Je me demande une nouvelle fois si je représente quelque chose pour lui – ou si tout ce qu'il recherche est le réconfort qu'il trouve entre mes cuisses.

— Ne croyez pas pouvoir me contrôler comme tous les autres.

Je marmonne ces mots, sûre qu'il ne m'écoute même pas.

J'inspire brutalement quand Zach me plaque contre la paroi de l'ascenseur. Sa main est sur ma gorge, juste sous ma mâchoire, et serre légèrement.

— Non, je ne peux pas vous contrôler, Devon.

Son contact puissant est savamment dosé, juste assez appuyé pour que je doive faire un effort supplémentaire pour inspirer profondément.

— **Mais** je peux faire en sorte qu'il y ait des conséquences quand vous ne faites pas attention à ce que vous faites.

Je devrais le repousser, lui dire de reculer, mettre fin à tout ça séance tenante. Je commence à en avoir assez de la douche écossaise permanente qu'il m'inflige. Mais au lieu de ça, je me rends compte que je mouille, et que mon clitoris est gonflé d'impatience.

À cet instant précis, je me rends compte que je lui fais totalement confiance – mon corps en tout cas – et que je ne peux pas résister à l'accès de passion qui me saisit quand il me regarde, quand il me touche avec un désir si puissant.

Le son strident d'une alarme résonne quand Zach écrase le bouton d'arrêt d'urgence de l'ascenseur. La cabine s'immobilise et Zach sort une carte magnétique de sa poche. Il la passe devant un lecteur et l'alarme s'arrête. L'air vibre encore un instant après qu'elle a cessé.

J'ai à peine le temps de remarquer que l'ascenseur est immobilisé entre deux étages. Je manque de perdre l'équilibre quand Zach me retourne contre la paroi de l'ascenseur. J'appuie ma joue contre la fraîcheur de la paroi chromée, la chaleur de ma peau réchauffe le métal.

Zach tire mes mains dans mon dos, doucement, mais fermement et murmure mon nom à mon oreille. Je sens qu'il attache mes poignets dans le creux de mes reins à l'aide d'un tissu soyeux en dentelle.

— Vous avez une très belle peau. C'est un très joli contraste avec la dentelle noire.

La voix de Zach est rauque, comme du gravier sur de la soie. Il me fait de nouveau tourner sur moi-même. Je m'appuie contre la paroi, mon dos cambré poussant en avant mes seins et mes tétons dressés comme une offrande.

De la dentelle noire.

Oh mon Dieu. Il m'a attachée avec ma propre culotte.

— Ça vous excite?

Sa voix est neutre, comme s'il connaissait déjà la réponse. Je tire sur mes liens, essayant de voir si le fait d'être attachée m'angoisse. Mais je me rends compte qu'il a raison.

La colère que je ressens n'a rien à voir avec la façon dont il me touche en ce moment. En fait, l'incertitude et l'anxiété qu'entraînent ses exigences sexuelles me font le désirer avec un abandon dont je ne me savais pas capable.

Je lui fais confiance pour ne pas me pousser au-delà de mes limites physiques.

Quant à l'aspect émotionnel… eh bien, je me pose encore la question.

Mon pouls s'accélère quand Zach – le grand, le sublime Zachariah St Brenton – se met à genoux devant moi. Il

remonte ma jupe avec impatience jusqu'à ce qu'elle soit enroulée autour de ma taille. Ses mains attrapent l'arrière de mes
genoux, puis remontent lentement jusqu'à mes fesses qu'il
pétrit fermement.

— Écartez les jambes.

J'ai envie d'obéir. Et Dieu sait que j'ai aussi à y gagner. Mais
je suis si submergée par les sensations que je n'arrive pas à
bouger, figée contre la paroi.

— Pensez aux conséquences, Devon…

Ses mains puissantes glissent sur mes hanches puis entre
mes cuisses, qu'elles écartent avec une rudesse qui me laissera
sans doute un bleu.

La quasi-violence avec laquelle il me manipule m'excite. Je
suis trempée, la peau brûlante, le corps tremblant.

— Je vais prendre votre chatte.

De ses pouces, il écarte ma fente, m'ouvrant au monde. Je
frissonne quand l'air frais caresse mon clitoris.

Zach penche la tête et souffle de l'air chaud sur ma chair
tendre. Je pousse un cri, mes hanches basculent vers l'avant,
et je reçois une claque sur la hanche pour me punir de mon
impatience.

— Ceci n'est pas pour votre plaisir.

Je ne vois pas comment ça pourrait être pour le plaisir de
quelqu'un d'autre quand il prend entre ses lèvres le bouton
érigé de mon clitoris. Un gémissement m'échappe quand, sans
prévenir, il serre ses lèvres et ses dents sur le bourgeon sensible
et se met à l'œuvre avec le talent d'un amant sûr de lui.

Alors qu'il était, il y a peu, contrarié, je crois discerner
l'ombre d'un sourire suscité par l'ardeur de ma réaction.

Je me débats avec le tissu qui m'entrave. Je voudrais
empoigner la masse de ses cheveux sombres, enfouir son visage
encore plus en moi. Ne pas pouvoir toucher la magnifique
créature qui est en train de me lécher est une vraie torture.

Ses pouces glissent juste assez pour étirer ma chair tendre. Mes hanches ondulent en avant, je sens l'orgasme m'encercler comme un requin affamé, si proche de sa proie.

Zach m'emmène jusqu'à la crête du plaisir, juste avant que mon sexe ne se contracte, puis, au même moment, il retire ses doigts de mon sexe humide et ses lèvres quittent mon clitoris.

— Non!

Affolée, je m'écarte de la paroi et je me presse contre lui sans pudeur. Je veux – j'ai besoin – de sa chaleur, de son feu. Je suis au bord des larmes et mes jambes se dérobent quand il me repousse et me retourne de nouveau face contre la paroi.

Empoignant ma queue-de-cheval, il tire jusqu'à ce que je m'appuie contre son torse. Je résiste, furieuse de ce qu'il vient de faire.

— Vous devez comprendre.

Relâchant mes cheveux, il me pousse dans le dos, me plaquant contre la paroi. Je sens la fraîcheur à travers le fin tissu de mon haut et de mon soutien-gorge. Je ferme les yeux, comme pour me protéger de ce qui va suivre.

Je l'entends défaire la boucle de sa ceinture, puis descendre sa fermeture éclair. Sa longue queue en érection vient se loger contre mes fesses, alors que le bruit du glissement du cuir contre le tissu m'indique qu'il est en train d'enlever sa ceinture.

— Trois coups.

Il s'arrête, guettant ma réaction.

— Non!

Mon cœur bat à tout rompre, mais je ne sais pas si c'est sous l'effet de la peur ou du désir.

— Non, je ne veux pas.

— Êtes-vous en train d'utiliser votre code de sécurité, Devon?

J'inspire puis expire dans un souffle rauque, mon esprit tourbillonne.

— Non.

Je dois faire un effort pour parler. J'ai peur, mais en même temps, j'en ai envie, bien que je ne comprenne toujours pas pourquoi.

— Non, je ne l'utilise pas.

Je pousse un cri, mélange de frustration et de désir, quand le cuir de la ceinture s'abat sur ma fesse droite. La morsure vive se diffuse autour de l'impact, comme la chaleur autour du soleil. Mes yeux s'emplissent de larmes. Je serre les poings, luttant une nouvelle fois contre mes liens.

Il se retient. Je sais qu'il se retient, parce que le premier coup, tout comme le suivant, qui arrive sur ma fesse gauche, ne fait pas aussi mal que la fessée qu'il m'a donnée il y a une semaine. Pourtant, je me sens plus à vif, plus près du point de rupture quand le troisième coup s'abat entre mes jambes.

— Vous êtes un vrai salaud.

Mon cul est en feu, ma chair est comme enflée. Et pourtant je suis excitée à en avoir mal. Tout ce que je veux, c'est sentir sa queue en moi.

— Vous connaissez le code de sécurité, Devon.

Tendant le cou, je le vois s'agenouiller une nouvelle fois. De ses mains puissantes, il serre mes jambes fermement l'une contre l'autre, puis passe sa ceinture juste au-dessus de mes genoux et la sangle fermement.

Je me mets à trembler de manière incontrôlable. Oui, je connais le code de sécurité. Je sais aussi que je ne vais pas l'utiliser. Si je le faisais, je ne le reverrais plus jamais.

Je ne peux pas supporter cette idée. La flamme qu'il a allumée en moi a besoin des sensations qu'il extirpe du plus profond de mon être.

Peu importe ce qu'il décide de me donner, c'est ce que je veux.

Je ferme les yeux. Derrière moi, Zach se relève. Il agrippe mes hanches, me tirant de façon à ce que je me plie en deux, les mains toujours attachées, les fesses nues et offertes à lui.

Je sens son gland glisser le long de mes fesses. Dès qu'il trouve mon orifice, il me pénètre, poussant jusqu'à ce que ses testicules se balancent contre les lèvres sensibles de mon sexe.

Attachée comme je le suis, je n'ai pas d'autre choix que de me pencher encore plus. Ses doigts s'enfoncent sans relâche dans mes hanches, il se retire et s'enfonce de nouveau profondément, me pénétrant avec une férocité animale.

Et j'adore ça.

Mes jambes sont attachées si serrées que leur friction est presque insupportable. Mes fesses sont toujours en feu à cause des coups, ma peau brûle à chaque fois que les angles de son bassin frottent ma peau délicate.

Le seul mouvement que je peux faire est de bouger les doigts. Je suis impuissante, totalement vulnérable.

Je n'ai jamais rien ressenti de meilleur de toute ma vie.

Il bouge plus rapidement, son pelvis claquant contre les globes de mes fesses. Cette fois, quand je sens le plaisir monter au plus profond de mon ventre, je lutte pour le maîtriser.

Je n'ai pas envie de jouir tout de suite. Pas avant qu'il n'en ait fini avec moi.

Comme s'il lisait dans mes pensées, Zach s'enfonce jusqu'à la garde une dernière fois puis, avec un grognement étranglé, il se retire. Je gémis quand il gifle mon cul.

— Ce serait si facile de jouir en vous maintenant.

Attrapant mes fesses des deux mains, il les caresse.

— Profondément dans votre chatte. Ou encore mieux, dans votre petit cul sexy. Ça vous plairait, n'est-ce pas?

Ses mains passent sur mes fesses et les écartent pour qu'il puisse regarder à loisir.

Ses commentaires crus m'excitent et je perds mon sang-froid. Est-ce que ce sera ma punition? Va-t-il s'enfoncer dans mon cul, dans la chaleur étroite qui n'a jamais été explorée auparavant?

Je suis à la fois excitée et terrifiée. Est-ce que je pourrais le faire?

— Je crois que vous aimez cette idée.

Un doigt court le long de ma colonne vertébrale. Puis il referme sa prise sur mes poignets liés et tire jusqu'à ce que je me retourne maladroitement. Avant qu'il puisse m'interdire de le faire, je le regarde avidement, mes yeux se rassasiant de l'homme qui me rend folle, lentement mais sûrement.

Sa chevelure est en bataille, comme s'il s'était passé la main dedans. Sa cravate est desserrée et de travers. Sa peau est rouge, l'excitation se lit sur son visage.

Et plus excitant encore, son pantalon qui tombe sur ses hanches fines. Je vois maintenant qu'il ne porte rien en dessous – il n'y a rien qui me sépare de la queue incroyablement dure et longue qui surgit d'un nid de boucles sombres.

— À genoux.

J'écarquille les yeux et je me penche, en essayant de faire ce qu'il m'ordonne. Avec les jambes entravées, c'est mission impossible. Zach m'agrippe par les flancs et ses biceps se gonflent sous sa chemise quand il me soulève et me dépose à genoux devant lui.

— Je n'ai pas aimé qu'il pose la main sur vous.

Le regard sauvage de Zach ravive mon propre chagrin, jusque-là en sommeil dans les profondeurs de mon âme. J'ai tellement envie de réconforter ce bel homme tourmenté.

Si seulement il voulait bien me laisser faire.

— Zach…

Je serre mes cuisses l'une contre l'autre, essayant de soulager le désir profond qu'ont fait naître ses caresses. J'ai peur qu'il ne m'accorde jamais d'orgasme, qu'il me garde ici, attachée et à sa merci, pour toujours.

— Je n'aime pas ce qu'il vous fait ressentir.

Croisant ses doigts derrière ma tête, Zach m'attire à lui.

Je crois déceler une chaleur nouvelle dans son comportement envers moi, avant de me rappeler ma précédente déception, après avoir cru qu'il s'intéressait à moi.

Je suis soudain très fatiguée. Mes émotions me mettent à rude épreuve. Je ne veux plus jouer.

— Faites-moi confiance, Devon.

Son contact s'adoucit légèrement. Zach approche ma tête jusqu'à ce que son gland frôle ma bouche.

Serrant les lèvres, je frissonne le temps d'une respiration et lève les yeux vers lui. Ce que je vois sur son visage calme immédiatement ma colère.

Toutes traces de courroux et d'arrogance ont disparu de ses traits sublimes. À la place, je lis de l'émerveillement, un encouragement, et même de la fierté.

Je fais le vide dans mon esprit, chassant tout sauf les sensations alors qu'il s'enfonce entre mes lèvres.

Je ne fais rien d'autre que d'arrondir ma bouche autour de son membre épais pendant qu'il y plonge, encore et encore. Son gland frappe le fond de ma gorge et j'ai un haut-le-cœur, mais je garde les lèvres serrées autour de lui.

Si c'est ce qu'il veut, alors c'est ce qu'il aura. J'essayerai d'apprendre le plaisir sans les sentiments.

Je sens une goutte de liquide salé, j'entends sa respiration siffler et ses mouvements se font de plus en plus rapides. J'ouvre la bouche plus grand encore, tendue pour l'accueillir plus profondément, et je presse mon corps contre ses jambes.

Je lui donne tout.

Il pousse un cri rauque et se retire de ma bouche avec un bruit mouillé, puis empoigne sa queue d'une main fait un va-et-vient, puis deux et jouit, récupérant sa semence dans un mouchoir qu'il a toujours sur lui.

— À moi.

Sa voix est rude et rauque de désir.

— Vous êtes à moi.

J'acquiesce et lèche le liquide salé sur mes lèvres. Les yeux de nouveau fermés, je lève la tête et le laisse secouer sur ma langue les dernières gouttes de son orgasme, que j'avale sagement.

Je reste à genoux, les jambes engourdies. J'ai l'impression qu'on vient de remplir un profond puits en moi. Je garde les yeux baissés tandis que je reprends petit à petit conscience de moi-même.

Au-dessus de moi, la respiration de Zach est forte, ses mains sont emmêlées dans mes cheveux.

— Seigneur.

Ce mot est un soupir. Je l'entends fouiller dans sa poche, puis je sens qu'il prend mon menton dans sa main.

— Devon, regardez-moi.

Je lève les yeux, mais je n'ai rien à dire. Je ne suis pas en colère. Je n'ai pas honte. Je me demande seulement combien de temps encore je pourrai jouer à ses jeux.

— Venez ici.

Zach me remet sur mes pieds, puis essuie mon visage avec un pan de sa chemise. Il efface la majeure partie de mon maquillage en même temps, mais je m'en fiche.

Je suis ficelée bien serré, et pourtant, je me sens vide et paisible. C'est très étrange.

— Devon.

Zach grogne quand je refuse de le regarder dans les yeux. Il baisse la tête et s'empare de ma bouche. Sa langue force le passage entre mes lèvres, il me possède avec son baiser, me marque. Il doit sentir le goût de sa propre jouissance sur ma peau, mais il a l'air de s'en moquer.

Ses lèvres descendent dans le creux de mon cou, en même temps qu'il glisse la main entre mes jambes. Je pousse un petit cri quand ses doigts habiles trouvent mon clitoris. Il titille avec habileté le bouton gorgé de sang et je me disloque, criant alors que mon orgasme explose enfin.

Il me soutient jusqu'à ce que mes tremblements se calment, puis redescend ma jupe sur mes hanches. Mes larmes coulent librement, purgeant ma chair de toutes les émotions néfastes auxquelles je m'accrochais si fortement : mon abattement, mon sentiment d'infériorité après avoir revu Tom, ma colère contre Zach et même la culpabilité de ne pas être à la hauteur de ce que mes parents attendaient de moi.

Embarrassée, j'enfouis mon visage dans mes bras pour sécher mes larmes, pendant que Zach détache sa ceinture de mes jambes et ma culotte de mes poignets. Après un moment, il la remet dans sa poche.

Elle a été bien trop malmenée pour être à nouveau portée.

Je reste silencieuse alors que je me masse les poignets pour y faire circuler le sang, évaluant la situation pendant que Zach sort son téléphone portable. Nous sommes dans un ascenseur chez Phyrefly. Quelqu'un a sans doute remarqué qu'il était coincé entre deux étages. Et ce quelqu'un saura exactement ce que s'est passé dès que l'ascenseur se remettra en marche et que je devrai en descendre, les vêtements froissés, les cheveux en bataille et le visage barbouillé de maquillage. Mes larmes ont laissé une trace salée sur mes joues. Je sens le sexe et je sens Zach.

— Madame Gallagher. C'est M. St Brenton à l'appareil. J'ai envoyé Mlle Reid faire une course pour moi. Elle ne reviendra pas cet après-midi.

De nouveau, ce côté prévenant. Il comprend que je ne peux pas affronter mes collègues tout de suite – et peut-être jamais plus.

— Philippa. Est-ce que j'ai des réunions prévues ? Non ? Très bien. Pourriez-vous descendre au Starbucks au coin de la rue et me prendre un grand café noir, s'il vous plaît ? Oui, vous-même.

En terminant son coup de téléphone, Zach passe une nouvelle fois sa carte magnétique devant le lecteur de l'ascenseur, puis enfonce le bouton du dernier étage – son étage.

— Zach, je ne pourrai rien supporter d'autre aujourd'hui.

Ma voix est fatiguée.

J'ai envie d'aller me coucher. Et une fois au lit, je veux dormir. J'ai besoin de temps pour réfléchir à ce que je ressens.

Comment peut-il provoquer une telle passion chez moi, comment peut-il me faire faire tout cela, alors qu'il ne m'a pas dit franchement que ce qu'il ressent pour moi est aussi fort que ce que je ressens pour lui ?

— Je vous emmène dans mon bureau.

Sa voix est neutre, mais avec un sous-entendu que je n'arrive pas à identifier.

— J'ai une douche, et des vêtements pour que vous puissiez vous changer. Ensuite, je demanderai à Charles de vous ramener chez vous.

Je m'apprête à le corriger, à lui rappeler que je n'ai pas de chez-moi à l'heure actuelle puisque l'hôtel dans lequel je réside ne compte certainement pas. Mais quelle importance, après tout ?

J'ai besoin d'espace. Je suis sérieusement paniquée.

Les portes de l'ascenseur s'ouvrent sur la réception vide à l'étage de Zach.

Je lui suis reconnaissante d'avoir envoyé Philippa la Barbie faire une course. J'ai même un petit sourire moqueur en imaginant à quel point ça doit la contrarier.

— La salle de bains est par là. Il y a des serviettes, du savon, un peignoir. Servez-vous de tout ce dont vous avez besoin.

Pour la première fois depuis que je l'ai rencontré, Zach semble mal à l'aise. Évitant de croiser son regard, je me dépêche d'aller dans la salle de bains et de verrouiller la porte derrière moi.

— Seigneur.

Je murmure pour moi-même et j'inspire profondément, m'appuyant contre le meuble de la salle de bains et me penchant au-dessus du lavabo.

— Mais qu'est-ce que c'était que ça, bordel?

Maintenant que je suis dans une autre pièce, je redeviens lucide. Zach est si charismatique, sa personnalité si imposante que je ne peux pas m'empêcher de me mettre à son diapason quand je suis avec lui. Même si je sais bien qu'il est dans la pièce d'à côté, la pensée de ma solitude me serre la gorge. J'essaie de ralentir mon pouls trop rapide, de calmer ma nervosité.

Tu es complètement dépassée, Devon. Lentement, je lève les yeux et me regarde dans la glace. Je reconnais à peine la femme que je vois dans le miroir. Oh, les grands yeux bleus sont les mêmes, tout comme les cheveux blonds. Même visage, même corps.

Mais Zach a révélé une partie de moi dont j'ignorais l'existence. Je ne sais pas pourquoi, mais je sais qu'il ne me fera pas de mal. Je lui fais confiance – je lui ai fait confiance depuis le tout début. Ce qui me fait peur, c'est à quel point j'aime ça. Les lubies, la pointe de violence, le désir obsessionnel, c'est ça qui me terrifie.

J'en veux encore, alors même que ma peau est toujours sensible. Et ce que je veux n'est pas limité au physique – non, les quelques aperçus du Zach vulnérable, celui que j'imagine, que personne ne voit, sont une drogue plus forte que le plaisir qu'il fait surgir dans mon corps.

Fermant les yeux, je me convaincs de ne pas me taper la tête contre le mur sous le coup de la frustration. À la place, j'ouvre la douche – contrairement à celle de la chambre de sa villa, celle-ci a une pomme normale. Je m'avance sous le jet, aussi chaud que je peux le supporter, et j'essaie de me ressaisir.

Il m'a prévenue – il n'est pas intéressé par une relation conventionnelle. Et je sais que j'accepterais n'importe laquelle de ses propositions parce qu'aujourd'hui, après y avoir goûté, il m'en faut encore.

Mais est-ce possible sans me perdre moi-même en chemin?

Je force mes lèvres à esquisser un sourire quand je sors de la salle de bains. Mes cheveux sont légèrement humides, mais je les ai brossés et tirés en une queue-de-cheval soignée. Je ne trouve ni mascara ni rouge à lèvres dans les tiroirs – ce qui me fait plaisir, je ne peux pas le nier: cela signifie qu'il n'invite pas souvent des femmes à utiliser la salle de bains de son bureau –, mais j'ai au moins pu laver les traces de maquillage qui restaient sur mon visage.

Ma jupe est encore à peu près présentable, mais mon chemisier est dans un état désastreux. Il lui manque deux boutons et il est terriblement froissé. Ayant trouvé une des chemises de Zach suspendue derrière la porte de la salle de bains, et après une longue hésitation, j'ôte mon chemisier pour la passer.

Même si je le regrette immédiatement, je n'ai pas le choix. Il a dû porter la chemise et ne pas l'avoir encore fait nettoyer, parce que son odeur reconnaissable entre toutes – celle avec laquelle il m'a marqués – en imprègne les fibres.

Bon. Je ne pourrai pas retourner à mon bureau habillée comme ça. Mais je suis au moins assez présentable pour rentrer chez moi.

Je traverse la pièce l'estomac noué et passe devant le bureau de Zach. Il est devant la baie vitrée qui occupe tout le mur de son bureau, et même si son visage n'affiche aucune expression, son corps s'est tendu dès que j'ai ouvert la porte de la salle de bains.

— Zach.

Ce que je m'apprête à faire me fait peur, mais je m'y sens tout de même obligée. Il le considérera peut-être comme un «sens mal placé du donnant-donnant», comme il l'avait dit la nuit où nous nous sommes rencontrés, mais c'est simplement ma façon de fonctionner.

Je suis terrorisée, mais, cet après-midi, il m'a permis de libérer mes émotions, ce qui – je le sais – m'a fait faire un gigantesque pas en avant dans ma découverte de moi-même.

Je lui dois une faveur.

Il ne répond pas à la question que je murmure – il ne m'a peut-être même pas entendue. Je répète son nom, un peu plus fort. Il se retourne, un sourcil levé. Quand il me fait face, je manque de sortir de la pièce en courant.

L'amant sensible et vulnérable à fait place au milliardaire arrogant à la tête d'une grande entreprise.

— Je... je sais que vous ne voulez rien de sérieux.

Il pince les lèvres et je bégaie, luttant pour sortir les mots.

— Mais vous m'avez donné quelque chose aujourd'hui, quelque chose d'énorme et d'effrayant et... enfin, énorme. Je vous suis redevable.

J'inspire profondément et me force à prononcer les mots qui suivent à toute allure.

— Je me servirai du fouet. Enfin, si vous voulez toujours que je le fasse.

La douleur et le plaisir passent sur son visage avant de laisser place à la fureur. Mes poings sont si serrés que mes ongles s'enfoncent dans ma peau. Je regarde le mystérieux milliardaire se battre contre ses émotions, et c'est finalement l'homme calme et maître de lui qui émerge, celui qui dirige son empire.

— Je ne suis pas intéressé.

Je cligne des yeux, certaine d'avoir mal entendu. L'homme qui m'a prise si entièrement dans l'ascenseur était plus qu'intéressé : il était aussi avide que moi.

Mais ses mots me blessent. Un sentiment d'insécurité m'envahit.

— Si vous voulez qu'on oublie ça, pas de problème.

Mes yeux examinent son visage avec anxiété. Qu'est-ce qui se passe ?

— Vous vous faites des idées, mademoiselle Reid.

Écartant sa chaise du bureau, Zach s'y enfonce avec une précision calculée. Il lève vers moi un regard d'une indifférence redoutable, et une vague de malaise s'abat sur moi.

— Et sur quoi exactement je me fais des idées ?

Je sens le froid me glacer alors que je fais face à cet étranger, l'étranger dont j'ai toujours le goût dans la bouche.

— Des idées sur le fait que je veuille encore avoir quelque chose à faire avec vous, mademoiselle Reid.

D'un geste décontracté, il tend le bras vers son écran d'ordinateur et l'allume, prêt à me congédier et à reprendre son travail.

— Je vous ai eue – et plus d'une fois, alors bravo à vous pour avoir retenu mon attention. Mais j'en ai fini avec vous. Le monde est rempli de belles femmes à baiser.

La douleur explose en moi, un éclair rouge vif au goût de cuivre, comme le sang. Je suis plus intelligente que ça – je sais qu'il joue un rôle. Il doit être aussi effrayé que moi, mais il est lâche et préfère me repousser plutôt que de s'accrocher comme moi j'en ai envie.

— Vous êtes un vrai salaud.

Je le fixe, le corps raide de douleur. Pourquoi fait-il cela ? Pourquoi maintenant, une fois qu'il m'a rendue accro et que j'ai besoin de ma dose ?

— Personne n'a jamais prétendu le contraire. Maintenant, si vous permettez, j'ai beaucoup de travail en retard. Je n'avais pas prévu de prendre une si longue pause cet après-midi.

Je le fixe alors qu'il se tourne délibérément vers son écran.

J'aperçois une minuscule lueur dans ses yeux, qui disparaît en un éclair, non sans m'avoir appris ce que j'avais besoin de savoir.

Il est touché, contrairement à ce qu'il prétend. Mais le simple fait qu'il agisse ainsi, quand nous sommes tous les deux dépassés, est plus que ce que je peux supporter.

Plaquant mes mains sur la surface de son bureau, je me penche, m'approchant si près de son visage qu'il n'a pas d'autre choix que de me regarder.

La lueur passe une nouvelle fois dans ses yeux sombres, et il la fait disparaître mécaniquement. Je remarque un léger changement dans son attitude, la minuscule part de lui qu'il s'autorise à tourner vers moi.

Il ouvre la bouche, sans doute pour proférer une nouvelle cruauté. Je ne réfléchis pas, j'agis simplement, et lève la main avant de la laisser s'envoler.

Je gifle sa joue gauche si fort que ma paume me fait mal. Il bouge à peine, et en tout cas ne tressaille pas alors qu'il me jauge de ses yeux froids.

— Je t'emmerde, Zach ! Je t'emmerde !

Je me redresse, le mettant au défi de dire quoi que ce soit, de faire quoi que ce soit.

Il cligne des yeux, puis se tourne de nouveau vers son ordinateur.

Serrant les pans de sa chemise sur ma poitrine, je pars en claquant la porte de son bureau derrière moi.

11

Il a recommencé.

Je sais que c'est un peu irrationnel, étant donné que c'est moi qui suis partie en claquant la porte de son bureau, mais j'espérais qu'il viendrait me voir dans mon nouvel appartement, ou bien à mon bureau, au service comptabilité, ou même qu'il m'enverrait un message. Quelque chose pour me dire qu'il était désolé, que tout ça était une erreur, et qu'il avait envie de me laisser entrer – réellement – dans sa vie.

À mesure que les jours passent – cinq jours et demi pour être précise –, je finis par comprendre qu'il ne se passera rien. La principale caractéristique du milliardaire est d'être borné et bien installé dans ses habitudes excentriques.

Même si je suis effondrée, je sais que je dois me ressaisir et essayer de recommencer à vivre ma vie. Le problème de cette résolution, c'est que la vie sans Zach me semble confuse, fade. Il lui manque l'essentiel.

Et cet élément manquant, c'est Zach. Mais tant qu'il souffle le chaud et le froid, et est en proie à ces sautes d'humeur qui m'ébranlent, je n'ai pas le choix.

Dès notre première rencontre, dans ce petit restaurant à Cambria, il s'était comporté ainsi, jouant la séduction avant de disparaître.

C'est épuisant.

Il est tard dans l'après-midi et je tape sur mon clavier. Presque six jours se sont écoulés depuis la dernière fois que j'ai vu Zach.

Je suis vidée.

Hier, dans un moment de crise, je me suis arrêtée dans une petite boutique en revenant du boulot. Un cache-cœur rouge dans la vitrine avait attiré mon attention. Il enveloppe aujourd'hui mes courbes généreuses, et je me sens mal à l'aise, trop voyante dans ce top très sexy. Je regrette mon noir habituel.

Du coin de l'œil, j'ai pu voir que Tony m'avait regardée toute la journée. Je ne peux pas être en colère, car le décolleté plongeant de mon haut provoque cet intérêt – que je ne recherche pas particulièrement.

Enfin, ce n'est pas tout à fait vrai. Je le recherche, mais de la part d'un seul homme, qui n'est pas prêt à me l'accorder.

L'horloge indique seize heures trente. Plus qu'une demi-heure et je pourrai m'échapper de ces bureaux où tout me fait penser à Zach.

C'est ça. Je pourrai fuir le bureau… mais seulement pour me retrouver chez moi, où je pense à lui sans cesse, qu'il y ait des choses pour m'y faire penser ou non.

Ressaisis-toi, Devon. Serrant les mâchoires si fort que je peux entendre mes dents grincer, j'avale une gorgée du café maintenant froid qui est posé sur mon bureau depuis ce matin, et me tourne vers mon ordinateur avec ce que j'espère être un regain de concentration. Quand je ne suis pas triste ou en train de penser à Zachariah St Brenton, j'aime vraiment mon boulot, et je n'ai pas envie de le perdre. Pas maintenant que j'ai signé un bail pour mon appartement. C'est un petit studio, et le loyer mensuel est le double de ce que je payais à Sacramento.

Mais ce n'est pas une chambre d'hôtel bon marché. Non, c'est chez moi.

Alors que je repose ma tasse de café, je croise le regard de Mme Gallagher. Quand je suis arrivée ce matin, elle a jeté un œil à mon haut rouge, a poussé un profond soupir et a tourné les talons. Depuis, je l'ai surprise en train de me regarder avec cet air inquiet qui creuse des rides profondes autour de ses yeux – je sais à présent que ce n'est pas moi qui l'imagine. Elle a même été presque agréable pendant nos échanges.

Son attitude étrange a contribué à me faire sentir que ma vie est sens dessus dessous. En ce moment même, elle fait la moue en me regardant. Ça me donne envie de crier.

Même s'il n'y a aucun moyen qu'elle sache jusqu'où a été ma relation avec Zach, elle s'en doute visiblement. Et malgré sa compassion, elle désapprouve.

Je n'ai pas envie que qui que ce soit me prenne en pitié. Si je ne peux pas être avec Zach – et tout le reste me semble bien pâle après l'alchimie qui s'est créée entre nous –, je dois passer à autre chose.

Et je ne veux pas perdre de vue tout ce que j'ai accompli depuis mon arrivée à San Francisco.

Je regarde l'horloge. Vingt minutes. Une infime partie de ma journée de travail, mais en ce moment, ça semble une éternité.

J'arrête de bosser. Je ne vais juste pas y arriver. À la place, j'ouvre ma boîte mail et, après avoir frotté mes tempes avec mes doigts raides, je m'attelle à ce que j'ai tenté de faire depuis des jours.

Je dois tourner la page. Je dois m'exprimer. Même si après notre dernière rencontre, je ne suis pas sûre qu'il lise mon mail. Au moins, j'aurais essayé.

De: Reid, Devon [d.reid.comptabilite@phyrefly.com]
Envoyé: Vendredi, 16h53
À: St Brenton, Zachariah [z.stb.pdg@phyrefly.com]
Objet: Tourner la page

Zach,

Je vais faire court… Je ne sais pas si vous lirez ceci. Si vous êtes en train de le faire, alors je veux que vous sachiez que je suis désolée. Ma rencontre avec Tom n'était pas destinée à provoquer votre colère. Et je ne l'ai absolument pas invité. Mais puisqu'il est venu, j'ai pensé que c'était une bonne occasion pour lui dire les choses que je ne lui avais pas dites en partant. C'est quelque chose que j'avais besoin de faire, pour moi.

Je suis aussi désolée de ne pas pouvoir être celle que vous avez besoin que je sois. Je sais que vous pensez que je devrais avoir peur de vous, mais vraiment, ce n'est pas le cas. En revanche, j'ai peur de ce que vous ressentez quand vous me repoussez. Et puisque vous refusez de me laisser entrer dans votre vie, alors il ne semble pas y avoir d'espoir. Je sais que ce n'est pas facile pour vous non plus, et je sais que ce genre de confiance demande du temps. J'espère… Je ne sais plus vraiment ce que j'espère.

Merci pour tout ce que vous avez fait pour moi. Vous m'avez aidée à découvrir une facette de ma personnalité dont je ne soupçonnais même pas l'existence. Maintenant, je dois trouver la force de continuer ce voyage seule.

Je vous souhaite beaucoup de bonheur, Zach. Je dirais bien que j'aimerais que nous restions amis, mais je crois que ce serait trop douloureux pour moi d'être près

de vous et de ne pas pouvoir être avec vous, alors je
m'arrête là.

Devon.

J'hésite, la gorge serrée, puis clique sur l'icône «envoyer»
avant de risquer de me dégonfler. Mon nez me pique, mes yeux
s'emplissent de larmes. Maintenant, j'ai vraiment l'impression
que c'est fini.

La partie rationnelle de mon cerveau sait que ce n'est pas
normal d'être bouleversée à ce point à cause d'un homme que
je connais depuis moins d'un mois. J'essaie de me dire que
mon comportement est obsessionnel et irrationnel.

Mais je m'en fiche. Je suis abattue.

Je regarde de nouveau l'horloge et je vois qu'il est plus de
dix-sept heures. La plupart de mes collègues se sont précipités
vers la sortie il y a quelques minutes, impatients de se débarrasser de leurs costumes et de profiter de l'*happy hour* du vendredi soir au bar d'en face.

Je vais rentrer à la maison et pleurer un bon coup.

— Bonne soirée, mademoiselle Devon Reid.

Je m'arrête, surprise, quand la voix de Mme Gallagher interrompt mes pensées. Je jette un œil dans son bureau, en espérant que mon envie de pleurer ne m'a pas trop rougi les yeux.

— Bonne soirée, madame Gallagher.

Elle ne dit jamais ni bonjour ni au revoir à aucun de ses
collaborateurs. Son visage est sérieux quand elle lève les yeux
vers moi, alors que, serrant mon sac à main en cuir usé sur ma
poitrine, je me trouve vraiment déconcertée par cette marque
d'attention.

— J'espère que vous vous sentirez mieux lundi matin.

Elle baisse ses lunettes sur le bout de son nez et me regarde
par-dessus.

— Ce rhume qui traîne est terrible. Si vous ne vous sentez pas mieux, prenez votre lundi. Mais je vous attends mardi de bon matin et en pleine forme.

Mme Gallagher remonte ses lunettes et baisse les yeux vers son travail, me donnant ainsi congé. Je cligne des yeux, surprise, avant de me dépêcher de rejoindre les ascenseurs.

Cette femme est assez maligne pour savoir pertinemment que je ne suis pas enrhumée. Cette attention – m'autoriser un long week-end pour me remettre – est inattendue et très étrange.

Mais son sous-entendu était parfaitement clair : oubliez-le et reprenez votre vie en main.

C'était exactement le coup de pied aux fesses dont j'avais besoin, même si elle n'apprécierait pas que je lui dise ça. Le personnage qu'elle s'est forgé au travail n'est pas du genre chaleureux… Je me redresse, inspire profondément et tente de me ressaisir.

Ma vie ne tourne pas autour de Zachariah St Brenton. Je peux être heureuse sans lui.

Peut-être que si je me le dis suffisamment, ça finira par être vrai.

La sonnerie de l'ascenseur retentit et les portes s'ouvrent. Je fais de mon mieux pour écarter de mes pensées toute image de moi, entravée sur le sol pendant mes derniers ébats avec Zach. En m'efforçant de garder la tête haute, j'entre dans la cabine et pivote pour appuyer sur le bouton du rez-de-chaussée.

Je manque m'étouffer en m'apercevant que Zach est là, à côté du panneau de commande. Il semble calme et maître de lui. Il me regarde et me fait un signe de tête, puis se recule pour me faire de la place.

Après un moment, pendant lequel je perds toute contenance, je lui adresse un signe de tête en retour puis fais face aux portes de l'ascenseur en faisant de mon mieux pour calmer les battements de mon cœur.

Il fallait s'y attendre. C'est mon patron. L'immeuble est grand, mais il n'est pas surprenant que nous soyons amenés à nous croiser de temps à autre. Si je veux garder ce boulot, il va falloir que je l'accepte.

Le silence est pesant. Les images de la dernière fois que nous avons pris l'ascenseur tous les deux me mettent à la torture. Je ne peux pas m'empêcher de me demander s'il y pense, lui aussi. Alors que je chasse une vision de lui en train de m'attacher les poignets avec ma propre culotte en dentelle, je lève les yeux et aperçois son reflet dans la porte chromée. Je fronce les sourcils. Qu'il soit si séduisant alors que je me sens comme une loque – et que j'en ai l'air... Ce n'est pas juste. Il porte un costume noir et une chemise gris pâle avec de fines rayures. Il a enlevé sa cravate et déboutonné le premier bouton de sa chemise. Malgré tous les sermons que je me suis faits, je découvre que je n'ai qu'une envie : poser mes lèvres sur l'attirant triangle de peau révélé par ce bouton défait.

Nous sommes presque arrivés au niveau du hall d'accueil, et je me félicite d'être restée forte quand, soudain, il m'adresse la parole.

— Vous dites que vous n'avez pas peur de moi. C'est vrai ?

Surprise, je fais volte-face pour le dévisager. Il regarde toujours droit devant lui, contrôlant parfaitement l'expression de son visage.

— Bien sûr que c'est vrai.

Mal à l'aise, je fais tourner la bandoulière de mon sac à main dans mes doigts tremblants.

— Je ressens beaucoup de choses avec vous, mais pas de la peur.

Zach hoche la tête et reste silencieux. Ce n'est que lorsque l'ascenseur atteint le rez-de-chaussée et que les portes s'ouvrent qu'il me prend par le coude et m'attire à ses côtés.

Une onde de choc, comme un feu d'artifice en moi, s'étend depuis le petit carré de peau sur lequel sont posés ses doigts. Ma respiration reste bloquée dans ma gorge. Je lève les yeux vers lui avec autant d'incertitude que de désir, les deux parfaitement indissociables.

— J'aimerais que vous m'accompagniez quelque part.

Levant la main, il bloque les portes de l'ascenseur avant qu'elles puissent se refermer. Mon cœur bat la chamade. Je sors de l'espace confiné, me tourne pour lui faire face, le visage sérieux.

— Pourquoi?

Au point où nous en sommes, je n'ai rien à perdre à poser la question.

— Pourquoi maintenant?

Les yeux de Zach se voilent, mais je continue de le fixer impitoyablement. J'ai besoin qu'il me donne quelque chose, n'importe quoi, avant de replonger dans la folie de notre relation.

Il semble sur le point de rester muet, et mon cœur se serre. Je me rappelle que Zachariah St Brenton n'est pas un homme habitué à s'expliquer.

Puis il s'exprime et ses mots sont prudents, comme s'il voulait s'assurer de dire ce qu'il faut. Je sens l'espoir naître en moi, alors que je sais pertinemment que c'est en vain.

— Je ne suis pas prêt à vous donner les choses dont vous avez vraiment besoin. Je ne le serai peut-être jamais. Mais je me rends compte que je ne peux pas rester loin de vous.

Son honnêteté abrupte me brise le cœur, avant de le réparer aussitôt. Il essaie. Il essaie vraiment. Comment pourrais-je refuser?

— De quoi pensez-vous que j'ai besoin et que vous ne pouvez pas me donner?

Je mesure mes paroles, prudemment.

— Je suis une adulte, Zach. Et je m'engage dans cette voie en toute connaissance de cause. Je vous veux. Je vous veux tout entier.

Sans prévenir, il m'attire dans ses bras, empoigne mes cheveux et m'embrasse jusqu'à me couper le souffle. Mon monde se rétrécit jusqu'à n'être plus concentré que sur lui. C'était ça qui me manquait depuis six jours. La puissance de son désir pour moi m'a tenue éveillée la nuit, et je ne désirais qu'une chose : le toucher à nouveau. Quand Zach me relâche, je trébuche, puis presse mes doigts sur mes lèvres gonflées par son baiser.

— Je suis un salaud et un égoïste, et je vous veux. Je ne peux pas vous raconter mon passé, parce que moi-même je ne peux pas l'affronter. Mais si vous me faites confiance, je peux vous faire une place dans ma vie telle qu'elle est aujourd'hui.

L'expression de son visage est terriblement sensuelle, et je m'aperçois – à la protubérance qui apparaît sur le devant de son pantalon – que notre baiser a fait son effet. J'ai chaud, tout mon corps est sous tension et il n'y a rien que je veuille plus que de me perdre en lui.

Les yeux écarquillés, j'acquiesce avant de pouvoir faire machine arrière.

— Vous devez être sûre de vous, Devon.

Il m'attire de nouveau à lui brutalement, pressant sa queue durcie contre le renflement tendre de mon ventre. Je frémis contre lui.

— Vous devez être sûre d'être prête à aller plus loin.

Le trajet dans la voiture de Zach, avec Charles au volant, passe en un éclair. Les seules choses dont je suis totalement consciente sont la sensation de ma main dans celle de Zach et la chaleur de sa cuisse pressée contre la mienne.

Nous nous garons devant un bâtiment en briques. Sombre, l'extérieur a un petit air gothique, et il me faut un moment pour repérer l'enseigne peinte en marron chocolat.

— Le Lush Club?

Je me tourne vers Zach, soudain gênée.

— Je ne suis pas habillée de façon adéquate, Zach.

Ses yeux tracent un chemin brûlant sur la peau nue révélée par le décolleté de mon cache-cœur, et je me tortille, mal à l'aise. J'ai chaud, comme s'il venait de me toucher.

— Vous êtes toujours très jolie.

Il prend ma main et m'aide à sortir de la voiture alors que Charles ouvre la portière.

— Et ce n'est pas un club comme les autres.

Je lève un sourcil interrogateur, mais il ne répond pas, et se contente de placer sa main au creux de mes reins pour me conduire jusqu'à la porte de l'immeuble.

— St Brenton.

L'homme à la porte, muni d'une tablette numérique, fait défiler son écran et, trouvant ce qu'il cherchait, écarquille les yeux. Je me demande si un commentaire accompagne le nom de Zach, du genre : ‹Attention, milliardaire lunatique : à traiter avec la plus grande prudence›.

Avant que je puisse m'interroger plus avant, nous sommes pris en charge par une femme – une sorte d'hôtesse, j'imagine. D'une beauté sculpturale, ses cheveux noir corbeau tombent en un rideau lisse et brillant jusqu'à ses fesses… le décolleté dans le dos de sa robe descend presque aussi bas. Même si son attitude est très professionnelle, je ne peux m'empêcher de remarquer la façon dont elle détaille Zach de la tête aux pieds, tout comme le désir évident dans son regard.

Zach n'a pas l'air de s'en rendre compte, mais en homme intelligent qu'il est, il doit en être tout à fait conscient. Je ne sais pas ce qu'il pense de l'attention dont il est l'objet partout où il va.

Le doute m'envahit, même si je me répète encore et encore qu'il est ici avec moi. Je me garde bien de formuler mes pensées à voix haute, car je ne crois pas qu'elles seraient appréciées.

La superbe femme nous emmène dans une salle de spectacle, qui ne ressemble à rien de ce que j'ai vu auparavant. La loge privée à laquelle elle nous conduit –, une des quinze que je dénombre, toutes arrangées en demi-cercle autour d'une petite scène – me laisse bouche bée.

Chacune de ces loges ressemble à une salle à manger privée, mais les cloisons ne montent qu'à hauteur de la taille pour permettre de voir la scène. Une petite table nappée d'un épais tissu noir est décorée d'un luxuriant bouquet de roses d'un rouge profond et de grosses bougies blanches, et un seau en argent accueille une bouteille vert pâle.

Alors que nous nous installons, Zach désigne la bouteille.

— Est-ce la bouteille de Stella d'Or que j'ai commandée?

La femme acquiesce avec une moue sexy. Je suis très impressionnée par le choix du vin – le Stella d'Or est un vin luxueux et je n'y ai encore jamais goûté. Je déglutis en pensant à son prix, mais je suis distraite par Zach, qui s'assoit sur une causeuse en cuir placée près de la table à la place de chaises classiques.

Je ne suis pas sûre de ce qui va se passer, mais l'air est lourd d'impatience. Pendant que mademoiselle-regard-aguicheur débouche le vin, un beau bordeaux couleur fruits rouges, et nous sert un verre, j'observe les autres spectateurs dans leurs propres loges.

Ce ne sont que des couples, à l'exception d'un groupe de trois personnes, qui semble tout de même être ensemble d'une façon que mon esprit a du mal à assimiler. Les tenues sont on ne peut plus variées, allant du smoking et de la robe du soir au sous-vêtement en dentelle rouge et petit peignoir en satin assorti.

— Zach, qu'est-ce que c'est que cet endroit?

Il secoue la tête pour me signifier qu'il ne me dira rien, mais un sourire apparaît au coin de ses lèvres. Un petit sourire vicieux.

Je prends une bonne gorgée de mon vin hors de prix, essayant d'humidifier ma gorge soudain sèche.

— Ce sera tout Marguerite. Merci.

Zach reporte son attention entièrement sur moi, et je m'aperçois que notre hôtesse ne compte pas se laisser congédier. Fronçant les sourcils, elle fait un pas vers Zach, comme pour essayer de s'immiscer entre nous.

Un éclair de jalousie me frappe et avant même de m'en rendre compte, je me suis penchée sur Zach et j'ai posé la main sur sa poitrine, juste au-dessus de son cœur. Je lève de grands yeux vers la femme, comme surprise de la découvrir encore là.

— Oui?

Ma voix est douce, mais je me rends compte du venin qu'elle contient. Je me surprends moi-même. Je n'ai jamais été du genre jaloux.

La femme que Zach a appelée Marguerite jette un regard mauvais sur ma main.

— Si vous avez besoin de quoi que ce soit d'autre, vous n'avez qu'à sonner.

Elle désigne une petite sonnette sur la table.

— Tout ce que vous voudrez... absolument tout... et je viendrai vous servir.

Je cligne des yeux en la regardant, sûre d'avoir mal compris le sens caché de ses mots. Elle m'adresse un sourire moqueur et je vois rouge.

— Tout ce que nous voulons, c'est qu'on nous laisse tranquilles.

L'intervention de Zach me fait reporter toute mon attention sur lui, et je remarque à peine que l'hôtesse s'en va. Des frissons de désir parcourent ma peau.

Une fois seuls, Zach m'attire sur ses genoux, m'y installant à califourchon. Surprise, je ne peux m'empêcher de regarder autour de nous alors que mon visage prend une couleur pivoine.

Personne ne semble nous prêter attention, ou si c'est le cas, notre comportement ne choque nullement. Moi, en revanche, je me sens mal à l'aise quand Zach empoigne mes seins, pressant doucement ma chair, puis me mordille l'oreille.

— Je crois que j'aime bien quand vous êtes jalouse.

Ma respiration reste bloquée dans ma gorge alors que la chaleur de son contact se répand dans mon corps jusqu'au plus profond de moi. Bien que ses mains soient descendues pour m'agripper par la taille, il ne me maintient pas et je glisse de ses genoux pour me rasseoir sur le sofa.

— Mais qu'est-ce qui vous prend?

Même si personne n'a rien remarqué, je suis mortifiée.

— Nous sommes en public!

Zach ne semble nullement troublé, et je me sens dans l'obligation de protester.

— Et s'il y avait un photographe? Il aurait pu prendre une sacrée photo!

Je ferme les yeux, incapable ne serait-ce que d'imaginer ce qui se passerait pour moi au bureau si un cliché de moi chevauchant le PDG faisait le tour des bureaux.

Zach a l'air perplexe.

— Les appareils photo ne sont pas autorisés ici. La direction est très stricte à ce sujet, et vous allez bientôt comprendre pourquoi.

Il passe un bras autour de ma taille et m'attire contre lui, mais son contact reste chaste – pour autant qu'un contact de lui puisse être considéré comme chaste.

— Et si jamais quelqu'un prenait une photo qui ne doive pas être rendue publique, j'ai la chance d'avoir assez d'argent pour y remédier.

Il s'exprime comme si avoir autant d'argent était un fait ordinaire, et j'imagine que pour lui ça l'est. Ça me donne mal à la tête.

Je plonge le nez dans mon verre de vin pour changer de sujet.

— Vous aimez?

Bien qu'il ait son propre verre, Zach prend le mien après que j'en ai bu une gorgée. L'intimité naturelle de ce geste me fait espérer des choses qui me sont défendues.

Mon cœur défaille quand, au lieu de boire dans mon verre, il se penche et pose un baiser brûlant sur mes lèvres souples, goûtant le vin sur ma langue.

— Mmmh.

Je frémis quand, se reculant, il me lance un regard brûlant.

— C'est bien meilleur comme ça.

— Il… il est merveilleux.

Le désir assèche ma gorge alors que j'acquiesce. Je ne suis absolument pas connaisseuse, mais je reconnais que ce vin a plusieurs nuances et que ses saveurs se mélangent agréablement sur mon palais.

— Mais vous n'auriez pas dû vous donner tant de mal.

Zach hausse les épaules et me rend mon verre.

— Le Stella d'Or appartient à un de mes amis. Ça me fait plaisir de soutenir ses affaires, mais je l'achèterais même si ce n'était pas à lui. C'est un vin exceptionnel.

Au même moment, les lumières de la salle baissent. Avant que le théâtre ne devienne entièrement noir, Zach se tourne vers moi; toute trace de la légèreté dont il a fait preuve au cours de ces dernières minutes a disparu.

— J'ai dit que je voulais partager une partie de mon univers avec vous, commence-t-il alors que mes pensées s'envolent dans des centaines de directions différentes. Je vous ai amenée ici ce soir pour ouvrir votre esprit. J'espère que vous apprécierez ce que vous allez voir. Ceci dit, si vous êtes gênée et que vous voulez partir, dites-le-moi, et nous partirons.

Il n'y a aucune trace d'autorité dans sa voix. Il n'est pas en train de me donner un ordre.

Ces mots me donnent envie de profiter de ce que nous nous apprêtons à voir, même s'ils me rendent un peu nerveuse. J'imagine mille possibilités pendant que nous attendons dans la pénombre – est-ce une pièce osée? Un chanteur compositeur peu connu dont Zach est fan? Est-ce que, étrangement, il aimerait l'opéra?

Les lumières reviennent d'un coup, éclairant deux silhouettes sur la scène nue. J'ai un coup au cœur et m'agrippe au torse de Zach quand je comprends ce que nous nous apprêtons à voir.

Un sex show.

— Zach?!

Je devrais être horrifiée. Je ne le suis pas... pas du tout.

Voir ce couple complètement nu sur la scène m'excite au plus haut point.

— Devon, vous vous souvenez de ce que je vous ai dit? Oubliez ce que vous pensez devoir ressentir, et contentez-vous de vivre l'expérience à fond.

Je gigote sur mon siège, incapable de fixer le regard sur le couple pendant plus de quelques secondes d'affilée.

Je sais déjà ce que je ressens vraiment. C'est une sensation brute, obscène. Pas de celles qu'on attend d'une gentille fille.

Je lutte avec moi-même, mortellement mal à l'aise. Quand Zach, prenant mon menton dans sa main, tourne mon visage vers lui, je baisse honteusement les yeux.

— Devon.

De son autre main, il glisse derrière mon oreille une mèche échappée de ma queue-de-cheval. Quand j'ose le regarder, je ne perçois aucun faux-semblant dans son expression ou dans son attitude.

— Il n'y a rien de mal à vouloir ce que vous voulez. Ce que je veux, c'est partager quelque chose avec vous, quelque chose qui, je pense, nous donnera du plaisir à tous les deux. Le choix est simple. Si vous voulez rester, nous restons. Si vous ne voulez pas, nous partons. Dites-moi.

Il n'y a aucune trace de jugement ou de pression dans sa voix, bien que j'imagine que s'il m'a amenée ici, c'est qu'il a envie de rester, de faire cette expérience avec moi. Et même si je n'avais pas le désir de le contenter – ce qui est le cas –, il se trouve que j'ai envie de rester.

J'ai le sentiment d'être perverse… et de faire quelque chose de mal. C'est si différent de tout ce que j'ai vécu auparavant.

Mais, comme Zach me l'a fait remarquer, il n'y a rien de mal à vouloir ce que je veux. Je passe la langue sur mes lèvres pour les humidifier, et, les yeux baissés, je murmure :

— Je veux rester.

Un frisson parcourt le corps de Zach, auquel répond la chaleur qui envahit mon corps. Étrangement, ça me rassure.

Peu importent les difficultés que nous rencontrons dans cette relation étrange et intense, il y a une force primitive en chacun de nous qui répond à l'autre. C'est indéfinissable, excitant et, à cet instant, réconfortant.

Zach me fait comprendre qu'il n'y a rien de mal à être qui je suis – et je me rends compte que la personne que je suis veut s'installer confortablement et profiter du spectacle.

Sur la scène, le couple s'embrasse tendrement. Même s'ils sont tous les deux complètement nus, ce n'est pas ce à quoi je m'attendais. C'est tendre. Presque romantique.

Je jette un regard de biais à Zach. Il observe calmement et je suis son exemple.

La femme passe les mains dans les cheveux de l'homme. Lui fait courir les siennes le long du dos de sa partenaire avant de lui caresser les fesses. Elle gémit, et ce son résonne dans toute la salle.

L'homme se met tout à coup à genoux devant elle, qui, les lèvres brillantes de ses baisers, place ses mains sur ses épaules. D'un geste sûr, il écarte ses cuisses, puis ses lèvres, l'ouvrant pour accueillir sa bouche comme une fleur s'ouvre au soleil.

Je reste bouche bée quand l'homme embrasse le sexe de la femme. Le plaisir la fait sourire alors qu'elle se cambre, et la chaleur monte en moi.

Je m'agite sur mon siège, mal à l'aise, mais en même temps concentrée et incapable de détourner le regard de ce qui se déroule devant moi.

Voir cet homme lécher, sucer et faire jouir cette femme est l'une des choses les plus érotiques que j'aie jamais vues. Les deux partenaires ne correspondent pas à ce que je m'attendais à voir sur scène : ils semblent avoir la quarantaine, et même s'ils sont séduisants, ce ne sont visiblement pas des top models. Le léger arrondi du ventre de la femme indique qu'elle a porté des enfants et les poils pubiens de l'homme sont méchés de gris.

Pourtant, leurs caresses m'attirent, me fascinent. Alors que les frissons de la femme s'apaisent et qu'elle s'agenouille en pressant l'homme de se relever, je comprends.

— Ils sont vraiment en couple ?

L'assurance de leurs caresses, leur intimité témoigne de leur longue vie commune. L'idée qu'un couple, dont je discerne à présent les alliances, choisisse de se donner du plaisir exposé au regard de spectateurs me choque.

Zach baisse les yeux vers moi, et même si je sais qu'il est aussi excité que je le suis par le spectacle, il m'accorde toute son attention.

— Comme la plupart des gens qui se produisent ici.

Tendant la main vers moi, il effleure mes lèvres de son pouce. Excitée au-delà de l'imaginable, je l'attrape entre mes dents, puis apaise la morsure d'un coup de langue.

Il grogne avant de retirer sa main.

— Pour quelles raisons peut-on avoir envie de faire ça?

Une idée me vient tout à coup à l'esprit. J'agrippe la jambe de Zach d'une main nerveuse.

— Quand vous disiez que vous vouliez me montrer une partie de votre vie… c'est ce que vous vouliez dire? Vous voulez monter sur scène?

Mon estomac se noue. Voir la femme dont les lèvres roses enveloppent maintenant la queue en érection de son mari, est, de manière surprenante, incroyablement excitant. Mais l'idée de me faire baiser sur une scène, même si c'est par Zach, me laisse froide.

Ma question le contrarie. Alors qu'il se penche et pose la main sur mon genou, je sens la chaleur de sa paume sur ma peau nue, juste en dessous de ma jupe.

— Personne n'a le droit de vous voir jouir à part moi.

D'un mouvement rapide, sa main remonte, trouve l'élastique de ma culotte et se met à jouer avec. Je me tortille d'excitation, tout en essayant de garder un visage impassible.

Zach glisse la main sous le tissu. Mon corps s'arque quand il trouve l'entrée de mon sexe et glisse un doigt dans sa chaleur humide. Les parois de la loge nous procurent un peu d'intimité, mais quiconque autour de nous regarderait saurait immédiatement ce que nous sommes en train de faire en voyant l'expression de mon visage.

Non, je ne veux pas être sur cette scène, mais la main de Zach entre mes jambes alors que nous sommes en public me procure des sensations incroyables.

— Personne n'a le droit de profiter de cette chatte à part moi, continue Zach, d'une voix ferme et brûlante.

J'acquiesce en m'empalant plus profondément sur son doigt. Avec un petit rire, il le retire presque entièrement, ne laissant en moi que son extrémité. Je grogne de frustration.

— Regardez le spectacle, Devon.

J'essaie de rester immobile, mais ce qui s'est introduit en moi rend la chose bien difficile.

Sur scène, la femme accélère, suçant la queue de son mari avec enthousiasme. Zach se met à bouger son doigt au rythme de ses va-et-vient, me baisant avec sa main comme la femme baise son mari avec sa bouche.

Je sens que je mouille un peu plus à chaque glissement du doigt de Zach. Je gémis et m'agite. Ce n'est pas suffisant, j'en veux encore.

L'homme sur scène crie et plonge une dernière fois, profondément, dans la bouche de sa femme. Du sperme coule de ses lèvres alors qu'il jouit dans sa gorge. Je regarde, envoûtée, alors que Zach retire son doigt, pinçant fort mon clitoris au passage.

Il m'attire à lui et étouffe mon cri d'un baiser alors que je frissonne contre sa paume.

— Zach.

Je n'émets qu'un faible filet de voix.

— Je veux partir. Je veux aller quelque part où nous serons tous les deux.

Son expression s'assombrit. Courageusement, je tends la main et la pose sur son sexe en érection, que je presse doucement, en espérant le convaincre.

— Encore un.

Portant la main qui était entre mes jambes à ses lèvres, il lèche le doigt qui m'a pénétrée. Je le regarde, bouche bée.

— Ensuite, je vous ouvrirai en grand et je vous prendrai autant que je le veux.

Je retiens le gémissement que provoque la chaleur qui m'envahit à l'idée des cheveux en bataille de Zach entre mes cuisses.

— Mais je veux d'abord regarder un autre spectacle. Ensuite, je vous ramène à la maison pour vous baiser.

— Seigneur.

Je reporte avec difficulté mon attention sur la scène. Je n'ai qu'une envie : déboutonner le pantalon de Zach, libérer sa queue et le chevaucher, là, maintenant.

Je réalise au même moment que je suis un peu effrayée par l'intensité des émotions qu'il provoque en moi.

Mais elles me semblent si justes – sa présence à mes côtés me semble si juste. Comme si passer du temps avec lui me permettait de faire connaissance avec la vraie Devon.

Lui obéissant, je me blottis contre lui pour me concentrer sur le nouveau spectacle. Je ne veux pas analyser, je ne veux pas réfléchir. Je veux juste laisser les sensations m'entraîner aussi loin que possible.

Quand deux hommes arrivent sur scène, je mords ma lèvre inférieure. Allons-nous assister aux ébats d'un ménage à trois ? Est-ce qu'une femme va les rejoindre pour qu'ils la prennent tour à tour ?

Mon ventre se noue sous l'effet de l'impatience. Je m'agite sur mon siège. Zach me prend la main et la pose à plat sur le haut de sa cuisse. Mes doigts dessinent des motifs sur ses muscles durs, et je m'imagine faire la même chose avec ma langue.

Les hommes sur scène sont tous deux grands et ont un corps de rêve. Les muscles de leurs bras et de leurs torses nus au-dessus me laissent croire qu'ils ont sûrement tous les deux un travail physique. L'un est blond et je l'imagine sans peine surfer sur les vagues. L'autre a le crâne presque rasé et sa peau bronzée est couverte d'un tatouage qui l'enveloppe du dos jusqu'au torse.

Les deux hommes sont si sexy que je serre mes cuisses l'une contre l'autre pour prévenir ce qu'ils provoquent en moi. Mais quand ils se tournent l'un vers l'autre et échangent un baiser brûlant et profond, je suis perdue.

— Zach.

Sur scène, la température monte beaucoup plus vite qu'avec le premier couple. L'homme aux cheveux courts, tout en mordillant sa lèvre inférieure, descend la braguette du jeans du blond, qui saisit les fesses de l'autre et presse ses muscles tendus encore et encore.

— Ça ne vous dérange pas, Zach?

— Bien au contraire.

Je me rends compte que Zach est aussi excité que moi, fasciné par ce qui se déroule sur scène alors que le pantalon du blond tombe au sol. Son partenaire sort un petit tube de sa poche. Après en avoir dévissé le bouchon, il en extrait un liquide clair dont il s'enduit les mains et les fesses nues de l'homme blond.

— Oh, putain.

Je suis prête à grimper aux rideaux. Je n'ai jamais fantasmé sur deux hommes faisant l'amour ensemble auparavant, je n'ai jamais considéré que ça pourrait être excitant. Mais assister à cette scène et savoir qu'elle excite Zach autant que moi déclenche des bouffées de désir.

Je n'en reviens pas que cela plaise à Zach autant qu'à moi. Il n'a jamais montré de tendance bisexuelle, en tout cas pas à ma connaissance. Pourtant, j'entends sa respiration s'alourdir.

Il se tourne vers moi et surprend mon regard interrogateur. Il sourit, d'un sourire vicieux.

— Je n'ai pas envie de coucher avec un homme, Devon.

La pression baisse un peu, alors que je ne m'étais même pas rendu compte que j'étais tendue. C'est déjà assez stressant de savoir que Zach peut avoir toutes les belles femmes qu'il désire. Alors s'il est intéressé par les deux sexes, je risque de devenir folle.

Posant un bras sur mes épaules, il prend l'un de mes seins dans sa large main, puis la glisse dans le profond décolleté de mon haut et se met à jouer avec mon téton. Un frisson de désir parcourt mon corps jusqu'à mon sexe.

— Ce n'est pas parce que je ne veux pas coucher avec un homme que je ne trouve pas ça très excitant de les regarder.

Me pressant contre la main qui caresse mon sein, je tourne la tête vers lui pour croiser son regard. Il m'observe, comme s'il s'attendait à ce que je sois contrariée ou dégoûtée. Je suis bien incapable de ressentir l'une de ces émotions en ce moment.

— Avez-vous déjà entendu parler de l'échelle de Kinsey?

Je secoue la tête.

— Alfred Kinsey a créé une échelle avec à une extrémité un pur hétérosexuel et à l'autre un pur homosexuel. Les échelons entre les deux sont numérotés, par degrés de préférence sexuelle.

Ses yeux s'éclairent pendant qu'il s'assure que je l'écoute.

— Même si une personne peut se reconnaître à l'une ou l'autre des extrémités de l'échelle, Kinsey a montré que la plupart des gens se situent quelque part dans la zone grise entre les deux. Alors bien que je ne sois intéressé que par le sexe avec les femmes, regarder deux hommes ensemble m'excite. Pourquoi devrais-je ignorer ce plaisir juste pour me forcer à rejoindre l'extrémité de l'échelle?

Je reste bouche bée. Il est si incroyablement sexy, si maître de sa sexualité. Il y a tant de choses que j'admire chez cet homme puissant et passionné. Les méandres de sa personnalité me fascinent et m'attirent.

Zach a visiblement fini de parler. Il tire sur mon téton et je gémis. L'homme sur scène passe un doigt sur la raie des fesses de son partenaire. Je gémis un peu plus fort.

J'ai besoin que ça sorte. Tout en regardant les deux hommes sur scène, je tends les mains et défais la ceinture de Zach.

— Devon !

Son ton est choqué et je souris dans l'obscurité. J'aime être capable de le choquer.

Après m'être débattue un instant avec le bouton et la fermeture éclair, je libère sa queue. J'enveloppe son érection dure comme de l'acier et douce comme de la soie. Je me réjouis du sifflement de sa respiration quand je fais glisser mon pouce sur le sommet humide de son gland.

— Devon.

Sa voix est beaucoup moins sévère maintenant, et il avance dans ma main. Une étrange sensation s'empare de moi quand il se recule contre le cuir du siège et pousse de nouveau dans ma main, s'abandonnant, pour un instant au moins.

Un sentiment de puissance m'envahit. C'est un petit geste, mais que Zach me laisse prendre les choses en main me donne l'impression d'être aux commandes de ma propre vie.

Une sensation délicieuse. J'ai envie de lui donner quelque chose en échange.

Je pousse un soupir alors que ma main va et vient le long de la queue de Zach. Tout mon être est rempli, rempli de désir à tel point que ma peau me tire.

Pourrai-je un jour être rassasiée de cet homme ?

— Arrêtez, Devon.

La voix de Zach est rauque.

Il pose sa main sur la mienne, ralentissant mes mouvements. Je serre les doigts ; sur scène le rythme s'accélère.

— Je veux être en vous quand je jouirai.

— S'il vous plaît, Zach.

Mes tétons frottent sur le tissu de mon soutien-gorge quand je bouge; ma main est toujours autour de Zach.

— J'ai besoin de ça. J'ai besoin de vous.

Je le sens frissonner. Puis il acquiesce, avançant de nouveau dans ma main. En le caressant longuement et profondément, j'imagine qu'il est en moi. Sur scène, l'homme qui pénétrait l'autre se retire lentement, puis se branle avec vigueur, une main posée sur les muscles tendus des fesses de l'autre homme. Il jouit en quelques secondes, et son orgasme se répand sur le dos et les fesses de son amant, qui gémit et se cambre pour le recevoir.

Je fais courir mon pouce sur toute la longueur de la queue de Zach, jusqu'au sommet de son gland et je l'entends grogner, la voix basse et profonde. Quelques secondes plus tard, un liquide chaud emplit ma paume et une odeur salée se répand dans l'air. Je continue mes caresses alors qu'il frissonne, se cambrant sous ma main. Il jouit longtemps et fort. Et même si je suis moi-même très nerveuse, je souris, ravie d'être capable de lui donner tant de plaisir.

Une fois immobile, Zach prend une longue inspiration. Il tourne la tête et je me retrouve clouée par le regard aiguisé de ses yeux bleus.

Il est furieux. Je lui souris. Je ne peux pas m'en empêcher.

— Vous allez payer pour ça, Devon.

Mon sourire s'efface et un frisson de sombre excitation parcourt mon corps. Zach m'a dit qu'il allait m'emmener plus loin et j'ai joué le jeu.

Je n'ai pas peur. Gagnée par une délicieuse impatience, je me délecte du puissant désir qu'il a fait naître en moi et de l'incertitude sur ce qu'il va me faire découvrir ensuite.

— On peut y aller maintenant?

J'entends l'impatience dans mon murmure. Même si les deux hommes sur scène ont échangé leur position et se caressent avec une passion renouvelée, j'ai perdu tout intérêt pour le spectacle.

La seule chose que je veux, c'est Zach et tout ce qu'il voudra bien me donner.

Il me répond par un sourire augurant autant de dangers que de promesses.

12

Je regarde Zach, incrédule. Nous venons d'arriver dans sa maison sur la falaise, où il m'a conduite directement dans la cuisine avant de déclarer :

— Il faut que vous mangiez quelque chose.

Je suis encore tremblante de désir et d'impatience, et me nourrir n'est pas du tout ce que j'ai en tête.

— Je n'ai pas faim.

J'essaie de le toucher, de passer mes bras autour de sa taille. Mais il me repousse. Zach remarque mon expression blessée et un soupir gonfle ses joues alors qu'il passe la main dans ses cheveux. Il a l'air irrité, ce qui ne m'aide pas à me calmer. Je me mords la lèvre et observe le grand plan de travail en marbre veiné, le chrome élégant des appareils ménagers, les casseroles et les poêles en cuivre, qui, à mon avis, n'ont jamais servi. Je suis obligée de reporter mon attention sur Zach quand il m'attire dans ses bras et m'embrasse rapidement sur le front avant de me relâcher.

— Je ne suis pas habitué à devoir m'expliquer, Devon.

Loin d'être apaisée, je lui lance un regard noir et me mets hors de sa portée. J'ai l'impression qu'on vient de jeter de l'eau glacée sur mes nerfs à vif, et ce n'est pas une sensation agréable.

Il me suit du regard, jaugeant mon humeur. Je suis nerveuse et le jauge en retour.

Il soupire puis fait glisser un verre d'eau sur le plan de travail en marbre. Je le prends après une longue hésitation, et je dois admettre que le liquide glacé est très agréable dans ma gorge à vif.

— Vous étiez d'accord pour que je vous entraîne plus loin dans mon univers ce soir. Eh bien, nous venons à peine de commencer.

Je tousse en avalant de travers.

Nous venons à peine de commencer? Je m'attendais à ce qu'à peine arrivés ici, nous assouvissions le désir qui me tenaille depuis une semaine. Mais Zach me donne l'impression qu'il va me conduire dans un pays dont on ne revient pas.

Pourquoi pas. Je sais que je n'ai jusque-là eu qu'un échantillon, et je suis prête à admettre que j'ai envie de plus.

— Qu'est-ce que ça a à voir avec le fait que je doive manger?

Sincèrement, je suis tellement tendue que je ne crois pas que je pourrais avaler une bouchée. Pourquoi insiste-t-il autant sur ce point?

— Je n'ai vraiment pas faim, Zach.

La frustration se lit sur son visage, et je le regarde, fascinée, alors qu'il s'efforce de la faire disparaître.

— Quand vous vous soumettez à moi, je deviens responsable de votre bien-être.

J'entends bien au ton de sa voix qu'il n'aime pas devoir s'expliquer. Mais même si le satisfaire à tous les niveaux est mon seul désir, je me rends compte que j'aime aussi le provoquer.

Je me doute que, au final, sa frustration conduira à mon plaisir.

— Zach.

Je veux qu'on s'occupe tout de suite de ce plaisir. Les contacts à la sauvette au théâtre n'ont fait que m'ouvrir l'appétit. Je veux toute une nuit, pendant laquelle je pourrai le toucher, contempler son corps magnifique, sentir ses mains habiles sur le mien.

— S'il vous plaît.

— Vous devez manger quelque chose, Devon.

S'écartant du réfrigérateur, il fait glisser sur le plan de travail un bol de framboises. Elles me rappellent la nuit où nous nous sommes rencontrés et mes joues s'empourprent.

Sa voix est tendue et l'expression de son visage me dit qu'il ne cédera pas sur ce sujet.

— Je dois être sûr que vous avez pris assez de force pour ce que je vous ai préparé. Mangez maintenant.

Ma première réaction est de refuser, juste par principe.

— Devon.

Sa voix est lourde d'exaspération; il passe de nouveau la main dans ses cheveux et tire dessus.

— Je ne devrais pas avoir à m'expliquer. Faites-le.

Je n'apprécie pas qu'il s'adresse à moi comme un parent à un enfant désobéissant. Je baisse ostensiblement les yeux vers le bol et croise les bras sur ma poitrine.

— Je veux savoir pourquoi.

Je retiens mon souffle, tendue. Je viens peut-être de pousser le bouchon un peu trop loin, et je le sais.

Il a dit ne pas être prêt à parler. D'après ce que j'ai vu, il ne le sera peut-être jamais. Mais je ne peux pas juste lui obéir aveuglément. J'ai besoin de savoir certaines choses.

Comme ce qu'il a prévu de si exténuant que je doive avoir de la nourriture dans l'estomac pour le supporter.

Des frissons de stress dansent sur ma peau encore plus fort qu'avant, et je le regarde, incertaine.

Il me jette un regard mauvais. Je refuse de baisser les yeux. Enfin, à contrecœur, il parle.

— Il y a quelques années, j'ai eu une relation avec une femme. J'avais toujours fait attention jusqu'alors et il n'était jamais rien arrivé de fâcheux. Avec elle, j'ai assoupli certaines de mes règles. Elle s'est retrouvée à l'hôpital et elle ne me l'a jamais pardonné.

Un faible son s'échappe de mes lèvres. Qu'avaient-ils fait pour que cette femme finisse à l'hôpital, quelles qu'aient été les règles? J'ouvre la bouche pour poser la question, exiger de savoir s'il prévoit quelque chose de semblable avec moi, mais il secoue la tête avant que les mots ne puissent franchir mes lèvres.

— Je ne vous dirai pas ce que j'ai prévu pour vous. Et je n'évoquerai rien d'autre de mon passé.

Un coup d'œil rapide m'apprend qu'il est très sérieux. Ces quelques phrases semblent déjà lui avoir demandé un effort considérable, et je commence à comprendre combien rendre visite aux démons de son passé lui coûte.

Gardant cela à l'esprit, je porte à mes lèvres une framboise juteuse et ronde, et en croque un morceau tout en soutenant son regard.

— Vous faites des progrès.

Un sourire soulagé et satisfait relève les lèvres de Zach, et, en réponse, je lui lance une framboise, essayant délibérément d'alléger l'atmosphère. Plus que disposé à passer à autre chose, il l'attrape dans sa bouche, ce qui m'arrache un petit rire.

Les choses semblent si légères, si merveilleusement normales entre nous que je ne peux pas croire qu'il y a encore quelques heures, j'étais persuadée que tout était terminé.

Je croque dans une autre framboise et le regard de Zach suit les mouvements de mes lèvres et de ma langue.

— Est-ce que vous avez aimé ce que nous avons vu ce soir?

Il marche – non, il fond – sur moi à travers la cuisine, et me retire le bol des mains pour me donner lui-même le fruit suivant. Je lèche le bout de ses doigts en l'acceptant, acquiesçant alors que je mâche puis avale.

— Vous êtes incroyable, Devon.

Je secoue la tête quand il me tend une autre framboise. Maintenant qu'il est si près de moi, je sens son parfum, à nul autre pareil, et le désir étreint tout mon corps.

Je ne veux plus de framboises. Plus une seule. Je le veux, lui.

Repoussant le bol avec une excitation à peine contenue, Zach s'incline vers moi et m'enlace. Je jette mes bras autour de son cou tandis qu'il me soulève littéralement du sol.

Il le fait peut-être pour me montrer son pouvoir, mais mon cœur bondit dans ma poitrine. J'essaie de repousser les sentiments que ce doux contact fait naître, sachant qu'il n'est pas en état de me les rendre, et je réussis tout juste à les dissimuler.

À cet instant précis, je suis prête à me contenter de ce qu'il voudra bien me donner. Et si cela implique de cacher le fait que je commence à tenir à lui – vraiment, sincèrement tenir à lui –, alors c'est ce que je ferai.

Il ouvre la porte de sa chambre d'un coup de pied et traverse la pièce pour me déposer doucement sur son lit soigneusement fait. Je pense à son réveil, encore emmêlé dans ses cauchemars, dans ce même lit, et l'incertitude me gagne.

Peu importe ce que je ressens au fond, je ne sais presque rien de lui. J'ignore ce qui va se passer, mais je lui fais entièrement confiance.

Je lève les yeux pour découvrir son visage fermé.

— Vous pouvez encore décider, Devon. Oui ou non.

Son expression ne révèle rien.

— Mais une fois que nous aurons commencé, vous devrez me faire confiance. La confiance est la base de toute cette relation. Il y a toujours le code de sécurité, mais vous devez être convaincue que je ne vais pas vous pousser au-delà de ce que je vous sais pouvoir supporter.

On y est. C'est maintenant que se décide le chemin que va prendre notre relation. Je pourrais dire non, je pourrais faire demi-tour et retourner à ma petite vie normale.

Une vie dont j'avais l'impression qu'elle était celle de quelqu'un d'autre. Une vie qui ne souffre pas la comparaison avec celle que j'ai découverte depuis que j'ai rencontré Zach.

— Oui.

C'est tout ce que j'ai besoin de dire. Sous mes yeux, je vois le côté dominateur de Zach se réveiller. Il semble devenir plus grand, plus fort, plus arrogant. Je sens que je me détends.

Il ne m'arrivera aucun mal en sa présence. Il me protégera au prix de sa propre vie. J'en suis sûre.

Il me fixe, sans ciller. Je soutiens son regard, que je trouve très perturbant – comme s'il sondait mon âme. Je comprends qu'il faudrait que je me mette à genoux à ses pieds, mais une petite voix dans ma tête s'y refuse encore. En compromis, je croise les mains sur mes genoux et baisse les yeux vers mes doigts fermement enlacés.

— Très bien.

Sa voix est bienveillante, comme celle d'un roi s'adressant à ses sujets. Il se penche vers moi, saisit mon menton et me fait lever la tête, me donnant la permission de le regarder dans les yeux.

— Devon, je vais aller chercher des objets que je souhaite utiliser. Quand je reviendrai, vous aurez enlevé tous vos vêtements, sauf votre culotte. Vous serez assise sur le lit exactement comme maintenant, les mains croisées sur les genoux, les yeux baissés.

Sans prendre la peine de vérifier si j'ai entendu et compris, Zach quitte la pièce. Le cœur battant, je me dépêche de faire ce qu'il a demandé.

Les doigts tremblants, je défais les nœuds de mon cache-cœur rouge. N'ayant pas la patience de le plier soigneusement, je l'attrape au vol et le pose sur la commode en bois. Il est bientôt suivi par ma jupe puis mon soutien-gorge.

De nouveau assise sur les draps frais, et ne portant plus rien d'autre que le fin coton de ma culotte blanche toute simple, je tremble, nerveuse.

J'ai adoré faire tout ce que Zach m'a fait découvrir jusqu'à présent. Je sais pourtant qu'il va m'emmener loin, bien plus loin que ce que mon esprit peut imaginer en ce moment.

Le souffle court, j'essaie de calmer ma respiration. Mes mains, croisées sur mes genoux comme il me l'a ordonné, sont à la fois glacées et moites.

Je commence à lever les yeux quand j'entends Zach revenir dans la chambre, mais je me ravise à mi-chemin, certaine que cela me vaudrait une réprimande. Je reste immobile, suivant ses mouvements en esprit alors qu'il se déplace d'un côté et de l'autre de la chambre avant d'enfin revenir devant moi.

— Déshabillez-moi.

Sa voix est rauque, son ton presque cruel. Je lève les yeux sur son visage et il grogne en guise d'avertissement, mais pas avant que j'aie pu voir qu'il était devenu quelqu'un de complètement différent. Non, ce n'est pas tout à fait vrai. Le Zach que je connais est toujours là, mais maintenant, il est aussi… quelque chose de plus. Ce que j'ai déjà vécu avec Zach me permet de savoir de quoi il est capable, même si je n'ai pas encore vu toute l'ampleur de ses pulsions dominatrices. Et le seul fait de me demander ce qui va arriver me fait instantanément mouiller.

— Commencez par la chemise.

Je me lève et tends la main jusqu'au premier bouton. Il a déjà enlevé sa cravate, et je lui en suis reconnaissante car je ne suis pas sûre que mes doigts tremblants auraient pu venir à bout d'un nœud Windsor.

Les boutons de la chemise me causent suffisamment de problèmes. Mes doigts glissent à plusieurs reprises et je dois recommencer. Il ne dit rien, faisant preuve d'une patience infinie malgré le manque d'élégance de mes gestes. Enfin, sa chemise est ouverte et révèle la splendide peau bronzée de son torse. Ma main court sur l'un de ses pectoraux et un grognement sauvage sort de sa gorge.

— Je ne vous ai pas donné la permission de me toucher, esclave.

Je sursaute. *Esclave?* Je ne suis pas du tout sûre d'aimer ça. Je lui jette un regard noir en retirant ma main, le mettant au défi de répéter ce qu'il vient de dire.

— C'est seulement en acceptant votre nature soumise que vous trouverez ce que vous recherchez, Devon.

Des picotements d'irritation courent depuis le bout de mes doigts le long de mes bras et gagnent tout mon corps.

Je ne le connais pas, mais lui ne me connaît pas non plus.

Je recule, hésitante. Je sais que je peux tout arrêter à n'importe quel moment. J'ai un code de sécurité.

Zach me regarde calmement, le visage inflexible. Pinçant les lèvres, je me dis qu'il faut que je reprenne le dessus. Est-ce vraiment si important la façon dont il m'appelle? Ça ne change rien au fait que j'ai envie de lui. J'ai tellement envie de lui.

— Voilà, c'est très bien.

Zach s'exprime alors que, ma décision prise, mes épaules se sont détendues. Son approbation me ravit. Je suis heureuse de l'avoir contenté.

— Enlevez ma chemise, puis mon pantalon.

Avec précaution, je reprends mon travail, déboutonnant les poignets de la chemise avant de la lui retirer. Sa peau nue rayonne dans la lumière déclinante qui traverse les grandes baies vitrées. Je soupire, j'ai tellement envie de le toucher.

— Zach.

J'enfonce mes ongles dans mes paumes pour m'empêcher de tendre la main vers lui. Il me jette un regard mauvais, sourcils froncés, et je comprends que j'ai mal agi.

— Dans cette chambre, vous m'appellerez «Maître» ou «Monsieur». C'est compris?

Je le fixe, bouche bée.

Sérieusement? Que lui importe la façon dont je l'appelle? Mais comme à chaque fois que je suis abasourdie par ses ordres, je réalise que cela n'affecte en rien l'intensité de mon désir.

Devant ma réaction, Zach me donne une claque sur la hanche gauche, assez fort pour me faire mal. Je tressaille et m'éloigne, mais il se rapproche, trop pour que je puisse me détendre.

— Je vous ai demandé si vous m'aviez compris. Répondez.

Il ne plaisante pas. Il n'y a aucune trace de légèreté sur son visage.

Je bafouille.

— Oui... monsieur. Je comprends.

Monsieur, ça je peux l'accepter. Mais hors de question de l'appeler *maître*.

À présent sur mes gardes, je tends la main vers la ceinture de son pantalon, m'attendant à provoquer un nouveau blâme. Mais il m'avait demandé de le lui enlever et reste donc muet quand je défais puis enlève la ceinture avant d'ouvrir la braguette et de faire tomber le pantalon par terre.

— Ramassez-le.

Je me penche et récupère le vêtement, le plie soigneusement et le pose sur la commode avec mes propres affaires. J'enroule la ceinture par-dessus, frissonnant – à la fois de plaisir et de méfiance – en me rappelant l'usage qu'il en a fait il y a quelques jours.

— Venez ici.

Nerveuse, je m'avance. Il est splendide, complètement dévêtu devant mes yeux... que je n'ai pas le droit de lever.

Quand je le rejoins, il me retourne, glissant ses mains sur mes épaules et le long de ma cage thoracique. Puis il effleure la zone sensible à la naissance de mes seins, en remontant le long de mon corps.

Il fait délicatement courir ses doigts dans ma nuque et empoigne ma queue-de-cheval qu'il tire doucement. Je sens qu'il en rassemble les mèches en nœud afin que la masse de mes cheveux ne le gêne pas.

— Maintenant, parlons de votre punition.

J'inspire brusquement quand, ses mains pressant mes hanches, il m'attire brusquement contre lui. Sa queue, maintenant dressée même si elle n'est pas encore complètement dure, vient se nicher dans la raie de mes fesses, et je résiste à l'envie de me frotter à lui.

— Ma punition?

Je suis sincèrement perplexe. J'essaie de suivre ses ordres, j'essaie vraiment.

— Même si votre comportement laisse largement à désirer, il n'y a qu'une seule chose pour laquelle vous serez punie ce soir.

Ses lèvres effleurent mon oreille et je frissonne involontairement alors même que mon ventre se noue.

Ça ne va pas me plaire. Je ne sais pas pourquoi, mais j'en suis sûre. Pourtant, la caresse de ses doigts qui suit le souffle chaud sur mon cou me dit que j'aimerai tout ce qu'il me dira d'aimer.

— Qu'est-ce que j'ai fait?

Un pincement dans la zone délicate où mon cou rejoint mon épaule me rappelle que je n'ai pas le droit de parler. Serrant les dents, frustrée, je me tais alors que je n'en ai aucune envie.

— Votre ancien amant a posé les mains sur vous.

Sous le choc, j'essaie de me retourner, de le confronter à l'injustice de cette déclaration. Ses mains agrippent ma taille et me maintiennent immobile. Je dois parler sans le regarder.

— C'est tout à fait injuste. Je n'ai pas demandé à Tom de venir à San Francisco. Et je ne lui ai certainement pas demandé de me toucher!

Il ne peut pas être sérieux. C'est impossible.

Il me maintient fermement par la taille.

— Vous lui avez donné l'occasion de poser la main sur vous.

Je bondis en avant jusqu'à me libérer de l'étreinte de Zach et me retourner pour lui faire face. Comme s'il s'y attendait, il ne dit rien et se contente de me regarder d'un air pensif.

— On est allés prendre un café, Zach. Un café. Et ça m'a permis de tourner la page. Alors où est le problème?

Je me rends compte que je suis en colère, vraiment en colère, maintenant. D'une certaine façon, je pensais que ces jeux, auxquels Zach et moi nous livrons, étaient basés sur l'honnêteté. Mais ça, ça ressemble à une ruse.

— Vous n'avez pas pensé à ce que vous voir avec un autre homme me ferait.

Ces paroles me touchent. J'ouvre la bouche pour répondre, puis renonce quand je me rends compte que je n'ai rien à dire.

En me disant ça, en me punissant pour ça, il se dévoile en partie. Il vient d'avouer que j'ai le pouvoir de le blesser. Et que me voir avec un autre homme, un homme avec qui j'étais sortie, l'avait blessé.

Cela me donne encore plus envie de lui faire plaisir.

Mais quand même…

— Vous ne m'avez pas déjà punie pour ça?

Je pense à la douleur causée par le cuir souple de sa ceinture, et je sens le désir monter en moi.

Zach secoue la tête, une lueur amusée dans les yeux.

— Un coup rapide dans un ascenseur n'est pas une punition appropriée pour ce que vous m'avez fait ressentir, Devon.

D'un geste, il m'incite à regarder de l'autre côté de la chambre. Je me retourne et vois un large poteau en bois se dressant à côté de la grande baie vitrée. Appuyé contre ce poteau, on peut regarder les vagues déchaînées au-dehors.

Enroulé au pied du poteau, sur le sol, j'aperçois le fouet que j'ai déjà tenu dans ma main. Je sens mon cœur se serrer puis se mettre à battre deux fois plus vite.

Je sais, sans aucun doute possible, que ce n'est pas moi qui recevrai les coups de fouet.

— Vous avez dit que vous me fouetteriez, si je le voulais toujours.

L'expression dans les yeux de Zach est neutre. Son besoin d'être puni est plus profond que ce que j'avais imaginé.

J'essaie de cacher la compassion qui m'envahit, car je sais qu'il ne l'apprécierait pas du tout. Qu'est-ce qui peut bien déchirer son âme? Qu'est-ce qui le pousse à désirer une telle punition?

— Zach.

La dernière fois, sa demande m'avait semblé être une réaction instinctive, un moyen de gommer les restes de son cauchemar. Maintenant, je vois à quel point il le désire vraiment, profondément. Je comprends aussi que ce n'est pas uniquement pour lui.

Il sait que je suis mal à l'aise avec ça. C'est donc ma punition pour le mépris dont j'ai fait preuve vis-à-vis de ce qu'il ressentait. J'aimerais pouvoir lui expliquer que ce n'était pas fait intentionnellement.

En fait, je ne savais absolument pas que j'étais capable de lui faire ressentir quoi que ce soit.

Émue, en proie à des vertiges, je traverse la pièce et ramasse le fouet. Mes doigts sont froids, engourdis et je me sens maladroite quand ils saisissent le manche épais.

Je ne peux pas parler. Mais je peux lui offrir ça. Je me mets à trembler. Je lève les yeux sur l'homme magnifique et complexe qui se tient devant moi, et je hoche la tête, une fois.

— C'est bien.

Il n'est pas aussi enthousiaste qu'il pourrait l'être après avoir gagné cette bataille. Alors qu'il traverse la pièce jusqu'au poteau, je vois la raideur de son corps, et je commence à comprendre à quel point son besoin de mélanger douleur et plaisir est lié à ses cauchemars.

— Vous vous rappelez comment on fait?

Il se tourne et me regarde avant de s'appuyer face au poteau. Je laisse mon esprit se souvenir de la sensation de sa main sur la mienne, du mouvement dans l'air, du claquement du fouet quand il touche le sol.

Je frissonne – et ce n'est pas de plaisir – avant de me forcer à acquiescer.

— Je m'en souviens.

Ce que je m'apprête à faire, c'est uniquement pour lui.

Hébétée, je le regarde prendre position. Il lève les bras au-dessus de la tête, appuie la joue contre la surface lisse et claire et écarte les jambes.

— Vous allez me donner cinq coups.

Sa voix m'incite à ne pas discuter.

— Et si vous vous retenez, je le saurai.

Je le regarde fermer les yeux. Appuyé contre le poteau, il est complètement exposé. Les ombres du crépuscule jouent sur son corps splendide. Je suis absorbée par la pensée de l'étonnant contraste entre une apparence aussi parfaite et un esprit aussi torturé et meurtri.

— Devon!

Il a parlé entre ses mâchoires serrées. Je grimace avant de lever le fouet.

Je vais faire vite, et je serai débarrassée.

Chaque muscle de mon corps est tendu. Mais malgré moi, je peux sentir à quel point il a besoin de ce que je m'apprête à lui faire. La main levée, je me fige. Je ne suis pas sûre d'être capable d'aller jusqu'au bout.

Puis je regarde l'homme qui se tient devant moi. Je lui ai demandé de s'ouvrir. Et même si ce n'est pas du tout ce que j'avais imaginé, il a exaucé mon vœu.

Fermant les yeux, je fais voler le fouet.

Je sais avant qu'il finisse sa course que j'ai manqué Zach. L'extrémité de la lanière s'abat sur le sol quelques centimètres à droite de son pied.

Il ne dit rien. Ni réprimande ni encouragement. Je regarde son reflet dans la vitre. Il attend, les yeux fermés, le visage neutre.

C'est une sensation brute qui m'envahit quand je le regarde, debout devant moi. Des sentiments dont je ne veux pas étreignent mon cœur avec avidité et le serre fort.

À cet instant, je ferais n'importe quoi pour lui. Alors je lève de nouveau le fouet, et cette fois-ci, j'atteins ma cible.

À la seconde où le cinquième coup de fouet claque, je m'écroule sur le sol, mes genoux ne pouvant plus me porter.

Même si ma gorge est serrée par l'émotion, mes yeux restent secs quand je regarde l'homme devant moi quitter le poteau, le dos zébré de rouge et une petite coupure écarlate là où le fouet a mordu trop profondément.

— Je suis désolée.

Mon cœur bat à tout rompre, le sang tambourine à mes oreilles comme les sabots d'un cheval au galop.

— Je suis vraiment désolée. Pardon, s'il vous plaît, pardonnez-moi.

Je me mets à trembler, je suis prise d'un froid glacial. Zach se jette à genoux à côté de moi, et couvre de baisers mon visage, mes épaules et mon cou.

— Ne soyez pas désolée, vous êtes adorable.

Il a l'air plus léger qu'il ne l'a jamais été depuis que je l'ai rencontré, comme si les coups de fouet avaient chassé une partie des démons qui le hantent.

— Vous m'avez tellement aidé. Vous vous en êtes très bien sortie. C'est le moment de vous récompenser.

Je ravale mes larmes, bien décidée à ne pas pleurer. Je le contemple les yeux écarquillés alors qu'il se redresse et m'aide à me relever.

Il se régale de la vue de ma peau nue. Je sens mon corps froid se réchauffer sous son regard. Sa queue se dresse alors qu'il fixe la chaude humidité entre mes jambes, en partie dissimulée par le fin coton blanc de ma culotte.

— Enlevez ça.

Il est de nouveau aux commandes. J'ai l'impression qu'une partie du moi que je connaissais a été pulvérisée. Je n'ai pas la force de discuter ou de l'interroger.

Je passe les doigts dans l'élastique et fais glisser la pièce de coton jusqu'au sol.

Zach mange du regard ma chatte ainsi dénudée.

— Asseyez-vous au bord du lit.

J'obéis pendant qu'il apporte près de moi un grand sac. Il en sort deux objets, un que je reconnais – c'est un tube de lubrifiant – et l'autre non.

Il me tend celui qui m'est inconnu. Il est composé de quatre perles reliées l'une à l'autre, chacune plus grosse que la précédente, avec un anneau à l'une des extrémités. Je n'arrive pas à imaginer à quoi il peut servir.

— Vous avez aimé regarder ces deux hommes baiser ensemble au club, n'est-ce pas?

Pendant qu'il parle, il dévisse le bouchon du tube de lubrifiant.

La chaleur se répand sur ma peau quand il étale le gel épais et clair sur le chapelet de perles que je tiens dans les mains.

— Vous savez bien que oui.

Ce qui m'a encore plus excitée, c'est que le très viril Zach apprécie la scène autant que moi.

— La pénétration anale procure du plaisir aux hommes comme aux femmes.

Refermant le tube de lubrifiant, Zach en enduit mes doigts. Mon corps tout entier vibre d'excitation.

— Vous m'avez fait souffrir ce soir. Maintenant, je veux avoir ma part de plaisir. Il me tourne le dos. Mes yeux se trouvent au niveau de sa taille si svelte, et je sens mon clitoris battre sous l'effet d'une extrême excitation.

Je ne l'aurais jamais imaginé, mais ça me plaît, ça me plaît vraiment.

— Que… qu'est-ce que je dois faire?

Je sens de nouveau qu'il m'autorise à prendre les commandes, même si c'est lui qui me dit quoi faire.

Jamais auparavant je n'avais eu un tel sentiment de contrôler la situation. Et j'adore cette sensation.

— Passez-moi du lubrifiant.

J'obéis, posant mes mains lubrifiées sur sa chair et y étalant le gel.

Tout à fait consciente du but de la manœuvre, je retiens mon souffle et fais courir un doigt dans la raie de ses fesses. Alors que j'appuie à l'orée de son anus, le bout de mon doigt érafle sa chair qui se contracte.

Il grogne puis pousse un long gémissement.

— Maintenant, prenez les perles.

Je retire les doigts de sa chaleur, frissonnante de désir.

— Tenez-les par l'anneau, puis poussez la plus petite perle juste là où se trouvait votre doigt.

J'obéis, les nerfs à vif. Je place la plus petite perle devant son anus et pousse doucement.

Zach pousse un gémissement étranglé et tend les fesses vers moi. La première perle entre en lui.

Alors que de la sueur brille sur mon front, je sens que je mouille de plus en plus.

— Maintenant, les suivantes.

Faire pénétrer les plus grosses perles s'avère plus délicat, car sa chair se contracte. Mais bientôt, les quatre perles sont enfouies bien profond en lui, et l'anneau ajusté contre les globes musclés de son cul.

Zach se retourne, sa queue si gonflée qu'elle ne peut qu'être douloureuse. Empoignant mes cheveux, il m'attire juste assez près de lui pour que je l'atteigne. Je passe la langue sur le liquide qui perle de son gland.

— Un jour, je vous prendrai par derrière.

Je gémis, puis referme la bouche sur son gland. Il me permet seulement d'y goûter avant de me repousser sur le lit et de me mettre sur le ventre.

Un doigt descend le long de ma colonne vertébrale, fait le tour de mes fesses puis fouille l'humidité de mon sexe. Utilisant cette humidité pour se faciliter le chemin, il place un doigt contre mon anus et pousse jusqu'à passer la bague serrée.

Je pousse un cri, pressant mon visage sur les draps frais du lit. Avec juste le bout de son doigt, il va et vient, jouant avec moi, me donnant un aperçu de ce qu'il doit lui-même ressentir en ce moment même.

— Vous avez été très patiente, Devon.

Il retire son doigt et je le sens tendre la main vers le sac qui contenait les perles anales et le lubrifiant. Ce qu'il en sort semble métallique, au bruit qu'il produit. Je lève la tête, tentant de voir de quoi il s'agit.

— Il faut que vous patientiez encore un peu plus, petite coquine.

Me prenant par les hanches, il me fait glisser jusqu'à ce que mon pelvis et mes jambes soient hors du lit. Puis il met ses mains entre mes cuisses et les écarte.

— Écartez vos jambes le plus possible.

Il s'agenouille derrière moi sur la moquette.

— Je vais aller plus profondément en vous que quiconque auparavant.

Il place une main à l'intérieur de ma cuisse. De l'autre, il enfonce un doigt dans ma chatte offerte, faisant plusieurs rapides va-et-vient successifs.

Je pousse mes hanches vers lui, autant que le permettent mes jambes très écartées.

— Je vais vous prendre jusqu'à ce que vous soyez endolorie. Demain, à chaque fois que vous bougerez, vous penserez à ma queue, profondément enfoncée dans votre con.

— Zach.

Je m'agite. Je veux – non, j'ai besoin – qu'il me touche.

— Je n'ai pas encore fini.

Ce n'est qu'à ce moment-là qu'il me montre ce qu'il a sorti du sac. L'objet ressemble à une fine pince à linge argentée. Il y en a deux identiques, et je les regarde avec méfiance, certaine que je ne vais pas aimer ce qui va se passer.

— Ça va faire mal.

Je couvre ma poitrine de mes mains. Zach lève les sourcils, et, à contrecœur, je baisse les bras.

— Je vous ai promis de ne pas vous pousser au-delà de vos limites.

Avant que je puisse dire un mot de plus, il fait rouler mes tétons déjà pointés dans ses doigts, les tirant et les pinçant jusqu'à ce qu'ils soient bien durs. Je tends involontairement la poitrine vers ses mains habiles qui placent la pince au bout d'un de mes seins.

— Aïe!

Je me secoue, espérant la faire tomber. Il profite de ma distraction pour pincer mon second sein. J'inspire brusquement quand la douleur se répand telle une traînée de feu sur les deux globes lourds de mes seins, puis sur mes clavicules et irradie ma cage thoracique, rendant ma respiration difficile.

— Une de plus.

Il me soulève une nouvelle fois et me retourne. Je me retrouve à plat ventre sur le lit, mon cul totalement offert. La douleur des pinces diminue un peu quand mes seins appuient sur le lit, mais je sens le sang affluer là où le métal comprime mes chairs, et je sens les pointes de mes tétons s'engourdir. C'est un mélange de sensations incroyablement étranges.

— Et maintenant...

Zach sort un dernier objet de son sac magique. Il le lève pour que je puisse le voir. Je découvre le bois pâle de ce qui est immanquablement un battoir. Un de ses côtés est poli et brillant, l'autre recouvert d'une sorte de fourrure. Je secoue la tête avec véhémence.

— Hors de question.

Je veux juste qu'il me prenne enfin – est-ce vraiment trop demander? Je l'ai fouetté, j'ai des pinces sur les tétons et je ne peux pas refermer les jambes. Je ne crois pas pouvoir en supporter plus.

Zach s'immobilise. Son visage est grave quand il baisse les yeux vers moi.

— Vous voulez vraiment dire non, Devon?

Ses yeux scrutent mon visage à la recherche de la vérité.

— Est-ce que vous êtes en train d'utiliser votre code de sécurité?

J'ouvre la bouche, puis la referme. Si j'utilise le code de sécurité, alors ça – tout cet étrange voyage sensoriel et émotionnel – sera terminé.

Non. Je ne vais pas y mettre fin maintenant.

Je prends une profonde inspiration en pensant à ce battoir cinglant la peau nue de mes fesses, enfouis mon visage dans les draps et attends qu'il fasse ce qu'il veut.

— Je vous donnerai seulement dix coups ce soir. Vous avez déjà supporté beaucoup aujourd'hui.

Je manque m'étouffer. *Seulement* dix coups?

Merde.

— Comptez pour moi, Devon.

C'est le seul avertissement qu'il me donne, puis la face lisse du battoir s'abat sur ma fesse droite. Je pousse un cri quand le feu se répand sur ma peau.

— Un.

J'inspire et attends le second coup. Mes fesses sont brûlantes dans l'air frais.

— Deux!

Le coup tombe sur mon autre fesse, qui brûle tout autant.

Trois, quatre. Neuf, dix. Je hurle le dernier chiffre, le battoir sur ma peau cuisante est trop dur à supporter. Des larmes coulent de mes yeux et j'enfonce mes doigts dans les draps, haletante alors que je m'efforce de reprendre ma respiration.

J'entends celle de Zach derrière moi, elle aussi laborieuse. Je sais que si je me retourne, je le trouverai plus dur que jamais, prêt à plonger dans ma chaleur impatiente.

Mais avant ça, je sens quelque chose de doux passer sur mes fesses. Je grimace et m'écarte avant de réaliser qu'il est en train de caresser ma peau à vif avec le côté du battoir recouvert de fourrure.

Même si la sensation est d'abord étrange, je finis par m'abandonner à ce contact rafraîchissant et apaisant.

Puis le battoir disparaît. Je l'entends tomber au sol et je me prépare à ce que je sais arriver.

Mais c'est quand même un choc quand Zach m'agrippe par la taille, presse mes fesses écorchées contre son pelvis et me pénètre en une poussée brutale. Je ne peux pas me contenir plus longtemps et je crie en me sentant remplie à la limite de l'inconfort.

Il n'est pas doux et il est imposant. Il me maintient jambes écartées avec les muscles tendus de ses cuisses. Je ne peux rien faire pour lutter contre l'assaut des sensations, et je dois accueillir toute sa longueur et toute son épaisseur dans mon corps qui se rebelle face à cette intrusion.

— Aaah!

Il est si envahissant, et je ne peux pas bouger pour soulager cette impression. Quand il commence à bouger en va-et-vient profonds, rapides et brutaux, la douleur arrache une intense excitation du plus profond de moi. Je sens que je me mets à trembler autour de lui.

— Pas tout de suite.

Il glisse ses mains entre mon torse et le lit pendant que je me tends, anticipant l'orgasme. Les doigts de Zach trouvent la pointe de mes seins et d'un mouvement rapide, il ôte les pinces.

— Putain!

Le sang afflue immédiatement dans mes tétons engourdis, les rendant si incroyablement sensibles que le simple frottement des draps me fait basculer. Je pousse un cri long et puissant quand l'orgasme fait éclater le monde autour de moi, mon corps disloqué par le plaisir que Zach m'a fait découvrir.

— Ça suffit.

Il retire sa queue de mon sexe ruisselant et me fait rouler sur le dos. Il s'installe entre mes jambes écartées et s'enfonce de nouveau en moi, tout en se penchant pour sucer mes tétons encore brûlants. Sa bouche est chaude et humide.

Zach continue à sucer mes seins et fait rouler mon clitoris entre ses doigts habiles et la jouissance m'emporte à nouveau, et roule, encore et encore. Faiblement, comme de très loin, j'entends Zach me crier d'enlever les perles.

Comme si je me frayais un chemin dans un brouillard de plaisir, je tends la main, cherche l'anneau et tire aussi fort que je peux, pendant que l'orgasme monte. Je sens la première perle céder, puis la seconde et les deux dernières d'un coup.

Zach se retire pendant que j'extrais les perles de son corps. Il pousse un cri rauque et je sens son sperme inonder la peau sensible de mon ventre.

Je ferme les yeux. Je veux savourer toutes les nuances de ce que je ressens. Quand j'ouvre brièvement les paupières, Zach se tient au-dessus de moi. Ses yeux incroyables me contemplent avec satisfaction, fierté, et avec quelque chose d'autre que je n'arrive pas à identifier.

Je lui souris, puis je referme les yeux, m'accrochant au bonheur qui m'emporte.

Pour la première fois depuis longtemps, je suis en paix.

Les premiers rayons du soleil inondent le lit quand nous nous installons enfin pour dormir. Je me prélasse dans la lumière vive, étendue sur le lit à côté de Zach.

Je porte un de ses T-shirts. Il ne porte rien. Les draps sont tombés pendant la nuit, et je me blottis contre Zach pour profiter de sa chaleur dans l'air frais du matin.

Je ne me rappelle pas m'être jamais sentie plus heureuse, vraiment et sincèrement heureuse.

Après que Zach a tendrement massé mes fesses à vif avec une crème à l'arnica et au thé à l'odeur fraîche, il m'a emmenée dans sa gigantesque baignoire où il a lavé les traces de notre passion avec de l'eau chaude et des baisers. Après une heure passée à nous savonner et à nous caresser, nous sommes retombés dans le lit et nous avons de nouveau fait l'amour.

Ma petite coquine. Il a murmuré ces mots à mon oreille en savonnant ma peau, et je ne peux pas m'empêcher de me demander s'il s'est rendu compte de ce qu'il avait dit. Quoi qu'il en soit, ces mots doux ont fait battre mon cœur.

Même sans battoir, perles anales ou pinces à sein, il m'emmène dans des endroits où je n'aurais même pas rêvé aller.

Je suis épuisée, mais je me sens merveilleusement bien. Quand Zach parle, ce qu'il me dit semble trop beau pour être vrai.

— Allons à Cambria.

Je me relève sur un coude pour pouvoir voir son visage. Il a l'air sérieux, et je sens mon cœur se serrer dans ma poitrine.

— Pourquoi?

La nuit a renforcé mes sentiments, au point que j'irais maintenant n'importe où s'il me le demandait.

Même si je sais que je ne devrais pas, je ne peux pas réprimer l'espoir qu'il a peut-être, juste peut-être, aussi des sentiments pour moi. Des sentiments qui vont au-delà du sexe et de son besoin de me dominer.

Je regarde Zach, visiblement gêné par mon regard inquisiteur, et je me mords la langue. Il était si insouciant, si libre pendant la nuit. Je ne veux pas gâcher tous les progrès que nous avons faits en disant ce qu'il ne faut pas.

— J'adore Cambria. Vous adorez Cambria.

Roulant sur lui-même, il pose sa tête dans ses mains.

— Tout un week-end pendant lequel je vous donnerai du plaisir de toutes les façons que je veux, dans un endroit que nous aimons tous les deux. Ça me semble être une bonne idée.

Mes doigts aimeraient parcourir les lignes rouges sur son dos, les bleus là où le fouet a coupé sa peau parfaite. Mais je sais que si je le fais, les ombres qui l'ont conduit à exiger ces coups remonteront à la surface.

Encore une fois, je me mords la langue. J'ai juste envie de profiter du plaisir de sa compagnie, de cette intimité légère autant qu'elle durera. Je ne crois pas que cela soit trop demander.

— Ça me semble aussi être une bonne idée.

Incapable de résister, j'enfouis mes doigts dans la soie de ses cheveux, et je sens son parfum qui s'en échappe.

Alors que je me rallonge à côté de lui sur le lit, il s'enfonce dans le matelas, en essayant de s'installer confortablement pour dormir. Il relève la tête pour me dire une dernière chose avant de s'assoupir.

— On peut dormir aussi longtemps qu'on veut. Ensuite, Charles nous y conduira.

Satisfait, il se rallonge, me laissant figée sur place, mécontente.

— Hum... Zach? On ne peut pas... on ne peut pas y aller seuls? Juste tous les deux?

J'aime bien Charles, vraiment. Mais il ne cadre pas avec ce que je me suis imaginé : Zach et moi loin de la ville, une chance de briser l'armure dont il se protège en permanence.

Je le sens se raidir à côté de moi. Il ne bouge pas, mais toute trace de sommeil a disparu de sa voix quand il reprend la parole.

— Charles doit venir, Devon. Je ne conduis pas. Nous en avons déjà parlé.

Il se tourne sur le côté, me signifiant que la conversation est terminée.

La paix idyllique que je ressentais a disparu en une seconde. Je suis troublée. En colère contre les règles si ridicules qui régissent sa vie – des règles qui m'affectent moi aussi. En colère qu'il ne puisse, ne veuille pas me donner d'explication. Ni même faire le moindre compromis.

— Mais moi je peux conduire, Zach. Comme ça, on serait juste tous les deux.

Ça me paraît logique – c'est même beaucoup plus intelligent que de demander à quelqu'un d'autre de nous conduire jusque là-bas, seulement pour passer son temps à attendre que nous ayons décidé de revenir.

— Non.

Il reste allongé, et j'ai envie de le frapper sur la tête avec un oreiller. La question ne sera pas réglée tant que nous ne nous serons pas mis d'accord tous les deux. Et je ne suis pas d'accord.

— Zach, ça n'a pas de sens. Je peux conduire. J'ai un permis de conduire valide. S'il vous plaît…

Ma voix se fait plus douce. Je ne vais pas le supplier, mais je me rends compte que j'ai vraiment envie de cette escapade avec lui.

— Je veux être seule avec vous.

Enfin, Zach se rassoit. Il se tourne pour me faire face, et j'ai alors l'impression que de l'eau froide s'écoule lentement sur tout mon corps. Il affiche un rictus cruel et ses yeux ressemblent à de la glace noire.

— Mais il ne s'agit pas d'une relation donnant-donnant, dans laquelle on peut discuter des choses, Devon.

Il se lève et baisse les yeux vers moi, avec la même expression impitoyable. Je me sens soudain idiote de m'être enveloppée dans son T-shirt de sport gris trop grand pour moi, comme une lycéenne qui porte le blouson de son petit ami.

— Qu'est-ce que c'est alors? Vous n'avez qu'à m'expliquer!

Je me lève à mon tour, décidée à l'affronter sur un pied d'égalité. Je peux déjà sentir mon cœur se briser une nouvelle fois.

— Je vous ai toujours dit qu'il y avait des parties de ma vie que je ne partagerai pas. Je vis ma vie de cette façon pour des raisons qui me concernent moi et personne d'autre. C'est comme ça, et c'est à prendre ou à laisser.

Son expression me dit qu'il n'est pas particulièrement intéressé par l'option que je choisirai.

Pendant un moment, j'ai été convaincue que je représentais quelque chose pour lui, quelque chose de plus que du sexe, même s'il n'avait aucune idée de la façon d'aborder une relation classique.

Mais nous sommes déjà passés par là depuis notre rencontre. Je commence à comprendre que je me comporte comme une idiote, et que je ne peux même pas lui reprocher de me donner de faux espoirs.

Il m'a dit ce qu'il voulait et ce qu'il ne voulait pas. Il a toujours été parfaitement honnête. J'ai choisi de ne pas l'écouter, d'essayer de lire entre les lignes, de tirer des plans sur la comète.

Mais il est hors de question que je le laisse voir à quel point je suis affectée. Je suis plus forte aujourd'hui que je ne l'ai jamais été. À défaut d'autre chose, Zachariah St Brenton m'a montré que je vaux bien plus que je ne le pensais.

Je mérite quelqu'un qui me veut de la même façon que je le veux, lui.

Je suis là, debout, dans son T-shirt, pendant que l'homme que je veux si désespérément s'en va et s'enferme dans la salle de bains, m'ignorant comme il l'a fait si souvent auparavant.

Oui, je mérite quelqu'un qui me donne tout ce que je désire. Le problème, c'est que tout ce que je désire, c'est Zachariah St Brenton.

13

J'aimerais boire mon café, mais j'ai les mains qui tremblent. Après une nuit sans sommeil, ce simple geste me semble au-dessus de mes forces. Je suis arrivée au bureau il y a déjà une heure, pensant que mon boulot pourrait m'apporter une distraction bienvenue.

Mais en réalité, tout m'y fait penser à Zach. C'est une vraie torture. J'ai l'impression que des milliers de petites aiguilles s'acharnent sur ma peau.

Je change de position sur mon siège, les fesses encore endolories et brûlantes malgré la crème apaisante dont m'a frictionnée Zach et le long bain chaud que nous avons partagé ensuite. Et cette sensation inconfortable ranime ma colère.

Nous deux, c'est terminé. Après tout ce que j'ai vécu avec lui, j'en suis absolument et complètement sûre.

Pourtant Dieu sait que j'ai essayé ! J'ai tenté des expériences qui m'ont profondément choquée, simplement dans le but de lui plaire. Je l'ai laissé m'attacher, me fesser avec un battoir comme une enfant impertinente.

Au bout du compte, rien de tout ça n'a d'importance. Il ne peut pas me donner ce dont j'ai besoin. Il m'avait prévenue, mais j'ai continué à espérer, à attendre plus de lui que ce qu'il pouvait me donner. Et voilà où j'en suis maintenant. J'ai beau lutter, ce rejet – ce nouveau rejet – fait ressurgir mon manque de confiance en moi. Le doute menace de m'étouffer.

Ressaisis-toi, Devon. D'un air décidé, je repousse mon café sur mon bureau – de toute façon, il est froid maintenant – et je m'installe devant mon clavier. Il est bientôt huit heures, et mes collègues arrivent au compte-gouttes, ce qui me permet au moins de me changer les idées.

Ça fait du bien de penser à autre chose. Dorénavant, j'accueillerai avec plaisir tout ce qui pourra m'aider à oublier Zachariah St Brenton.

— Bonjour, Devon! lance Tony avec un grand sourire, en posant deux gobelets sur son bureau avant d'enlever sa veste.

Il me dévisage et n'essaie même pas de cacher qu'il est fâché de découvrir les cernes qui marquent mon visage.

— J'ai pris ça pour toi.

Il s'avance et pose un gobelet sur mon bureau.

Je cligne des yeux, aussi surprise que ravie. De temps en temps, mes collègues s'offrent des cafés ou des muffins.

Mais personne n'avait encore pensé à me faire bénéficier de cette tradition. Je ne suis pas dans la boîte depuis assez longtemps pour m'être fait des amis et l'attention toute particulière que me porte le PDG n'arrange pas mon cas… La plupart des employées de l'entreprise m'ont même prise en grippe.

Un sourire sincère passe sur mes lèvres alors que j'entoure le gobelet de mes mains, savourant sa chaleur.

— Merci, Tony! lui dis-je avec un sourire sincère. Je te dois combien?

Je le vois froncer les sourcils. D'un signe de la main, il m'indique de ne pas m'inquiéter pour ça.

— Absolument rien, répond-il. Tu m'inviteras la prochaine fois!

Ce sentiment soudain d'être enfin acceptée par un collègue se mêle à toutes les émotions indéfinies que Zach provoque en moi, et c'est la goutte d'eau qui fait déborder le vase. Je sens les larmes me monter aux yeux.

— Eh, qu'est-ce qui ne va pas? m'interroge Tony, inquiet.

Il passe derrière moi et frictionne mes épaules d'une main réconfortante.

— Je ne t'apporterai plus de café, c'est juré!

Malgré ma gorge nouée, j'éclate de rire. Je ne sais pas trop ce que m'inspire son geste. Tony essaie gentiment de me consoler, mais j'ai trop souvent surpris ses regards intéressés pour imaginer que ce contact est strictement amical.

Je me demande comment inviter poliment Tony à retirer ses mains quand, tout à coup, je sens ses doigts s'enfoncer dans mes muscles.

— Aïe!

Je sursaute de douleur et m'écarte de lui.

— Qu'est-ce qui te prend?

Glissant derrière l'oreille une mèche de cheveux indisciplinée, je relève les yeux, et c'est à mon tour de me crisper. Je serre les poings et prends une grande inspiration.

— D'où est-ce qu'il sort?

Zach traverse le bureau bondé du service comptabilité et fond droit sur nous – je ne vois pas d'autre terme pour décrire sa démarche. Il me fait penser à un félin, souple, gracieux et prédateur. Son expression courroucée ne laisse pas de place au doute : ce qu'il voit le met dans une colère noire.

— Monsieur Figuero, commence-t-il en fixant Tony d'un regard glacial. Dois-je vous rappeler, poursuit-il sans même m'accorder un regard, que le règlement interdit les relations personnelles au sein d'un même service?

— Non, Monsieur, répond Tony, la voix tendue, en s'écartant un peu plus de moi.

Il se dirige ensuite vers son bureau, sans même oser se tourner vers moi. Je me redresse sur mon siège, indignée.

Quel culot! Je n'arrive pas à y croire. En intervenant de cette façon, Zach se comporte comme un mari jaloux. Il peut invoquer le règlement de l'entreprise tant qu'il veut, nous savons tous très bien ce qu'il est en train de faire. Il marque son territoire.

Et après la façon dont il s'est comporté hier soir, il n'en a pas le droit. Tout est fini entre nous.

Je me lève, bien décidée à le lui dire clairement. J'espère juste réussir à parler malgré ma gorge serrée et les larmes de colère que je sens monter.

— Venez avec moi, s'il vous plaît, m'ordonne-t-il d'un ton autoritaire sans que j'aie le temps de dire quoi que ce soit.

D'une seule phrase, il a désamorcé toute réaction de colère. Je lui jette un regard noir, suspicieux.

— Où ça?

Ce que je vis avec Zach, c'est un ascenseur émotionnel permanent. J'ai besoin qu'il me dise clairement quelles sont ses intentions, et maintenant.

Il soupire et passe la main dans ses cheveux, un geste que j'adore. Mais je fais de mon mieux pour réprimer le désir qu'il fait immédiatement naître en moi.

— Suivez-moi, il n'y en aura que pour une seconde.

Toujours très contrariée, j'accepte finalement de le suivre dans un bureau inoccupé. Il ferme la porte derrière nous et plante son regard dans le mien.

— Allons à Cambria, Devon. Là, tout de suite.

J'en reste bouche bée.

— Qu'est-ce qui a changé depuis hier? dis-je en inclinant la tête, perplexe.

— On en parlera en chemin.

Il se balance sur ses talons, visiblement impatient que nous partions.

Je m'appuie sur le bureau. Je vois par la vitre que tous les employés du service se sont arrêtés de travailler et observent le mystérieux milliardaire.

C'est plutôt bon signe qu'il vienne me rendre **visite**, je le sais… mais je suis encore trop en colère contre lui, et il est hors de question de lui faciliter la tâche.

— Si vous ne me dites pas ce qui a changé maintenant, je n'irai nulle part!

L'expression de domination qui passe sur son visage m'arrache un frisson. Est-ce qu'il va m'attirer sur ses genoux et me donner une fessée, là, tout de suite, pour me punir de ma désobéissance?

Mais contrairement à ce que je crains, je le vois lutter pour contenir sa colère en respirant profondément. Son attention est entièrement fixée sur moi, comme si nous n'avions pas de spectateurs.

— J'ai envie de vous dire tout ce que vous voulez savoir, Devon…

Sa voix est un murmure, mais je suis si concentrée sur ce qu'il dit que les mots m'ont semblé forts et clairs.

— … mais je ne suis juste pas encore prêt.

Ces mots me font l'effet d'une douche glacée. Je secoue lentement la tête, déçue, avant de me détourner.

— Alors ce n'était pas la peine de venir, Zach.

J'ai l'impression qu'on me broie le cœur. Je sens que je me mets à trembler, mais refuse de craquer. S'il y a bien une chose que j'ai apprise de Zach, c'est que je suis plus forte que ça.

Après avoir pris une grande inspiration, je quitte le bureau et rejoins mes collègues. Pendant quelques minutes, les conversations sont chuchotées, mais comme j'évite de croiser le regard de qui que ce soit, elles finissent par reprendre normalement.

— Devon.

Je refuse de me retourner même si j'entends l'anxiété dans sa voix. Une anxiété que je n'ai observée qu'une fois auparavant : après son cauchemar.

— Je vous laisserai conduire.

En me maudissant, je me retourne. Il agite un porte-clefs devant moi.

Et ce que je découvre sur son visage, c'est une vulnérabilité inconnue. Il a baissé quelques-unes de ses défenses. Tout ce dont j'ai envie maintenant, c'est de le serrer dans mes bras et de ne plus jamais le laisser partir. Je n'en reviens pas qu'il soit venu me voir ici, devant tout le monde... C'est sûr, les rumeurs auront fait le tour de la boîte d'ici à la fin de la journée !

Et c'est ça qui, finalement, fait pencher la balance. Ça ne doit pas être facile pour lui de venir ici. De faire ça. À sa façon – exaspérante, c'est vrai –, il fait un effort.

Alors moi aussi, je vais faire un effort.

— J'ai du travail.

Même si ma décision est prise, j'ai encore besoin de faire semblant.

— Je crois savoir que vous avez vos entrées auprès du grand patron, dit-il, sarcastique.

J'essaie sans succès de réprimer un sourire. Zach s'aperçoit que je suis en train de flancher, et en profite pour insister.

— J'ai déjà prévenu Mme Gallagher.

Je cherche du regard ma responsable. Elle est assise à son bureau et, comme tout le monde dans le service, elle nous observe.

Elle n'a pas l'air contente. Non, en fait, elle a l'air inquiète pour moi. Je me masse les tempes, puis m'approche de Zach et chuchote :

— Je n'ai pas de quoi me changer.

C'est ma dernière ligne de défense et, comme je m'y attendais, il la perce facilement.

— J'ai préparé un sac de voyage.

— Vous êtes drôlement sûr de vous !

Je sais que je devrais lui en vouloir, être furieuse qu'il ait pensé que je céderai forcément. Mais je n'y arrive pas. C'est une des choses que j'aime chez lui, cette façon de prendre des décisions. Comme ça, je n'ai pas à le faire. Et puis, ça me donne l'impression qu'on s'occupe de moi... Je parviens tout de même à ricaner pour faire bonne figure.

— Je ne suis jamais sûr de moi avec vous, répond Zach en me lançant un regard sombre.

Je sens mon cœur bondir dans ma poitrine.

— Je dirais plutôt que je suis optimiste !

Je lutte pour garder un air impassible alors que j'étudie le visage de Zach. Je suis incapable de comprendre à quel point ça lui coûte de changer ses habitudes, mais je sais que ça n'arrive pas souvent. Et il le fait pour moi, parce que je le lui ai demandé. Et c'est le signe le plus évident qu'il y a entre nous plus que du sexe.

— Très bien, dis-je dans un murmure, d'une voix si basse que je l'entends à peine.

Partir avec Zach, que tout aille bien entre nous, c'est mon désir le plus cher. Mais j'ai peur d'ouvrir mon cœur et qu'il soit brisé une nouvelle fois.

Depuis que j'ai rencontré Zach, les semaines se sont écoulées dans une alternance de moments de bonheur intense et de périodes de désespoir complet. Je sens mon moral remonter, et cette fois, j'ai envie que ça dure.

— Il faut juste que je prenne mon sac à main.

En me penchant pour récupérer ma besace en cuir sous mon bureau, je croise le regard désapprobateur de Tony et remarque ses lèvres pincées. Quand je détourne les yeux, mal à l'aise, c'est pour me rendre compte que la quasi-totalité de mes collègues de bureau sont fascinés par le spectacle que Zach et moi leur offrons.

Cette avalanche de regards curieux, jaloux ou sévères me fait vaciller. Mes mains serrées sur l'anse de mon sac à main se couvrent de sueur quand j'imagine ce qu'ils sont en train de se dire.

— Allons-y, Devon.

Comme je reste immobile derrière mon bureau, Zach me rejoint. D'un doigt, il me relève le menton, glisse le sac sur mon épaule, puis me fait avancer, la main posée au bas de mon dos.

Comme s'il venait de me donner un peu de sa force, je sens toutes mes velléités de résistance s'évanouir. Zach jette un regard féroce aux alentours et, soudain, le bureau reprend vie. Tous mes collègues font semblant de travailler, mais je ne suis pas dupe.

Bien sûr, les rumeurs ne feront que s'amplifier quand je serai de retour de notre petite escapade... Mais pour le moment, je me sens capable de le gérer. Tout comme d'assumer ce que je veux, et ce que je fais pour l'obtenir. Et je m'en sens capable pour une seule raison. Cette raison, c'est Zach.

Pendant qu'il me conduit aux ascenseurs, je comprends que je pourrais tomber folle amoureuse de lui. Je sais que ce n'est pas très malin, mais je ne peux pas m'en empêcher.

Zach est en train d'ouvrir la porte de son parking privé quand j'aperçois ma voiture un peu plus loin, dans la partie réservée aux employés. Tout à coup, je repense au sac qui est toujours fourré sous le siège passager.

— Attendez-moi juste une minute !

Zach me regarde courir jusqu'à ma voiture, perplexe. Avec précaution, je m'agenouille sur le sol pour tenter d'extraire le sac, qui est si chiffonné qu'il est devenu une masse informe.

Heureusement que ce qu'il contient n'est pas fragile. J'affiche un sourire triomphant quand le sac s'ouvre. J'en sors délicatement une nuisette en soie bleu nuit, que je plie et range dans mon sac à main.

C'est pour moi que je l'ai achetée ; pour moi, après tout, pas pour Tom ! Et rien qu'en imaginant le visage de Zach quand je la porterai, je sens une vague de chaleur s'étendre sur ma peau.

— Qu'est-ce que vous fabriquiez ? m'interroge Zach en levant un sourcil, la main sur la porte d'entrée, tandis que je me faufile devant lui avec un grand sourire.

— Ça ne vous regarde pas ! dis-je avec bonne humeur.

Il fronce les sourcils et je sens qu'il hésite à m'ordonner de le lui avouer sur-le-champ.

Je le regarde droit dans les yeux pendant une seconde, et il finit par hocher la tête.

— Très bien, petite coquine, gardez vos secrets. Je me ferai un plaisir de vous punir pour ça tout à l'heure.

La tension sexuelle dans la voix de Zach me fait tressaillir, je suis aussi nerveuse qu'impatiente. Je jette un œil à l'élégant véhicule noir, à la fois stressée et excitée à l'idée de conduire ce genre de voiture. J'ai dans ma main la clef de la voiture, bien plus sophistiquée que celle, toute simple, de ma propre berline.

— Bon... On y va ?

Comme Zach ne répond pas, je me tourne vers lui. Il est raide comme un piquet, poings et mâchoire serrés.

— Zach...

Même si notre dispute de la veille est encore bien présente dans mon esprit, je suis touchée de le voir dans cet état. En plus, je sais maintenant qu'il ne me cache pas volontairement la cause de sa détresse. Quelle qu'elle soit, je sais qu'en parler la lui ferait revivre, et que ça le blesserait profondément.

— Eh...

Je me penche vers lui et passe la main sur son bras. Il cligne des yeux puis fronce aussitôt les sourcils. C'est comme s'il n'arrivait même pas à concevoir d'être réconforté.

— On n'est pas obligés de faire ça.

Son visage s'assombrit et prend une expression obstinée. Je soupire intérieurement. Zach n'est pas très doué pour les compromis, et, visiblement, il a déjà épuisé avec moi toutes ses réserves en la matière.

— Allons-y.

D'un geste crispé, il ouvre la portière côté conducteur et attend que je me glisse dans la voiture. Puis il fait le tour et s'installe côté passager. J'ouvre la bouche, prête à l'interroger sur la façon d'ajuster le siège, avant de me mordre la langue.

Il ne conduit pas sa voiture, il ne saura donc pas me répondre. Pas la peine de remuer le couteau dans la plaie.

— Laissez-moi une petite minute...

Je plisse les yeux en étudiant le tableau de bord. La voiture a toutes les options possibles : un autoradio incroyablement sophistiqué, un purificateur d'air et même une sorte de petite télé. Mais en dehors du fait que, pour la démarrer, il faut appuyer sur un bouton plutôt que tourner la clef dans le contact, c'est une voiture normale. Juste plus belle.

Cela fait un moment que je n'ai pas conduit de voiture avec une boîte de vitesse manuelle ; il va donc me falloir un moment pour que je m'y adapte, et je prie en mon for intérieur de ne rien faire de bizarre d'ici là. Je n'ai pas envie que Zach soit angoissé par le fait qu'il n'est pas conduit par son chauffeur habituel. Je sais qu'il n'est pas du genre à montrer ses faiblesses.

— Comment s'ouvre la porte du parking ?

Je l'interroge en appuyant sur le bouton de démarrage, et la voiture démarre avec un grondement. Le pied sur le frein, je passe la première et Zach se raidit immédiatement à côté de moi. Mais après une profonde inspiration, il force ses muscles à se détendre.

— C'est un détecteur de mouvement, il suffit d'avancer.

Je lève mon pied de la pédale de frein, et à peine la voiture s'est-elle mise en mouvement que la porte du parking s'ouvre devant nous. La lumière pâle du milieu de matinée me fait cligner des yeux.

Tout en manœuvrant pour sortir du parking, j'observe Zach du coin de l'œil. Je passe la seconde un peu trop vite et ses mâchoires se serrent tandis que la voiture fait un bond en avant, nous faisant tous les deux sursauter sur nos sièges.

— Désolée!

J'avais tellement envie que nous fassions ce voyage tous les deux… et voilà que maintenant, je suis de plus en plus stressée par cette tension entre nous.

La confiance que m'accorde Zach est précieuse, je ne veux pas le décevoir. Et tant pis si, pour l'aider à franchir ce cap, je dois conduire comme une vieille dame pendant tout le trajet!

— Ne vous excusez pas, réplique Zach en se renfonçant dans son siège. Vous n'avez rien fait de mal, ajoute-t-il en se tournant pour regarder par la fenêtre plutôt que droit devant nous.

Même si, de l'extérieur, il pourrait sembler parfaitement détendu, j'ai passé tant de temps à étudier chaque réaction de son corps que, à la façon dont il se tient, je sens qu'il est inquiet.

Il s'apaise peu à peu alors que nous descendons Market Street et traversons le centre-ville sans encombre. J'hésite à mettre de la musique et renonce: l'autoradio est si high-tech qu'on le croirait conçu pour le lancement d'une navette spatiale... Le silence semble convenir à Zach, et de mon côté, je n'ai qu'une idée en tête : faire tout mon possible pour que ce trajet se passe bien.

Alors que je mets le clignotant pour prendre la sortie vers la route 101, j'entends un grognement. Quittant un instant la route des yeux, je m'aperçois que Zach s'est raidi sur son siège et secoue la tête.

— Non, pas la route 101 ! ordonne-t-il d'une voix glaciale et autoritaire. Prenez la Nationale 1. Il faut que vous preniez la Nationale 1.

Depuis le siège passager, il tend la main et attrape le volant. La peur déclenche une décharge d'adrénaline, comme un éclair brûlant qui me traverse le corps.

— Zach ! Arrêtez !

Je hurle en appuyant de toutes mes forces sur le frein, sans penser à rétrograder, et la voiture vibre.

Lorsqu'il retire sa main, je sens les battements de mon cœur se calmer. Je me rends compte qu'il n'a fait que toucher le volant.

— Je suis désolé... Je suis vraiment désolé...

Quand j'ose enfin jeter un œil vers lui, son regard est fou et ses yeux écarquillés. Je frissonne, perdue.

— C'est... c'est bon. Seulement... vous devriez peut-être fermer les yeux. On va passer par la côte. Mais ne refaites plus jamais ça, c'est compris ? Vous m'avez vraiment fait peur !

Zach acquiesce d'un air désolé, puis, ostensiblement, incline son siège et ferme les yeux. Je continue à rouler, dépassant la sortie vers la route 101, le chemin le plus court pour aller à Cambria, bien plus court que par la Nationale 1.

Un peu après, j'aperçois les premiers signes de l'océan qui scintille sur ma droite et reflète le soleil haut dans le ciel comme un bijou bleu. Mais contrairement à mon habitude, je suis incapable d'apprécier sa beauté. Je suis trop préoccupée par Zach.

— Merde…

Je marmonne dans ma barbe en voyant du coin de l'œil que même s'il s'est allongé pour dormir, ses muscles crispés l'en empêchent.

Qu'est-ce qui t'est arrivé, mon pauvre chéri? Je sais que je ne peux pas le questionner sur ce sujet – il a été très clair là-dessus. Mais essayer de m'adapter à son problème, sans savoir ce que c'est, est un vrai défi. C'est un peu comme si on me demandait de créer une œuvre d'art en étant privée de l'usage de mes yeux!

Cet homme contrôle absolument tout dans sa vie, et une partie de moi apprécie ce trait de caractère. Dans cette situation, nos rôles sont en quelque sorte inversés, et je ne sais pas comment réagir.

Le silence semble moins pesant à mesure que le temps passe.

Quelques minutes, une demi-heure, puis une heure.

Le mouvement régulier de la voiture de sport a fini par endormir Zach; j'entends sa respiration légère à côté de moi. Maintenant que je n'ai plus la pression de devoir le mettre à l'aise, je me détends moi aussi. Je sens les muscles noués de ma nuque se relâcher.

Après cinq heures de route, j'ose enfin appuyer sur les boutons de l'autoradio, cherchant comment mettre de la musique. Je réussis à capter une station radio, règle le volume au plus bas et souris en reconnaissant la voix de ténor de Steve Perry, le chanteur du groupe Journey.

— *When the lights, go down, in the city.*

À mesure que je fredonne, je sens ce qui me reste de tension s'évacuer pour laisser la place à un sentiment d'euphorie.

C'est pour moi que Zach fait ça. On part en week-end, seuls tous les deux, qui plus est dans la ville que j'aime plus que toute autre.

Pendant les prochains jours, nous n'aurons rien à faire d'autre que de nous consacrer l'un à l'autre. La seule pensée de la façon dont il pourrait prendre soin de moi provoque un délicieux frisson...

— *So you said, you're lonely.*

Jetant un coup d'œil dans le rétroviseur, j'aperçois un énorme camion qui arrive juste derrière nous – bien trop vite à mon goût. Je fronce les sourcils, mets mon clignotant et change de voie, non sans pester sur ce conducteur impatient.

Je ressens une violente décharge d'adrénaline quand la remorque du camion, qui est maintenant à la hauteur de notre voiture de sport, se met à dévier sur notre voie.

— Merde!

J'appuie de toutes mes forces sur le frein et rétrograde tout en klaxonnant avec le coude. À côté de moi, Zach se réveille en sursaut. Il pousse un cri et je sens son bras qui se place devant mon torse dans un geste de protection, tandis que je m'escrime pour garder le contrôle de la voiture et m'arrêter sur la bande d'arrêt d'urgence.

Devant nous, le camion se rabat brutalement sur sa propre voie, comme si le conducteur endormi venait d'être réveillé par mon coup de klaxon. Zach et moi restons un long moment immobiles, haletants, essayant de retrouver notre calme.

— Merde, putain... dis-je finalement en me tournant vers Zach, les yeux écarquillés. Je suis désolée. Vraiment désolée. Il a surgi de nulle part. Je sais que vous n'aviez vraiment pas besoin de ça. Je...

Zach attrape mon visage entre ses mains et m'attire vers lui pour un baiser brutal et brûlant. La violence de l'assaut me fait gémir. Je tente en vain de me rapprocher de lui, frustrée d'être immobilisée par ma ceinture.

Quand il finit par se reculer, mes lèvres sont gonflées. Ses yeux sombres parcourent rapidement mon visage, comme s'ils y cherchaient quelque chose.

— Trouvez un endroit plus sûr pour vous garer, ordonne-t-il d'une voix tendue.

Je me réinsère lentement dans la circulation, mais la culpabilité et le stress m'ont envahie, rendant mes gestes saccadés. Du coin de l'œil, je vois que Zach s'agrippe si fort à son siège que ses articulations blanchissent.

Mon cœur se serre en observant son visage grimaçant. En changeant de voie, je repère une aire de repos pas très loin. Mes mains tremblent quand je prends la sortie. Dès que j'ai coupé le contact, Zach – qui retenait son souffle – pousse un long soupir.

Je fronce les sourcils, confuse, mais je suis distraite par Zach qui se penche pour détacher ma ceinture.

— Tout va bien, Zach, dis-je. On devrait peut-être appeler Charles pour qu'il vienne nous chercher?

Après ce quasi-accident, je suis prête à accepter tout qui pourrait apaiser son angoisse.

Mais contre toute attente, Zach éclate de rire avant de me soulever de mon siège et de m'attirer sur ses genoux.

— Je vous ai promis que nous passerions le week-end seuls tous les deux.

Avant que je puisse répondre, sa langue s'insinue entre mes lèvres et il s'empare de ma bouche.

Le poids de ses lèvres sur les miennes provoque une bouffée de désir, qui se propage dans tout mon corps. Mes mains fourmillent, mon ventre me brûle.

Soudain, je comprends. Et cette nouvelle vision de notre relation fait battre mon cœur.

Cet homme sublime m'a choisie, moi. Même si ça ne devait durer que cet instant, c'est moi qu'il a choisie.

Cette prise de conscience est une véritable bénédiction.

Zach mêle ses doigts aux miens, emprisonnant une main puis l'autre. Elles sont bientôt pressées entre la peau douce de ma poitrine et les muscles durs de son torse.

Je suis perdue. Tandis que Zach me serre contre lui, mon esprit me ramène à notre première rencontre. Je me souviens à quel point j'avais eu envie de lui, dès la première seconde. Puis toutes mes pensées sont noyées, avalées tout entières par les sables mouvants d'une émotion plus intense que le simple désir. Une émotion qui adoucit l'atmosphère de cet espace confiné, une émotion dont le parfum me donne le vertige – à lui aussi, il me semble.

Sa bouche quitte la mienne pour poser un délicat baiser dans mon cou, m'arrachant un soupir. Je sens des frissons courir le long de ma colonne vertébrale.

Le klaxon bruyant d'un camion ne nous fait même pas sursauter ni nous écarter l'un de l'autre. Mais il me rappelle où nous sommes et ce que nous sommes en train de faire.

Sa main qui serre la mienne attire mon attention : sa paume est étonnamment rêche pour un homme de pouvoir qui exerce son autorité dans un bureau. Ses larges doigts sont rugueux contre les miens, plus petits, plus doux. Ils explorent mes courbes, les parcourent, les apprennent par cœur.

Même si c'est loin d'être la première fois que nous sommes tous les deux, je n'arrive toujours pas à croire à ce qui m'arrive. J'ai l'impression de rêver.

— J'ai envie de vous. Ici et maintenant. Alors que n'importe qui pourrait nous voir, souffle Zach en m'attirant plus près de lui encore.

Ma moue trahit ma nervosité, mais il s'empresse de la faire disparaître d'un baiser. Puis il gémit, et je sens une vague de triomphe monter en moi.

Je me presse contre lui, j'enlace son torse aux muscles tendus. Il me tire à lui d'un geste si fluide que, sans même comprendre ce qui m'arrive, je me retrouve à califourchon sur ses genoux, le visage enfoui dans son cou et le souffle coupé.

— Désolé, murmure-t-il d'une voix étouffée, alors que ses lèvres goûtent la peau délicate et brûlante à la base de mon cou, chacun de ses coups de langue faisant monter d'un cran mon excitation. On manque un peu d'espace pour pouvoir bouger, ici, termine-t-il.

Une fois habituée à cette nouvelle position, je tends la main et tâtonne à l'aveugle, à la recherche de la manette qui permet d'incliner le siège. Quand le dossier bascule en arrière, la secousse projette mes hanches en avant, et mon sexe brûlant se presse contre une érection que je n'imaginais pas avoir provoquée.

Pendant une longue minute, nous nous regardons dans les yeux. La chaleur dorée de son regard semble avaler le bleu cobalt du mien. J'imagine que l'or de ses iris se reflète dans mes yeux.

Puis nous nous jetons l'un sur l'autre comme des amants qui se retrouveraient après des années de séparation, et la chaleur anéantie tout ce qui reste de gêne entre nous. Envoûtée, je me noie dans nos halètements, dans le frottement de nos vêtements, dans les gémissements qui montent dans l'air embué de l'habitacle et se trouvent aussitôt avalés dans un baiser.

La lumière pâle, la circulation, tout me semble à des milliers de kilomètres de nous. Sur cette route qui longe le Pacifique, mes inhibitions s'envolent. Nous sommes seuls au monde, confortablement installés dans notre bulle.

Ses caresses me transportent.

Ma jupe est remontée sur mes hanches, et sa main parcourt la peau douce de l'intérieur de ma cuisse nue. Des petits cris m'échappent quand le bout de son doigt vient tracer le contour de ma culotte, passant du tissu à ma peau. Mes mains dévalent l'étendue musclée de son torse pour aller se cramponner à sa taille. Il les guide jusqu'à la ceinture de son pantalon. Mes doigts rencontrent au passage son ventre ferme, ce qui m'arrache un halètement.

Je le désire plus que je n'ai jamais désiré de toute ma vie.

Au lieu de descendre, mes mains tremblantes remontent pour déboutonner maladroitement sa chemise.

Ce n'est pas suffisant. Ma main descend le long de son torse, hésitante, et il pousse un grognement animal, sauvage, avant de me faire rouler sur le dos. Le coton de mon chemisier tire-bouchonné s'accroche et tire douloureusement sur ma peau moite de sueur. Mais cette douleur est aussitôt effacée par la façon dont Zach contemple avec une sorte de vénération ma poitrine offerte dans un soutien-gorge noir tout simple.

— Je ne m'en lasserai jamais, souffle-t-il, avant d'enfouir son visage entre mes seins qui s'échappent de leur prison de lycra.

Je me cambre tout en faisant glisser sa chemise le long de ses bras, puis, dans un soudain accès de courage, j'attrape la boucle de sa ceinture.

Ma main frôle son sexe dressé. Sa réaction instinctive est de me mordre, ce qui m'arrache un cri étouffé et me fait lâcher la boucle. Il apaise aussitôt la morsure d'un coup de langue, puis glissant ses mains entre nos deux corps, il défait lui-même sa ceinture avec la rapidité que donne l'habitude. Sans réfléchir, je descends son pantalon jusqu'à ce que le tissu entrave ses chevilles, et j'entame l'exploration de son corps.

— Devon…

Il gémit doucement quand j'empoigne son sexe d'une main triomphante. Ses mains tremblantes témoignent de son désir quand elles écartent les bonnets de mon soutien-gorge sans même le dégrafer, puis saisissent mes seins, les pincent, les tirent. Le plaisir et la douleur se mêlent dans une explosion écarlate et m'engloutissent.

Je fais passer mon soutien-gorge par-dessus ma tête.

— Délicieux, chuchote Zach en regardant mes seins dénudés.

Les pointes en sont si sensibles qu'un coup de langue m'arrache un cri.

Et ce cri est comme une bouée de sauvetage au milieu de ce tsunami d'hormones, de désir et d'intensité; il me sort du brouillard sensuel qui m'entourait. Je pince le biceps de Zach pour capter son attention, tandis que je serre les jambes aussi fort que possible autour de sa taille. L'extrémité humide de son érection laisse une trace luisante sur l'intérieur de ma cuisse et se presse sur le coton de ma culotte.

— Zach…

Il souffle lui aussi mon prénom qui vient mourir dans ma bouche, pendant que ses doigts descendent le long de mon ventre.

Je le pince à nouveau, cette fois-ci à la taille.

— Zach!

Son regard voilé par le désir semble s'éclaircir un peu.

— Je ne veux pas faire l'amour ici!

Il fronce les sourcils. Peut-être devrais-je avoir peur qu'il se mette en colère, mais ce n'est pas le cas. Je sais qu'il ne me fera aucun mal.

Les rides apparues sur son front se creusent, avant de disparaître quand il se met à mordiller le lobe de mon oreille. Visiblement, il a retrouvé ses esprits.

— Très bien. Déplaçons la voiture de quelques mètres, alors!

Il me lance un grand sourire et mon ventre se noue.

J'adore quand il est de cette humeur espiègle.

— Non…

Encore une fois, ma bouche prétend une chose et mon corps – en l'occurrence mon bassin qui se frotte contre lui – le contraire.

— Non! Quelqu'un pourrait nous voir...

Nous restons tous deux immobiles un moment, emprisonnés par l'indécision, comme dans une fine couche de glace. Enfin, il se recule très légèrement. La facilité avec laquelle il est en train de céder me surprend.

C'est pourtant un homme dominateur, habitué à toujours obtenir ce qu'il veut. Et depuis notre rencontre, je me suis rendu compte que ses désirs étaient aussi les miens.

Je passe outre ma nervosité et l'enlace. Mes ongles griffent son dos, lui arrachant un grognement de douleur. Aussitôt, ses yeux s'assombrissent de nouveau, envahis par le désir.

Je me mords la lèvre et glisse le long du siège. Quand ma langue goûte enfin son sexe, j'ai l'impression d'avaler un shot de vodka. C'est d'abord surprenant, puis rapidement addictif. Appétissant. Puissant.

Bientôt, il frissonne et projette son bassin vers l'avant. Il se retire de ma bouche et descend à son tour le long de mon corps aussi moite de sueur que le sien. Il arrache la culotte. Le bruit du tissu qui se déchire résonne dans l'atmosphère chargée et accroît l'urgence de notre désir.

Prenant mes seins en coupe, je m'offre et me serre davantage contre lui. Ses doigts plongent, triomphants, dans l'humidité de mon sexe et s'en délectent. La sensation est si intense que je me cabre comme un cheval sauvage.

De nouveau, nos regards se croisent et nos mouvements se font plus intenses encore. Le petit talon de ma sandale s'enfonce dans son mollet, l'écorche et fait perler quelques gouttes de sang qui donnent à l'air un parfum de cuivre et de sel. Zach fait pleuvoir des dizaines de morsures sur mon cou, mes épaules, mes seins. La douleur fait monter d'un cran mon excitation qui inonde ses doigts.

Il jouit le premier et son sperme brûlant perle sur mes seins, mon cou et mes lèvres. Le souffle court, je lèche les gouttes. Je me fais surprendre par mon propre orgasme quand ses doigts rugueux découvrent les replis de mon sexe qui n'ont pas encore été explorés.

Immobiles, allongés dans l'espace confiné de l'habitacle, nos corps forment une masse de bras, de jambes et de vêtements emmêlés, soudés l'un à l'autre par la sueur et le sperme.

Zach... Il a trouvé le moyen de m'apaiser tout en obtenant ce qu'il voulait... Le fait qu'il ait été plus malin que moi m'excite beaucoup. Il n'est pas seulement agréable à regarder, il est intelligent et j'aime ça, tout comme le fait qu'il invente des moyens de me faire dépasser mes peurs et mes inhibitions.

Il tire sur mes cheveux pour me forcer à le regarder dans les yeux et je me mets presque à pleurer, comme après d'intenses émotions.

— Vous êtes belle, chuchote-t-il.

En ce moment, je le crois. Je crois qu'il le dit parce qu'il le pense.

— Vous êtes belle, répète-t-il.

Le cœur battant, je presse mon front contre le sien, essayant de reprendre mon souffle. Dehors, les voitures passent à toute allure et se mélangent dans un brouillard de couleurs vives. J'écarquille les yeux lorsque je me rends compte de ce qui vient juste de se passer.

— Mon Dieu...

Zach m'a fait jouir sur le bord d'une nationale. N'importe qui aurait pu nous voir. Merde, un gendarme aurait pu s'arrêter pour voir ce que nous fabriquions, et tomber nez à nez avec mes seins nus!

J'ai l'impression d'être une gamine de seize ans qui vient d'être surprise en train de s'amuser avec son petit copain.

— Zach!

Je m'écarte de lui et lève les mains pour me couvrir les seins, mais elles sont poisseuses de sperme, ce qui m'arrache un gémissement angoissé.

À ma grande surprise, Zach, la tête rejetée en arrière, éclate de rire – un rire puissant qui vient du fond du cœur. Il est si contagieux qu'après quelques secondes, moi aussi, je me mets à rire.

— Personne ne nous a vus, Devon!

Il remonte son pantalon et sort son mouchoir de sa poche. Alors que je tends la main pour l'attraper, il secoue la tête, les yeux brillants.

— Laissez-moi faire…

J'ouvre la bouche pour protester, mais la referme avec un soupir de plaisir quand il se met à essuyer la substance salé sur ma peau.

— Mmm…

Je savoure le contact de ses mains.

Le puissant coup de klaxon d'une voiture qui passe à côté de nous rompt le charme du moment. J'attrape mon chemisier et mon soutien-gorge et regagne tant bien que mal le siège conducteur, mortifiée mais encore incroyablement excitée.

— Oh, ma petite coquine… dit Zach, avant d'éclater de rire une deuxième fois en voyant l'expression indignée de mon visage.

J'enfile par la tête mon chemisier sans remettre tout de suite mon soutien-gorge.

— Je suis contente que ça vous fasse rire, dis-je en faisant la moue.

La lueur que j'aperçois alors dans ses yeux me coupe le souffle.

— Non! Pas encore! Pas ici! Mais Zach, vous ne pouvez pas en avoir encore envie!

Un sourire prédateur s'épanouit sur son visage. Zach se penche, il est tout près de moi. Je retiens mon souffle dans l'attente d'un baiser.

— Première leçon pour vous, ma petite. Une soumise ne dit pas non à son dominant.

Il attrape mon soutien-gorge, puis s'empare d'un de mes seins par-dessous le chemisier.

— Vous méritez une punition pour avoir enfreint les règles. Je confisque votre soutien-gorge!

Je gémis quand il fait rouler mon téton entre son pouce et son index. Alors que je viens à peine de jouir – avec une intensité que seul Zach sait provoquer –, sa caresse sur ma chair encore sensible me fait aussitôt mouiller.

Quand il retire sa main, je lui lance un regard noir, mécontente que ces douces sensations s'arrêtent.

— Une soumise n'a pas non plus le droit de soutenir le regard de son maître, déclare-t-il en plissant les yeux pour m'avertir de faire attention.

Mais je continue à le regarder, plissant les yeux à mon tour, en partie parce que je suis contrariée… et en partie parce que j'aime la façon dont il me punit. Je lui réponds d'un ton sec:

— Nous ne sommes pas ensemble depuis assez longtemps pour savoir si, oui ou non, je suis votre soumise.

Puis je démarre la voiture, toujours perturbée, mais sans ajouter rien de plus.

Zach reste silencieux pendant que j'attends le bon moment pour m'insérer dans la circulation et regagner la route. Quand j'ose enfin lui jeter un coup d'œil, il semble perdu dans ses pensées, et, de façon surprenante, ne prête aucune attention aux voitures autour de nous.

— C'est ce que vous voulez, Devon? demande-t-il d'un ton sérieux. Vous savez, ce n'est pas inhabituel de faire un contrat qui définit les limites de chacun, dans ce genre de relation.

Je retiens mon souffle.

— Un contrat? dis-je, interloquée et franchement blessée par ce choix de mots. Je… que…

Je ne sais pas s'il a fait exprès d'utiliser ce terme, mais je sens en tout cas réduit à peu de chose ce que nous venons de partager pour le faire entrer dans une case, celle des « relations SM non conventionnelles ».

Je suis sous le choc, je ne trouve pas mes mots. Malgré mon besoin de le satisfaire, la notion de contrat me paraît vraiment manquer de romantisme!

Peut-être est-ce l'idée, justement? Un contrat replacerait le sexe au centre de notre relation, et qui sait, pourrait m'aider à réprimer les sentiments amoureux qui m'habitent depuis quelque temps…

— Si c'est ce que vous voulez…

J'essaye vainement de retrouver la bonne humeur que je ressentais il y a encore quelques instants. Je me sens vide, frustrée.

— Non, réplique Zach, sérieux. C'est à vous de prendre la décision.

Le ton de sa voix est dur, mais je n'en tiens pas compte.

— Alors je choisis ce qui vous convient le mieux.

Je sais que je suis en train de me montrer têtue, mais je refuse d'exposer mes sentiments, qui eux, exigeraient de déchirer tout contrat de ce genre concernant une relation qui ne peut être définie, couchée sur le papier.

— Très bien, réplique-t-il. Je demanderai à mon avocat de rédiger un projet de contrat, ajoute-t-il après une longue pause, de la même voix suave que celle qu'il utilise au bureau.

J'ouvre la bouche, révoltée à cette idée. Mais après tout, à quoi est-ce que je m'attendais? Je couche avec Zachariah St Brenton, le milliardaire, le play-boy excentrique, un homme dominant aux goûts sexuels très particuliers.

— Vous êtes de nouveau habillée tout en noir, remarque Zach, mettant fin au silence inconfortable qui s'était installé.

Cette réflexion me remonte un peu le moral.

— Exact.

En dehors du fameux cache-cœur rouge décolleté, qui est maintenant roulé en boule au fond de mon placard, mes vêtements se ressemblent tous tellement qu'il n'est pas vraiment utile de savoir lesquels je porte aujourd'hui.

— Pourquoi faites-vous ça? demande-t-il, l'air sincèrement curieux.

Je m'apprête à lui expliquer que les vêtements noirs aident à dissimuler les rondeurs de mes hanches, de mes fesses, de mon ventre, bref, tout ce que je n'aime pas dans ma silhouette. Je porte du noir pour qu'on fasse plus attention à mon esprit, qui est, selon moi, bien plus attirant que mon physique.

Et puis, choisir des vêtements simples me permet aussi de ne pas attirer l'attention, de me fondre dans mon environnement, ce que je trouve infiniment plus confortable… même si je n'ai pas vraiment pu le faire depuis que j'ai rencontré Zach. Son attention est comme un rayon laser: elle traverse l'obscurité et illumine l'objet sur lequel elle se concentre. Et je ne comprends toujours pas pourquoi elle est dirigée sur moi.

Mais au moment où j'ouvre la bouche pour expliquer tout ça à Zach, je me rappelle brusquement son refus de me parler de lui. Je me rappelle le contrat et la façon dont il pourrait modifier la nature de notre relation, dont le centre ne serait plus nos cœurs mais la chambre à coucher. Je finis par répondre d'un ton neutre, froid.

— Désolée, mais je n'ai pas envie d'en parler.

J'imaginais que Zach allait se mettre en colère, exiger de savoir, me menacer d'une fessée ou de quelque chose du même genre. Mais quand je lui jette un regard en biais, son visage est parfaitement calme, sans expression. Indifférent, même, comme s'il ne m'avait posé la question que par politesse et qu'il n'avait de toute façon aucune envie d'écouter ma réponse.

— Je comprends, dit-il, avant de se pencher en avant pour appuyer sur un bouton, faisant ainsi apparaître la carte du GPS sur l'écran.

Le système annonce qu'il est en train de télécharger les informations sur la circulation, puis nous informe que nous atteindrons notre destination dans un peu moins d'une heure.

— Ça n'a pas été un trajet si désagréable, reprend Zach.

Il y a une heure, j'aurais été ravie d'entendre cette phrase, heureuse qu'il me fasse enfin assez confiance pour me laisser le volant, sans être complètement paniqué. Mais maintenant, j'ai l'impression qu'il essaie seulement de faire la conversation.

— J'attends ce week-end avec impatience, poursuit-il, et je ne peux m'empêcher de réagir à la promesse sensuelle contenue dans sa voix.

Aucune femme ne resterait de marbre quand ce visage, ces lèvres, ces yeux annoncent tant de plaisirs délicieux.

— Moi aussi, dis-je en déglutissant péniblement.

Je tente encore de retenir un peu de la joie qui m'habitait il y a si peu de temps et qui se dissipe bien trop vite à mon goût.

C'est vrai, je réponds au plaisir qu'il fait naître dans mon corps. Je ne peux pas le nier.

Mais quand Zach m'a tendu les clefs de sa voiture, j'espérais que ce soit le symbole d'une nouvelle étape dans notre relation, que son désir de me confier sa sécurité signifiait aussi une plus grande intimité entre nous.

Et voilà qu'il vient au contraire de réaffirmer que le sexe est la seule chose qui l'intéresse dans notre relation. Si je suis honnête avec moi-même, je ne crois pas que ça suffise à me rendre heureuse.

14

L'arrivée à Cambria me fait le plus grand bien. Soudain j'ai le sentiment que ça valait le coup, ce long trajet et toutes ces heures de tension. Je baisse ma vitre et inspire à pleins poumons l'air salé de la mer pendant que Zach m'indique la direction de sa maison.

Je le surprends à rire de mon expression bienheureuse, mais je m'en fiche. San Francisco, Phyrefly, les difficultés dans notre relation... tout ça me semble si loin!

Être de retour à l'endroit où nous nous sommes rencontrés, c'est romantique et surtout rafraîchissant, comme si la brise fraîche de l'océan qui chatouille ma peau dissipait tous mes problèmes.

— C'est ici.

Les indications de Zach nous ont conduits à la périphérie de la ville, le long d'un chemin tortueux jusqu'en haut d'une falaise. Je m'attendais à une réplique de sa maison de San Francisco – une grande villa high-tech et moderne. C'est une bonne surprise de découvrir le spacieux mais douillet bungalow.

— C'est adorable! dis-je en sortant de la voiture.

J'ai déjà parcouru la moitié de l'allée de galets qui mène à la maison avant de me rendre compte qu'il pourrait ne pas apprécier que j'y entre avant lui.

Brusquement indécise, je me retourne en me mordant la lèvre et m'aperçois qu'il est juste derrière moi, un sac marin en cuir à l'épaule.

— C'est assez différent de la maison que vous connaissez, lance-t-il, l'air un peu hésitant, bien qu'il semble ravi de ma réaction. Celle-ci est loin d'être aussi luxueuse…

S'il croit que je suis déçue, il se trompe. Je frissonne en repensant au déroutant panneau de contrôle qui commande l'énorme douche aux parois de verre de sa villa.

— Bien sûr, c'est pour ça que nous sommes là, non? Pour échapper à tout ça!

Zach étudie attentivement mon visage souriant, comme s'il cherchait un double sens dans ma phrase. Je le laisse m'observer parce que je sens que c'est important pour lui que je dise la vérité.

— Je n'avais jamais amené personne ici, explique-t-il, en fourrant les mains dans les poches de son jean et en se balançant sur ses talons. Ce n'est pas vraiment ce que les gens attendent de moi, termine-t-il en me regardant fixement, quand soudain le sens de ses paroles me frappe.

— Jamais personne? dis-je les yeux écarquillés, en sentant que je commence à trembler. Même pas Charles?

— Il me conduit ici, puis séjourne à l'hôtel jusqu'à ce que je sois prêt à repartir.

Zach tire une petite clef en cuivre de sa poche, la lance dans les airs puis la rattrape avec un air décontracté que je devine un peu forcé.

— C'est le seul endroit où je peux vraiment lâcher prise, oublier tout le reste de ma vie. Je n'ai jamais eu envie de faire connaître cet endroit à quelqu'un jusqu'à aujourd'hui.

La surprise me laisse bouche bée, mais je me reprends rapidement. J'ai très envie de me jeter dans ses bras, mais pas question de l'effrayer avec une réaction trop intense. Je me contente donc de sourire en plongeant mon regard dans ses yeux sombres et lui tends la main avec nonchalance.

— Quelle est la première chose que vous faites en arrivant ici, d'habitude?

Il semble ne pas tout à fait croire à ma décontraction affichée, mais comme je lui lance un sourire innocent en retour, il finit par prendre ma main. Je savoure le contact de sa peau fraîche contre la mienne.

— Je pose mon sac dans la chambre, je me déshabille et je vais surfer quelques vagues, dit-il en désignant les escaliers taillés dans la roche qui descendent jusqu'à la crique au pied de la falaise.

J'inspire, surprise. C'est un défi qu'il me lance… Eh bien, je vais l'accompagner, même si je ne suis pas enthousiaste à l'idée d'aller surfer!

— Bien sûr, vous pourriez aussi rester ici et m'attendre avec une bière fraîche. Complètement nue.

Une lueur de désir passe dans ses yeux, et sa bouche se courbe en un sourire sensuel qui m'est maintenant intimement familier.

Je n'ai aucun doute qu'il me demandera de faire exactement ça si je ne l'accompagne pas dans l'eau.

— Je n'ai pas de maillot de bain.

En le suivant jusqu'à la porte de la maison, je note qu'il ne porte qu'un seul sac.

— On ne m'a pas laissé l'occasion d'en emporter un!

Et tandis qu'il fait tourner la clef dans la serrure, il m'adresse un sourire malicieux et plein de promesses.

— Vous pouvez aussi nager nue…

— Je finis juste de passer la cire sur la planche, ensuite on pourra entrer dans l'eau où vous aurez plus chaud, me lance Zach.

Il n'a pas enfilé le haut de sa combinaison, qui pend autour de sa taille, exposant son magnifique torse doré. Le spectacle de ses muscles qui ondulent sous l'effort me met l'eau à la bouche.

— Mon Dieu…

Un soupir d'embarras m'échappe tandis que je tire sur la combinaison que Zach m'a donnée.

J'ai l'impression qu'elle m'empêche de respirer normalement. Et je ne suis pas vraiment convaincue qu'elle me tiendra chaud une fois dans l'eau : celle qui vient lécher mes orteils est glaciale.

— Au contraire, dis-je en grognant, je suis quasiment sûre que j'aurai encore plus froid!

Heureusement, les vagues ne sont pas très grosses. Et malgré sa menace, Zach ne m'a pas demandé de surfer nue, prétextant qu'il serait irresponsable de sa part de me laisser risquer l'hypothermie… En plus de cette combinaison toute neuve, il m'a tendu un maillot de bain jaune fluo, un minuscule morceau de tissu que seule Paris Hilton considérerait comme un maillot de bain décent.

Quand il m'a juré que j'allais adorer le surf, je n'ai pas été capable de protester de manière convaincante, à la fois étonnée et amusée par la vue de nos affaires – vêtements et trousses de toilette – mélangées dans le sac de Zach.

— D'habitude, on s'entraîne sur le sable avant de mettre la planche à l'eau, m'explique Zach, les yeux pétillants.

Je ne l'ai jamais vu aussi libre. De mon côté, je suis plus que stressée à l'idée de m'essayer à ce sport de glisse.

— Mais aujourd'hui, nous allons directement dans l'eau!

— Pourquoi?

— Disons que c'est un exercice de confiance en soi! lance Zach, un grand sourire aux lèvres. Maintenant, essayez ça, ajoute-t-il, en me faisant signe d'approcher de la planche qu'il vient de préparer.

Je grimace.

— C'est un regard noir que vous venez de me jeter?

La voix de Zach ne contient qu'une infime trace d'autorité par rapport à celle qu'il emploie dans la chambre à coucher, mais elle suffit à attirer mon attention.

— Pas du tout, dis-je, les yeux écarquillés.

Je me tortille en regardant les vagues. Ça ne va pas bien se passer, j'en suis sûre.

— Devon.

Debout derrière moi, Zach m'enlace et me serre doucement dans ses bras. Cette courte étreinte me redonne confiance en moi et me réchauffe plus que n'importe quelle combinaison.

— Qu'est-ce qui vous rend si nerveuse?

Je ne prends même pas la peine d'essayer de dissimuler mon angoisse. Je sais bien qu'il me forcera à lui dire ce que je ressens. Mais dès que je formule ma phrase dans ma tête, je me rends compte à quel point je vais avoir l'air bête.

— Je... je ne suis pas du genre à être douée pour ça.

Le sourcil levé et les yeux rivés sur moi, il m'invite à poursuivre.

— Surfer, c'est pour les gens... insouciants. Sportifs. Aux commandes de leur vie.

Et moi, je ne suis rien de tout ça. Au contraire, je planifie tout, je déteste faire du sport et je me raccroche à de menus détails pour avoir l'impression de contrôler ma vie...

— Quel ramassis de conneries!

L'exclamation de Zach m'arrache un soupir exaspéré. Je m'attendais à ce qu'il se montre attentif, qu'il m'aide à prendre confiance en moi, mais pas à cette réaction. Je reste sur mes positions et ne peux m'empêcher de protester.

— Ce ne sont pas des conneries, dis-je en fronçant les sourcils. C'est ma façon de voir les choses!

— Je ne devrais plus avoir à vous le dire, Devon, réplique-t-il, visiblement énervé, en ramassant la planche de surf et en la plantant dans le sable mouillé. Mais puisque vous êtes si aveugle quand il s'agit de vous, que vous manquez à ce point d'amour-propre, je vais quand même vous le dire encore une fois.

Je manque d'amour-propre? Je bafouille, j'essaye de trouver des arguments pour le contredire. Ce qui ne sert finalement à rien, puisqu'il ne me laisse pas le temps de répondre.

— C'est vrai, vous n'êtes pas vraiment insouciante, mais je pense que vous voulez plutôt parler de non-conformisme. Vous avez déménagé à San Francisco sur un coup de tête, sans boulot ni endroit pour vivre. Sportive? Vous pourriez courir un marathon si vous le vouliez, Devon. Tout est dans la tête!

— Vous avez bientôt fini?

Furieuse, j'ai envie de lui donner un coup de planche sur la tête, à cet imbécile arrogant.

— Non, pas tout à fait! réplique-t-il, avec un sourire carnassier, alors qu'il enfile le haut de sa combinaison. Aux commandes de sa vie! Je ne vois pas comment une femme qui quitte son petit ami parce qu'il la trompait et déménage dans une autre ville pour commencer une nouvelle vie peut considérer qu'elle n'est pas aux commandes de sa vie!

Une fois encore, je me mets à bégayer, quand, soudain, Zach me soulève par la taille et avance vers l'eau.

— Zach!

Je me débats à grands coups de pieds, sachant très bien ce qui m'attend, mais Zach ne semble même pas s'en rendre compte. Quand il me dépose dans l'eau qui m'arrive à la taille en prenant soin de me faire glisser le long de son corps, je ne peux pas ignorer le renflement sous le tissu épais de sa combinaison.

Dépitée, je fronce les sourcils et m'apprête à le traiter d'idiot mais son grand sourire me retient.

— Plongez-vous dans l'eau pour vous habituer à la température! me dit-il en allant récupérer la planche sur le sable.

J'envisage un instant de lui dire où il peut se la mettre, son eau glaciale... Mais si je ne m'y plonge pas de moi-même, il s'en chargera. Et ça, c'est hors de question! Je m'immerge complètement, prends une grande inspiration en ressortant, puis m'accroupis pour avoir de l'eau jusqu'au cou.

Merde, mais c'est qu'il a raison! L'eau me semble déjà moins froide... En tout cas, je ne vais certainement pas le lui avouer.

— Posez les mains sur mes épaules, m'ordonne-t-il, une fois de retour avec la planche, qui est munie de ce qui ressemble à une laisse, terminée par une boucle.

Ça me rappelle certains des liens qu'il a utilisés sur moi. Immédiatement, je rougis.

Quand je croise le regard de Zach, son sourire satisfait m'indique qu'il sait très bien à quoi je pensais.

— C'est un leash, explique-t-il. C'est ce qui vous relie à la planche. Comme ça, vous ne la perdrez pas si vous tombez.

J'observe le long cordon d'un air dubitatif. Je ne suis pas sûre du tout d'avoir envie d'être attachée à cette chose.

— Donnez-moi votre cheville, lance Zach, en se baissant devant moi.

Il détache le velcro de la boucle et, malgré mon mouvement de recul, le referme en serrant bien. Le contact de sa main sur ma peau me donne des frissons qui, cette fois-ci, n'ont rien à voir avec le froid.

— Voilà! déclare-t-il, avant de déposer un baiser mouillé sur la peau de ma cuisse, juste en dessous de l'endroit où s'arrête ma combinaison courte.

Je vibre de plaisir.

— Non seulement ça évite que la planche s'éloigne trop, mais ça l'empêche aussi d'aller cogner d'autres surfeurs. Certains n'aiment pas ça, mais je pense que la sécurité des autres est plus importante que sa propre liberté de mouvement.

Je ne vais pas le contredire.

— OK! Montez sur la planche.

Je cligne des yeux, une boule d'angoisse me tordant l'estomac.

— Comment ça, «montez»? C'est tout? Je monte juste dessus?

Zach éclate d'un rire franc qui me distrait de mon angoisse. Il est si différent ici, loin de Phyrefly et de toutes ses responsabilités… Profitant de cet instant d'inattention, Zach me hisse sur la planche.

— Merde, Zach! dis-je dans un grognement quand mes fesses entrent en contact avec la planche.

Il place mes jambes de chaque côté et je me redresse, incroyablement mal à l'aise.

— Et maintenant?

La planche oscille quand je bouge. J'inspire, et plaque mes mains dessus, comme si ça allait l'immobiliser. Zach pose une main sur la planche à côté de la mienne et l'autre sur ma taille.

— Ce n'est qu'une leçon de surf, Devon, me dit-il, le visage déterminé. Quelle est la pire chose qui pourrait vous arriver?

— Hum… Je pourrais tomber?

Maintenant que j'y pense, je me rends compte que c'est idiot. Oui, bien sûr, je pourrais tomber dans l'eau et être trempée. C'est d'ailleurs ce qui va se passer… Mais ce n'est rien d'insurmontable!

Dès qu'il me voit me détendre, Zach sourit, presse ma taille et commence à pousser la planche vers un endroit où l'eau est un peu plus profonde.

— Normalement, il faudrait que vous ramiez avec les bras. Mais, puisque je suis là, et que je veux qu'il vous reste de l'énergie pour d'autres choses plus tard, je vais vous aider.

Immédiatement, je sens une nouvelle chaleur entre mes jambes, mais je décide de l'ignorer. Zach veut que je surfe. Je sais que ça me fera du bien de tenter une nouvelle expérience. Alors, je vais le faire!

Il pousse la planche un peu plus loin, jusqu'à une zone où il y a quelques vagues. Je suis toujours nerveuse, mais aussi déterminée. Zach me fait signe de m'allonger sur le ventre.

— Et maintenant?

— Mettez-vous en position, me dit Zach, en regardant par-delà l'écume sur l'eau bleu clair.

Le soleil joue sur sa peau, et il est à couper le souffle. Échevelé. Heureux.

— Faites en sorte de ramer dans l'eau calme quand c'est possible. Sinon, vous allez vous épuiser. Ensuite, placez-vous juste à l'extérieur de la vague qui arrive.

Il fait un geste pour désigner l'endroit où les petites vagues surgissent des profondeurs de l'océan pour se diriger vers la rive. La planche est ballottée sur l'eau, et malgré moi, je me détends, bercée par le rythme des vagues.

— Et une fois en position, vous vous relevez! poursuit-il, en me donnant une tape sur les fesses, à laquelle je réponds par un regard noir. Ce serait plus simple si je pouvais vous montrer comment faire, mais je n'ai qu'une seule planche, ici. Alors vous allez devoir faire ce que je vous dis.

— Ça ne change pas de d'habitude...

Mon ironie me vaut une autre claque sur les fesses, assez forte pour m'arracher un petit cri. Quand je me tourne vers lui, je le vois sourire.

— Continuez, Devon! Ça ne fait que rendre les choses encore plus amusantes…

Je feins un soupir, lèvres serrées. En réalité, une ou deux claques de plus ne m'auraient pas dérangée… Elles ont réveillé les nerfs qui mènent à mon clitoris, et je frotte mes cuisses l'une contre l'autre, en sentant le désir monter.

— Ensuite, c'est le « take-off », explique-t-il, en plaçant mes mains à plat sur la planche de chaque côté de ma poitrine. Poussez sur vos bras aussi vite que possible pour vous relever et ramener vos jambes sous votre corps. En même temps, il faudra vous tourner, pour faire face à la rive.

C'est cette partie qui va me faire tomber dans l'eau, je le sais… Et c'est bien ce qui se produit, encore et encore.

Mais alors que je crachote en remontant à la surface pour la quatrième fois, je me rends compte d'une chose. Je suis en train de m'amuser. Et même si je n'y arrive jamais, au moins, je me serai amusée en essayant.

À mon cinquième essai, je réussis à transférer mon poids sur mes pieds sans faire basculer la planche. Je pousse un cri de joie, en écartant mes bras pour trouver mon équilibre.

— Parfait!

Je baisse les yeux et croise les yeux de Zach. Aussitôt, je sens une joie puissante s'emparer de moi.

— Essayez de garder l'équilibre. Maintenant, je vais vous pousser dans une vague.

— OK!

Je n'ai plus envie de protester. Les vagues vers lesquelles il me tire sont petites et proches de la rive, mais ça m'est égal.

— Vous avez déjà fait du ski, Devon?

Tous les muscles de mon ventre et de mes cuisses se crispent alors que j'essaie de garder l'équilibre pendant qu'il tire la planche.

— Quelquefois, oui.

Mes parents m'avaient donné des leçons quand j'étais adolescente, mais j'avais ressenti une pression, il fallait que j'excelle… Du coup, je n'avais jamais fait preuve d'aucune aptitude.

— Prendre une vague, ce n'est pas très différent. Placez votre poids vers l'avant, pour descendre la vague. Essayez de rester devant l'écume… Ensuite, amusez-vous!

Avant que je puisse répondre, il pousse la planche en avant, vers la vague qui arrive. Même si mes yeux me disent qu'elle fait à peine plus de trente centimètres, une fois sous mes pieds, elle me semble énorme. Je pousse un cri lorsque l'eau me propulse en avant. Je ferme les yeux, en m'attendant à dégringoler dans l'eau à tout moment. Mais je sens le vent qui fouette mes cheveux, et des gouttelettes d'eau salée qui éclaboussent ma peau. Stupéfaite, j'ouvre de grands yeux.

Je suis sur la planche, et la planche est sur la vague qui avance vers la plage.

— Putain!

Traversée par une décharge d'adrénaline, je sens l'excitation monter. Je souris à m'en faire mal aux joues, profitant de la sensation, jusqu'à ce que la vague meure, et que je saute dans l'eau.

— Alors? me demande Zach quand je refais surface, l'air à la fois inquiet et fier.

Posant les mains sur mes épaules, il m'examine, à la recherche de bleus ou d'égratignures. Mais je n'en ai pas. Je me sens incroyablement bien!

— C'était génial!

Zach attrape la planche, puis s'accroupit dans l'eau peu profonde pour ôter le leash de ma cheville.

— Oh! On ne peut pas recommencer?

— Je vous l'ai dit, vous devez garder de l'énergie, répond-il, en levant sur moi des yeux brûlants.

Une main sur mes fesses, il me fait sortir de l'eau.

— On recommencera demain.

— Pff…

Je regarde Zach tirer la planche sur le sable et bientôt ma frustration de ne pas pouvoir réessayer de surfer tout de suite se dissipe. Il a l'air d'un dieu de l'océan, et quand il lâche la planche et retire sa combinaison, je suis subjuguée.

Je ne l'avais pas vu se préparer avant ma leçon de surf. Sous la combinaison, il porte un maillot de bain noir ajusté qui s'arrête en haut de ses cuisses, me laissant tout le loisir d'admirer son corps splendide.

Le désir s'abat sur moi comme la vague que je viens de surfer.

Il relève les yeux, surprenant mon regard sur lui.

— Enlevez votre combinaison, Devon.

Ses yeux suivent les mouvements de mes mains quand je m'exécute et fais glisser l'épais tissu le long de mon corps.

Mon minuscule maillot trempé ne cache rien de ma soudaine excitation. Mes tétons sont pointés et le soleil de midi projette des ombres sur ma peau.

— Enlevez votre bikini.

Au lieu de lui obéir, je décide de voir comment il réagira à une provocation.

— Je veux encore surfer! dis-je en faisant la moue, et j'aperçois une trace d'amusement sur son visage. J'adore ça… C'est encore mieux que le sexe!

Il bondit sur moi, me faisant perdre l'équilibre. Avant que j'aie le temps de dire ouf, je suis au sol, mon dos contre son torse, ma joue pressée sur le sable et les fesses en l'air.

— Il me semble que vous êtes perturbée, commence-t-il. Vous avez dû prendre un coup de planche sur la tête quand je ne regardais pas, ajoute-t-il, en dénouant les ficelles qui attachent le bas de mon maillot.

Il enlève le morceau de tissu et le jette sur le sable.

— Regardez-moi ce cul splendide!

J'entends le bruit du tissu tiré sur la peau mouillée, puis son pelvis nu se presse contre moi. Sa peau a encore la fraîcheur de l'océan, mais sa queue bandée se réchauffe rapidement.

— Oh!

Je me pousse vers lui en roulant des hanches. Il se recule et je grogne de déception.

— Je croyais que surfer, c'était mieux que le sexe?

D'une main, il m'attrape par la hanche, pendant que l'autre se fraye un chemin entre mes jambes, parcourant ma peau douce à l'intérieur de mes cuisses.

— Nous devrions peut-être arrêter le sexe, puisque vous ne semblez pas l'apprécier…

— Non!

Je gémis quand il retire sa main.

Il rit, puis la replace, et cette fois-ci, il glisse directement deux doigts dans mon sexe humide et impatient.

— Le sexe, c'est mieux que le surf. Dites-le.

À moitié en riant et à moitié en gémissant, j'avance à la rencontre de ses doigts. Mon sexe se resserre autour d'eux, et je commence à faire des va-et-vient.

— J'attends!

Les doigts de Zach me pénètrent jusqu'à ce que je sente le plaisir monter. Soudain, il les retire, ne laissant que leur extrémité en moi. Je pousse un cri et j'essaye de reculer pour qu'ils s'enfoncent de nouveau en moi, mais sa main sur ma hanche m'empêche de bouger.

— Dites-le, Devon, grogne-t-il avec une pression de la main sur ma hanche. Vous savez que c'est la vérité.

— Très bien, espèce de salopard!

Un cri étranglé s'échappe de mes lèvres alors que ses doigts habiles me pénètrent de nouveau.

— Avec vous, le sexe, c'est meilleur que le surf!

Il immobilise un instant ses doigts et je gémis. Je suis si proche de l'orgasme.

Je l'entends qui laisse échapper un murmure de satisfaction, puis sa main descend sur mon sexe.

— Jouissez pour moi, Devon.

Il saisit mon clitoris entre le pouce et l'index et fait rouler ma chair gorgée de sang à un rythme régulier. Mes genoux se dérobent. Il suit le mouvement quand je m'abaisse sur le sable, la pression de ses doigts implacables sur le délicat bouton.

Je jouis en silence, surfant sur la vague d'un plaisir violent et délicieux. Quand il sent que mes muscles se détendent, il retire sa main.

J'ai envie de m'écrouler sur le sable comme une masse informe, que Zach me serre dans ses bras. Je nage dans un brouillard post-orgasmique, et je suis incapable ne serait-ce que de murmurer une protestation quand Zach me soulève dans ses bras.

— Quoi encore?

J'aime me blottir contre son torse. J'aime la façon dont ses muscles ondulent tandis qu'il me porte, traversant la crique privée jusqu'à l'escalier de pierre qui nous ramène à la maison.

— Mon bas de maillot de bain! Et la planche de surf!

— J'irai les chercher plus tard.

Je crois le sentir enfouir ses lèvres dans mes cheveux mouillés, mais peut-être suis-je juste en train de rêver.

— Je peux marcher! dis-je en me débattant mollement, trop bien dans ses bras pour avoir vraiment envie de les quitter.

— Laissez-moi prendre soin de vous, Devon, répond Zach, d'une voix sévère que vient contredire la chaleur de son regard.

Mon esprit se rebelle parce que je n'aime pas l'idée qu'on doive prendre soin de moi. Mais mon corps, lui, n'est pas de cet avis. J'accepte finalement de me blottir dans ses bras. Quelqu'un s'occupe de moi. Cette pensée me réchauffe le cœur.

Ces dernières années, j'étais livrée à moi-même, sans personne pour me veiller. Si c'est à ça que ressemble la vie avec Zach, alors je sais, avec une angoissante certitude, que je veux plus que juste du sexe.

15

— Attendez-moi là, ordonne Zach, les yeux emplis de désir, en effleurant ma pommette.

La tendresse de ce geste me coupe le souffle. Pelotonnée dans la serviette qu'il a enroulée autour de moi, je le regarde marcher vers le bungalow, nu et sans aucune gêne.

Bien sûr, il n'y a pas de voisins ici, en haut de la falaise, pour l'observer. Pourtant, avant d'attraper la serviette qu'il m'a tendue, je me suis sentie incroyablement exposée en ne portant rien d'autre que mon haut de maillot de bain étriqué.

J'espère retrouver son odeur dans la serviette, mais le coton a une odeur de renfermé. Ce n'était pas une plaisanterie quand Zach a dit qu'il n'avait jamais amené personne ici… Un homme aussi riche que lui pourrait payer quelqu'un pour passer de temps en temps s'occuper de la maison. Mais je vois bien avec cette serviette que ce n'est pas le cas. Et pour je ne sais quelle raison étrange, j'en suis heureuse.

— Vous vous réchauffez un peu?

Zach sort du bungalow par la porte vitrée avec une pile de serviettes et une trousse de toilette dans les mains.

— Oui, merci!

La trousse de toilette m'intrigue.

Sa queue bandée me fait comprendre ce qu'il a en tête… Je l'observe pendant qu'il dépose ces affaires à côté d'un grand poteau de bois. Je ne l'avais pas encore remarqué, mais il est surmonté par une pomme de douche. À sa base se trouvent des dalles de pierre, inclinées vers une évacuation et protégée par une grille.

Il tourne les robinets et l'eau se met à couler. Je frissonne en voyant la vapeur s'élever dans les airs. Les muscles de mon corps, malmenés par ma séance de surf, ne rêvent que de chaleur.

— Venez ici!

D'un doigt, Zach me fait signe d'approcher. Un soupir de pur plaisir s'échappe de mes lèvres quand j'entre dans la douche extérieure et que l'eau chaude se répand en cascade sur mon corps. Le contraste entre l'eau brûlante et l'air frais réveille chaque nerf de mon corps qui exulte.

Ses doigts puissants jouent avec la ficelle de mon haut de maillot de bain, écartant le tissu de mes seins, avant de faire tomber le tissu trempé à mes pieds. Il me masse les cheveux avec un shampoing qui sent les fraises et le champagne.

— Vous n'aviez jamais pris de douche en extérieur?

Ma réponse à sa question est un grognement de plaisir. Zach prend son temps, massant mon cuir chevelu, avant de rincer, encore et encore.

— Je dois vous enlever tout ce sable, souffle-t-il en passant à mes épaules.

Puis il savonne mes seins, mon torse et descend encore plus bas. Il me masse assez fermement pour que je sois consciente de ses mains sur moi, mais assez légèrement pour que ce ne soit rien de plus qu'une mise en bouche.

Je me détends peu à peu, sa trousse de toilette ne semblant contenir que du shampoing et du savon, plutôt que les jouets que j'avais imaginé y trouver.

Soudain, il passe les mains entre mes jambes. Le souffle coupé, je sens l'excitation monter brutalement. Je me recule pour me presser contre son corps ferme et puissant. Sa queue bandée et brûlante se frotte sur mes fesses. J'ai envie qu'il se glisse en moi, qu'il me prenne là, sous la douche.

— Mettez les mains sur le poteau.

Enfin! me dis-je en m'exécutant. Je ferme les yeux dans l'attente du plaisir... mais je les rouvre brusquement, quand tout à coup, je sens quelque chose se refermer autour de mon poignet avec un clic métallique.

— Zach!

Il ferme la seconde menotte. Mes bras passés autour du poteau, je ne peux plus rien faire d'autre que les lever ou les baisser. Je sens la panique m'envahir: je suis complètement impuissante.

— Voici la clef des menottes, Devon, me dit-il, le visage sérieux, en me montrant une petite clef argentée. Je peux vous détacher en quelques secondes.

Le métal brille sous le soleil de la fin d'après-midi quand Zach pose la clef sur le banc qui fait le tour du patio.

— Dites-moi. Quel est le code de sécurité?

J'ai du mal à respirer, mais je sais qu'il attend une réponse.

Oui, je connais le code de sécurité. Et oui, j'ai confiance en Zach, je sais qu'il s'arrêtera immédiatement si je prononce ce mot. Si je suis encore incapable de lui confier mon cœur, quand il s'agit de mon corps, je n'ai aucun doute.

— Très bien, poursuit-il en fouillant dans sa trousse de toilette.

Il en sort deux objets; j'identifie le tube de lubrifiant, mais pas le second. On dirait une petite ampoule allongée, au culot plat. J'incline la tête pour étudier l'objet, et soudain, je comprends. Cet objet est destiné à l'orifice que rien n'a encore pénétré auparavant.

— Ce soir, je vais vous prendre par-derrière, Devon.

Le visage de Zach est ténébreux, ses yeux ardents et dangereux. Bien sûr, je pourrais utiliser mon code de sécurité... mais je ne voudrais pas que Zach se renferme de nouveau. Mon Dieu... qu'est-ce qui va m'arriver?

Il étale le lubrifiant sur toute la longueur du plug, qu'il me désigne, en expliquant:

— Ça, c'est pour vous préparer, pour que je ne vous fasse pas mal.

Sa main posée sur ma taille, il m'écarte du jet d'eau, mais la vapeur continue à me réchauffer.

— Vous êtes fou?

Je tire frénétiquement sur les menottes – ce qui a pour seul effet de me faire mal aux poignets, alors même qu'elles sont molletonnées justement pour éviter que je me blesse.

— Ne faites pas ça, me réprimande Zach. Si vous voulez arrêter, alors utilisez votre code de sécurité. Sinon, je considère que vous êtes consentante.

Je gémis. Bien sûr, je connais l'existence du sexe anal, mais je n'ai jamais ne serait-ce qu'envisagé de le pratiquer. Jamais. L'idée de l'énorme queue de Zach pénétrant ma chair serrée est angoissante – et, pour être tout à fait honnête, incroyablement excitante.

En revanche, il peut me préparer tant qu'il veut, je sais que ça va être très douloureux.

— Zach. Je... Je ne pense pas que je peux faire ça...

Je refuse d'avoir recours au code de sécurité, parce que je ne veux pas que tout ça s'arrête. Mais malgré le regard suppliant que je lève vers lui, son visage reste de marbre. On dirait qu'aucune émotion ne l'a jamais habité.

— Non... s'il vous plaît!

— Vous savez comment arrêter ça, Devon.

Le ton de sa voix, plus doux que son regard, me donne une lueur d'espoir, mais elle disparaît aussitôt quand il ajoute:

— La base de cette relation, c'est la confiance que vous m'accordez. Vous savez que je vais repousser vos limites, sans jamais vous pousser plus loin que ce que vous pouvez supporter. Et votre récompense sera un plaisir dont vous n'avez même jamais osé rêver.

Je ne peux retenir un ricanement.

— Vous êtes sûr que vous ne parlez pas de votre plaisir, plutôt? dis-je avec sarcasme, malgré son regard courroucé.

Il ne répond pas, mais passe derrière moi et écarte mes fesses, ce qui m'arrache un cri. Mes muscles se tendent, redoutant l'invasion. Mais malgré le stress, je sais que je n'ai jamais sincèrement envisagé d'utiliser le code de sécurité.

— Faites-moi confiance.

L'extrémité dure et froide du plug appuie sur l'entrée de l'étroit orifice. Zach glisse sa main libre à plat sur mon ventre et l'excitation vient se mêler à mon malaise. Je suis perdue.

— Poussez les fesses vers moi.

Je me mords les lèvres, puis, après un instant d'hésitation, j'obéis. Je pousse un cri quand le plastique rigide écarte mes muscles vierges. La douleur, d'abord aveuglante, se calme une fois que le plug a franchi la bague serrée de mes muscles pour s'enfoncer en moi.

— Oh, mon Dieu!

Je me fige, sans savoir ce que je dois faire ensuite. Tout me semble si étrange, étranger même. Ça n'a rien à voir avec les sensations que provoque la queue de Zach quand il est en moi.

— Les mains sur le poteau, Devon, m'ordonne-t-il.

Ce n'est peut-être pas drôle pour moi, mais la voix de Zach trahit une excitation intense qui me pousse à obéir.

— Poussez de nouveau les fesses vers moi, maintenant.

L'estomac noué, je prends une grande inspiration et je m'exécute. J'écarquille les yeux en sentant le plug s'enfoncer encore plus profondément en moi.

Ça me brûle... Et la chaleur s'étend. Bientôt toutes mes fesses sont en feu. La sensation est inconfortable et doulou-reuse, elle réveille des terminaisons nerveuses dont j'ignorais l'existence.

— Encore une fois.

Impossible! Je ravale un gémissement. Ça ne rentrera pas! Mais je ne vais pas utiliser le code de sécurité...

— Maintenant.

Cette nouvelle poussée étend la brûlure et me coupe le souffle. Je sursaute, surprise, quand Zach descend sa main de mon ventre à mon clitoris.

— Vous pouvez y prendre du plaisir, Devon, souffle-t-il. C'est à vous de décider si vous voulez ou non accueillir ce plaisir...

Malgré ma chair en feu, je m'interroge. Est-ce qu'il a raison? Ses doigts tracent des cercles sur mon clitoris et des vagues de plaisir viennent soudain s'ajouter à la brûlure. Je manque d'être submergée par toutes ces sensations.

Décidément, l'intensité des pulsions sexuelles de Zach ne me laissera jamais de repos. Tout serait tellement plus facile si j'avais craqué pour quelqu'un d'autre, quelqu'un dont les pré-férences sexuelles auraient eu des conséquences moins boule-versantes pour moi.

Zach pince doucement mon clitoris et ces pensées sont aus-sitôt balayées de mon esprit, alors qu'un soupçon de douleur se mêle au plaisir.

— Arrêtez de lutter, murmure Zach à mon oreille, alors que je me tends en sentant le plug bouger.

Zach tire dessus, le retirant doucement, et j'accueille avec reconnaissance la sensation de soulagement. Puis il l'enfonce à nouveau, toujours aussi lentement.

— Non!

Il ne répond pas, mais je sens qu'il masse le gel froid sur la raie de mes fesses, autour du plug.

— Oui!

Une nouvelle fois, il retire le plug, jusqu'à ce que seule son extrémité reste en moi. Il le replonge sans que je proteste, l'ajout de lubrifiant facilitant le passage de l'objet. C'est toujours inconfortable, mais le gel frais apaise un peu ma brûlure.

Zach glisse ses doigts dans mon sexe humide pour les lubrifier, puis retourne masser mon clitoris. Le plaisir qu'il me procure se mêle aux sensations nouvelles et inédites, et je sens que je commence à trembler, sans comprendre ce qui m'arrive.

— Tenez-vous bien.

Mes doigts s'accrochent au bois humide du poteau tandis que ceux de Zach accélèrent leur pression sur mon clitoris, le faisant rouler avec son habileté habituelle. Malgré mes protestations, je sens le plaisir monter au plus profond de moi.

— Jouissez maintenant!

Comme sur son ordre, le plaisir explose en moi. Le souffle coupé au beau milieu de mon orgasme, je suis vaguement consciente des va-et-vient que Zach imprime au plug, plus forts, plus rapides et plus profonds qu'avant.

— Zach…

C'était censé être une protestation, mais je suis la première surprise de découvrir qu'elle n'est pas sincère. L'orgasme a atténué la douleur, et à présent, tout n'est plus que pures sensations.

— C'est bien, petite coquine.

Les va-et-vient du plug entre mes fesses continuent et l'étrange sensation m'excite de plus en plus. Je grogne doucement quand Zach retire entièrement l'objet. Mes muscles se détendent, mais je me sens étrangement vide.

L'instant d'après, je comprends ce qui va se passer et je me crispe de plus belle.

— Du calme...

J'aimerais voir son visage... Tout ce que je peux faire maintenant, c'est attendre. Je me cambre quand je sens des gouttes d'un liquide chaud. Zach me masse les fesses, puis glisse peu à peu vers mon orifice. Enfin, il fait entrer un doigt là où se trouvait le plug et je me rends compte que j'apprécie. J'avance vers lui, j'ai envie de retrouver la sensation d'être remplie.

— Écartez un peu plus les jambes, m'ordonne Zach.

Perturbée, mais excitée, je le sens glisser un objet en forme d'obus entre mes jambes, puis le faire pénétrer dans mon sexe. Il presse son doigt sur sa surface lisse et une seconde plus tard, je sens mes genoux se dérober quand des vibrations éclatent dans mon bas-ventre.

— Je vous déconseille de le laisser tomber...

— Zach!

Ses mains remontent pour aller écarter mes fesses. Soudain, j'imagine l'image qu'il a de moi en ce moment même, attachée, offerte à ses regards, rose d'excitation.

Mais toute pensée s'évanouit quand il appuie son gland entre mes fesses. Des sons incompréhensibles s'échappent de mes lèvres quand doucement, très doucement, il me pénètre. Son pénis est bien plus gros que le plug et mes muscles, étirés au maximum, protestent.

Ça fait mal. Mais alors qu'il me pénètre, se retire légèrement, puis s'enfonce de nouveau un peu plus profondément, je découvre que cette douleur est agréable.

— Tout va bien?

Je n'ai pas besoin d'y réfléchir. Je hoche frénétiquement la tête, soudain effrayée à l'idée que ces sensations s'arrêtent. Ma respiration s'accélère tandis qu'il continue ses va-et-vient, me pénétrant de plus en plus profondément.

Enfin, il s'arrête, son pelvis appuyé contre mes fesses. Je sens ses bourses peser sur la chair sensible de mes lèvres. Même lorsqu'il ne bouge pas, l'épaisseur de sa queue plongée en moi appuie sur le vibromasseur, toujours en marche dans mon ventre. C'est trop. Ce n'est pas assez.

— Encore…

Je reconnais à peine ma voix, pourtant c'est bien moi qui viens de parler.

— Encore, s'il vous plaît…

Il me semble entendre Zach murmurer mon prénom avant d'empoigner mes cheveux mouillés pour faire basculer ma tête en arrière, vers lui.

— Vous êtes à moi !

Je ne sais pas qui de lui ou moi vient de prononcer ces mots, et ça m'est égal. Zach se retire presque entièrement de moi, puis replonge au plus profond. Mes gémissements deviennent des supplices quand il adopte un rythme régulier et rapide sans jamais être brutal.

— Je ne vais pas pouvoir me retenir beaucoup plus longtemps, murmure Zach.

Ses mains descendent entre mes jambes. La première écarte mes lèvres d'un geste sûr, et deux doigts de l'autre main glissent en moi et poussent le vibromasseur plus profondément encore.

L'objet vient vibrer contre la fine membrane qui sépare mes deux orifices intimes. Les sensations sont si intenses que j'essaie de m'écarter, mais la poigne solide de Zach me maintient en place.

— Je… Je ne peux pas. Zach… c'est trop ! dis-je en haletant.

Sa respiration devient rauque. Il ignore mes faibles protestations, m'aidant à accepter les sensations qui m'envahissent.

Il s'enfonce en moi, plus profondément que jamais. Je sens ses muscles se tendre, un signe qui – je le sais à présent – annonce qu'il approche de l'orgasme. Le fait de savoir que je suis à l'origine de ce plaisir me donne envie de lui donner encore plus. Je me presse contre lui, l'accueillant encore un centimètre de plus. Quand sa queue se met à battre en moi et me remplit d'un liquide brûlant, je bascule dans un violent orgasme, si intense qu'il me fait l'effet d'une gifle en plein visage. Je crie dans l'air rempli de vapeur, je frissonne pendant que nous surfons chacun jusqu'au bout la vague de notre plaisir.

Ses bras enlacent ma taille, me soutiennent pour que je ne sois pas suspendue par les poignets. Car même si le tsunami de mon orgasme a maintenant reflué, je tremble encore, et mes jambes refusent de me porter.

Après un long moment passé à me serrer contre son torse, Zach finit par se retirer. D'un geste sûr, il extrait le vibromasseur, l'éteint, puis le met de côté.

Mon corps maltraité est merveilleusement relâché. Mes émotions ne sont pas en reste : j'ai le sentiment d'avoir été pilonnée par les vagues de l'océan que j'entends au-dessous de nous.

Qu'est-ce qui vient de se passer ?

À ma grande honte, je sens mes yeux s'emplir de larmes. Je détourne le visage, essayant désespérément de les cacher à Zach. Il ne fait pas de commentaires. D'un doigt, il me caresse le dos, avant de récupérer la clef et de me libérer.

— Chut... Devon, ma petite coquine, murmure-t-il en massant mes mains pour y faire revenir le sang. C'est normal de ressentir beaucoup d'émotions après quelque chose comme ça.

Je hoche la tête, mais je garde les lèvres serrées alors qu'il me pousse de nouveau sous le jet de la douche. Il verse un liquide au parfum délicieux sur mes fesses et laisse l'eau savonneuse me laver et apaiser la douleur.

J'ai peur de parler. Je sais ce que je veux dire, mais je ne crois pas qu'il ait envie de l'entendre. Alors je le laisse m'envelopper dans une serviette, sécher ma peau et mes cheveux. Pendant ce temps, je me demande ce que je vais faire maintenant que je sais, de mon côté au moins, que du plaisir mutuel que nous nous donnons est né un sentiment qui ressemble affreusement à de l'amour.

En silence, Zach et moi sommes rentrés dans la maison après avoir récupéré nos jouets. Il a commandé à dîner, et pendant que j'explorais la maison il a enfilé un jean délavé et un T-shirt déchiré.

— Vous resterez nue, m'ordonne-t-il en me rejoignant, ce qui me tire brusquement de mon état de relaxation profonde.

Je sens le feu couvert de mon désir se raviver.

— Mais vous, vous êtes habillé !

Je recule imperceptiblement vers la chambre où il a déposé nos affaires. J'ai une idée derrière la tête mais l'ordre qu'il vient de me donner contrarie mes plans.

— C'est moi qui fixe les règles, réplique-t-il, l'air content de lui.

Peut-être serais-je punie ensuite, mais ça en vaut le coup !

— S'il vous plaît… dis-je en continuant à reculer, maintenant suivie de près par Zach. Accordez-moi juste une minute. Ça vous plaira, j'en suis sûre.

Il marque un temps d'arrêt et j'en profite pour faire volte-face et courir dans la chambre, en claquant la porte derrière moi. Vite, j'attrape la nuisette bleue dans mon sac à main et je l'enfile.

J'entends la porte s'ouvrir alors que je suis en train de lisser la soie sur mes hanches. Je me retourne vers Zach, poings serrés. Plus que jamais, il a l'air d'un prédateur qui vient d'attraper sa proie et s'apprête à la dévorer. Il s'arrête net en me voyant.

— Est-ce que vous aimez?

Si j'ai acheté cette nuisette, c'était pour pimenter mon ennuyeuse vie sexuelle d'alors. J'étais même parvenue à me convaincre que son prix exorbitant était un cadeau que je me faisais à moi-même... Mais quand les yeux de Zach me détaillent, fascinés, je comprends qu'elle lui a toujours été destinée.

— Vous êtes belle, chuchote-t-il en m'enlaçant pour un baiser langoureux et enivrant.

Mon cœur bat la chamade. Il descend ses mains le long de mon dos, m'attrape par les fesses et me soulève du sol. Je passe les jambes autour de sa taille, m'ouvrant entièrement à lui.

— Vous êtes incroyable...

Il me dépose sur le lit avec une délicatesse exquise. Les paupières mi-closes, je le regarde ôter les vêtements qu'il vient juste d'enfiler. Il s'allonge à son tour et sa chaleur enveloppe mon corps.

— ... si douce...

Il fait courir un doigt sur ma poitrine, suivant la ligne du tissu. De l'autre main, il écarte mes jambes et glisse un doigt dans mon sexe. Avec lui, j'ai l'impression d'être toujours prête. Il présente sa queue à l'entrée de mon sexe et s'enfonce en moi avec facilité.

Les yeux plongés dans les miens, il se soulève sur les coudes, abaisse ses hanches alors que les miennes se soulèvent. Nos mouvements, d'abord lents, s'accélèrent un peu à mesure que le plaisir s'intensifie.

— ... si douce Devon...

Il baisse la tête jusqu'à mes seins, aspire mon téton à travers la fine soie de la nuisette. Le frottement du tissu m'arrache un cri de plaisir. Ses doigts jouent avec mon clitoris et je frissonne, emportée vers les sommets.

— Je veux que nous jouissions en même temps.

Il pince mon clitoris, piégeant le délicat bouton dans son implacable étreinte, et je m'arc-boute. Des étoiles dansent devant mes yeux ; il s'enfonce aussi profondément que possible en moi, grognant mon nom d'une voix rauque alors qu'il se répand en moi.

Nous reprenons tous les deux notre souffle. Son visage est enfoui dans mon cou, tandis que mes mains caressent les muscles de son dos. Les mots m'échappent sans que j'aie voulu parler.

— Je vous aime.

Emportée par l'instant, j'exprime tout haut ce que je ressens.

Il m'a fait l'amour de façon si tendre, si douce qu'il me faut un instant avant de me rendre compte que son corps s'est tendu.

— Devon...

Zach se retire, glisse hors du lit et passe la main dans ses cheveux, agité. Il ne dit rien, mais je n'ai pas besoin de mots pour comprendre : le choc et la gêne se lisent sur son visage.

— Je vois.

Je sens mes larmes monter, et avec elles, la colère. Je reste figée un long moment, la nuisette humide qui colle à ma peau me donne l'impression d'être plus exposée que si j'étais nue.

Je pourrais lui dire que le fait qu'il n'éprouve visiblement pas la même chose n'est pas grave, juste pour le mettre à l'aise... mais ce serait mentir.

— Qu'est-ce que vous faites ? me demande-t-il abasourdi, alors que, prenant une inspiration tremblotante, je m'extrais du lit et m'approche du sac marin.

J'essaie tant bien que mal de me dérober à son regard. Je trouve un T-shirt qui doit être le sien, puisqu'il est bien trop grand pour moi. Peu importe. Je fais passer la nuisette par-dessus ma tête puis enfile le T-shirt, contente d'être enfin couverte. Je continue à fouiller et déniche une paire de leggings.

Outragée, blessée, la gorge nouée, j'ignore sa question et me précipite dans la salle de bains. Je ne peux pas passer une minute de plus avec lui, alors que les mots que j'ai prononcés résonnent encore dans la pièce, des mots si importants pour moi et qu'il a rejetés...

— Devon. Arrêtez immédiatement!

L'ignorant toujours, j'enfile mes ballerines et attrape mon sac. Quelques instants plus tard, je franchis la porte d'entrée, le menton levé.

Je suis toute fébrile quand, en descendant l'allée privée, j'entends les cris de Zach derrière moi.

Une chose à la fois. J'essaie de repousser la douleur pour penser rationnellement à la suite des événements. Après tout, refouler mes sentiments, c'est ce que je fais le mieux, non?

Je vais marcher jusqu'à la ville. Là-bas, je trouverai un hôtel où passer la nuit, le temps de reprendre mes esprits. Et demain matin, je louerai une voiture et je retournerai à San Francisco. Ce n'est qu'une fois arrivée que je m'autoriserai à penser à ce que je veux faire ensuite.

J'aime mon boulot, mais je ne suis plus sûre de pouvoir continuer à côtoyer Zach. Je ne peux pas être avec quelqu'un qui persiste à nier ce qui existe entre nous, qui refuse de me parler de son passé pour que nous puissions avancer et avoir un avenir.

— Non!

Je laisse échapper un cri qui brise la digue qui retenait mes larmes. Ce serait plus facile s'il ne ressentait vraiment rien pour moi. Ce qui me tue, c'est que je sais – je sais – que les sentiments qui existent entre nous seraient suffisants pour que nous soyons heureux ensemble.

Mais Zach est dominant jusqu'à la moelle, et il s'est fixé une ligne de conduite à laquelle il ne dérogera jamais.

Je ne peux plus m'arrêter de pleurer. Arrivée au bout de l'allée, je tourne et m'engage sur le bas-côté de la route. Je m'essuie les yeux, tout mon corps tremble, j'ai l'impression que je vais vomir.

Soudain, un crissement de pneus. Des voix, les basses assourdissantes d'une musique, des rires, puis des cris. Je fais volte-face et aperçois une masse rouge qui fonce droit sur moi.

J'ouvre la bouche en un cri muet, figée sur place. Au dernier moment, je sens que mon corps est tiré d'un coup sec sur le côté alors qu'une voiture remplie d'adolescents, avec deux planches de surf attachées sur le toit, fait un écart, roulant juste à l'endroit où je me trouvais une seconde plus tôt.

Je tombe dans l'herbe et l'impact me coupe le souffle. Mon cerveau paniqué comprend enfin que les bras autour de ma taille sont ceux de Zach. Tremblant de rage, il regarde la voiture s'éloigner tandis que la musique faiblit au loin.

Mon cœur bondit, l'adrénaline parcourt tous mes membres et me fait claquer des dents. Je me retourne vers Zach, je veux le remercier. Mais ce n'est plus un homme qui me fait face. C'est un mur de glace.

Ma bouche se referme sans que j'aie pu prononcer un mot. Je suis démunie face à sa colère, cette rage pure qui émane de lui en vagues palpables.

— Merci…

Il fallait que je le dise, même si ma voix est presque inaudible. Il tourne la tête vers moi. Son regard est glacial. Rien n'a changé de son côté.

— Rentrez à la maison! m'ordonne-t-il sèchement.

Les larmes sèchent sur mes joues, je serre les poings. Mon cœur saigne.

— Nous rentrons à San Francisco.

16

Quand j'arrive au bureau le lendemain matin, un paquet m'attend sur mon bureau. Le raffinement de l'emballage suffit à me faire comprendre – avant même d'ouvrir la carte qui l'accompagne –, qu'il s'agit d'un cadeau de Zach.

Mon cerveau me dicte de jeter immédiatement dans le vide-ordures de l'immeuble la petite boîte, encore enveloppée dans son papier doré. J'ai beau souffrir d'être séparée de Zach, j'en ai assez de ses petits jeux.

Après la nuit d'hier, je suis dans un état lamentable. Heureusement, on est vendredi, mais je dois encore tenir toute une journée avant de pouvoir être seule – merveilleusement seule.

Évidemment, Zach étant venu me chercher dans le bureau même de la comptabilité la veille, je vais être l'objet de tous les ragots. Certains anodins, la plupart malveillants.

— Et merde…

Je me laisse tomber sur mon siège et passe un doigt dans le ruban qui orne la boîte. Si je ne me décide pas à le jeter, je ferais sans doute mieux de l'ouvrir avant que mes collègues arrivent et que le bureau soit rempli de gens impatients de découvrir le nouvel épisode de la saga entre le PDG et la nouvelle recrue...

Les mains tremblantes, je tire sur le ruban puis décolle le scotch. Sous le papier cadeau, je découvre un écrin en velours qui provoque immédiatement une vague d'espoir – pourtant, je sais bien maintenant que je ne dois rien attendre.

Qu'est-ce que ça peut être?

Je retiens mon souffle et ouvre la boîte. Un bijou brillant glisse dans ma main : c'est un bracelet en platine finement gravé et paré d'une rangée de petites pierres bleues. Une étoile blanche est piégée à l'intérieur de chaque saphir, mais elle n'est visible que sous un certain angle, quand la lumière joue sur les pierres.

La main serrée sur le bracelet comme si je ne pouvais déjà plus supporter de le lâcher, j'ouvre la carte. Le stylo a mordu le papier sous la main puissante de Zach.

« Le bleu de ces saphirs étoilés me rappelle la magnifique nuisette que vous avez portée pour moi hier soir. Ce bracelet est ma façon de vous remercier pour les moments que nous avons passés ensemble. Je ne les oublierai jamais. Je suis navré, plus que vous ne le pensez, de ne pouvoir vous donner ce dont vous avez besoin.

Pour toujours,
Zach »

Je me cale dans mon siège, fermant les yeux pour essayer de me calmer. Je ne veux même pas penser à l'influence dont il a dû user pour se procurer ce bracelet entre le moment où il est rentré et celui où je suis arrivée au bureau.

Je ne peux pas le garder. J'en ai envie, et pas seulement parce qu'il est beau. Il pourrait bien être mon seul souvenir des moments que nous avons partagés. Et dire que c'est maintenant, alors que tout est fini entre nous, qu'il se décide à me révéler son côté sentimental... Je suis surprise, même si j'ai toujours suspecté son existence, caché sous le masque de l'homme dominateur.

D'un autre côté, si je décide de garder ce cadeau, je ne parviendrai jamais totalement à l'oublier.

J'ai l'impression que mes doigts sont gourds quand je remets avec précaution le bracelet dans son écrin, avant de le glisser dans le premier tiroir de mon bureau, le corps secoué par un frisson.

— Salut, Devon!

Je sursaute et lève les yeux. Tony est en face de moi, de l'autre côté de mon bureau. Je sens mon corps se crisper: je ne sais pas comment je vais être accueillie après ce qui s'est passé hier avec Zach.

— Salut, dis-je d'une voix hésitante.

Je me force à sourire et Tony – qui n'a aucun moyen de savoir que ce sourire n'est qu'une façade – semble content.

— J'ai apporté le café! lance-t-il.

Effectivement, il me tend l'un de ses gobelets et je suis si soulagée par ce geste que j'en pleurerais.

— Merci, Tony.

Je prends la tasse fumante dans laquelle je puise comme une sorte de chaleur humaine. Avec un sourire penaud, Tony retourne à son bureau. Je comprends qu'il ne va pas évoquer la scène d'hier, et ça le fait remonter dans mon estime.

Bien sûr, nous sommes dans le même service, et nous ne sommes donc pas autorisés à sortir ensemble. De toute façon, je n'en ai pas envie. Je n'ai pas ce genre de sentiments pour lui. En revanche, c'est vraiment agréable d'avoir un ami, ici.

— Dans mon bureau, s'il vous plaît, mademoiselle Devon Reid.

C'est le milieu de la journée et la voix de Mme Gallagher me parvient à travers le bruit de fond ininterrompu du cliquetis des claviers. Elle a baissé ses lunettes sur son nez et arbore comme à son habitude une expression sévère.

Je ne sais pas de quoi elle veut me parler et je n'ai aucune envie de le savoir. La journée est déjà assez désastreuse comme ça.

— Fermez la porte.

Je soupire intérieurement, mais je m'exécute. Aussitôt, je sens la colère monter. J'en ai marre qu'on me dise ce que je dois faire. J'ai quitté Sacramento bien décidée à découvrir de nouvelles facettes de ma personnalité… Et me voilà de retour à la case départ : je suis la gentille Devon, douce et docile.

— Asseyez-vous.

Je me laisse tomber sur une des chaises en face du bureau de Mme Gallagher. Je sens bien que je n'arrive pas vraiment à dissimuler mon air renfrogné, mais ça m'est égal. Je lève un sourcil. Va-t-elle m'expliquer ce qu'elle me veut ?

Mme Gallagher me lance un regard acerbe mais ne fait pas de commentaire sur mon attitude. Et contrairement à ce que j'attendais, quand elle prend enfin la parole, sa voix est douce, très loin du ton sur lequel elle s'adresse d'habitude à son équipe.

— Devon, qu'est-ce qui vous arrive ? m'interroge-t-elle.

Je ricane, dépassée par l'ampleur de la question.

Hier soir, j'ai eu beau insister, Zach a refusé d'appeler Charles pour qu'il vienne le chercher, ce qui m'aurait permis de rentrer seule en voiture. Il était dans une telle fureur que j'ai été incapable de l'atteindre, d'ouvrir ne serait-ce qu'une brèche dans la muraille érigée autour de lui. Pourtant, je n'avais qu'une envie : lui hurler que l'amour est un cadeau. Même quand il n'est pas réciproque…

Sa colère est tellement démesurée par rapport à ce qui s'est passé entre nous! Sa réaction me blesse profondément. Si on y ajoute le stress – j'ai quand même failli être renversée par une voiture! – et l'interminable trajet du retour avec Zach qui se crispait sur son siège à chaque fois qu'une voiture nous approchait, il est facile de comprendre que je suis au bord de la crise de nerfs.

— Devon.

Je suis prise au dépourvu par la gentillesse inattendue de ma responsable. Sa voix douce rompt la fragile digue qui retenait le flot de mes émotions. J'ai honte de perdre pied devant Mme Gallagher, mais je ne peux plus retenir mes larmes.

— Oh, ma pauvre!

Elle saisit une télécommande et opacifie les parois vitrées de son bureau, puis me tend un paquet de mouchoirs. J'accepte avec reconnaissance et sèche mes larmes. Je ne sais pas du tout comment réagir face à cette femme que tout le service redoute, mais qui se comporte de manière si différente avec moi!

J'ai tellement besoin que quelqu'un m'aide que je suis tentée de lui raconter toute l'histoire. Mais je m'en garde bien, consciente des sérieux problèmes que cela pourrait me causer. Même en l'absence de règle officielle à ce sujet, si mon aventure avec Zach était confirmée et qu'on apprenait jusqu'où elle est allée, ma vie chez Phyrefly deviendrait vraiment impossible.

Malgré l'accueil attentionné de Tony ce matin, je ne sais pas encore si je veux rester ici. Ce que je sais, en tout cas, c'est que je veux que la décision de rester ou de partir soit la mienne.

— Je comprends ce que vous traversez mieux que vous ne le pensez, déclare Mme Gallagher en se reculant dans son fauteuil.

Elle enlève ses lunettes et se masse les tempes quelques secondes avant de braquer son regard sur moi. Ce n'est pas la première fois que je suis frappée par sa beauté, c'est une femme très séduisante quand elle n'arbore pas son habituel air sévère.

— Et je comprends également pourquoi vous ne voulez pas en parler, ajoute-t-elle. Laissez-moi quand même vous dire ce que je pense qu'il s'est passé...

Son regard pénétrant me plaque sur mon siège. Je me tortille, mal à l'aise.

— Votre relation avec M. St Brenton a débuté avant que vous ne soyez engagée ici. C'est lui qui vous a obtenu ce poste.

De nouveau, j'ai honte. Je me mords la lèvre, essayant de retenir mes larmes. Je passe pour une pute.

— Ce... Ce n'est pas ce que vous...

Elle me fait signe de me taire, et reprend:

— Avant que vous ne vous mettiez de nouveau dans tous vos états, sachez qu'il ne vous aurait jamais proposé un poste ici si vous n'étiez pas parfaitement compétente et utile à son entreprise. Vous vous doutez bien qu'on ne devient pas milliardaire en prenant les mauvaises décisions...

Le bruit d'un tiroir qu'on ouvre me fait relever les yeux. Et je m'attendais à tout, sauf à voir Mme Gallagher poser sur son bureau une bouteille d'un liquide ambré et deux gobelets en plastique!

Nous sommes au bureau, en début d'après-midi. Et c'est de Mme Gallagher qu'il s'agit... la femme qui désapprouve absolument tout!

— Buvez ça, me dit-elle en poussant un des gobelets dans lequel elle a versé deux doigts de whisky.

Stupéfaite, je prends le gobelet, hume son contenu et me mets à tousser à cause des vapeurs alcoolisées. Puisque c'est ce qu'elle semble attendre, je bois une gorgée. Je sens la brûlure de l'alcool dans ma gorge et tout le long du trajet jusqu'à mon estomac. Le liquide réchauffe mon corps, toujours glacé depuis la nuit dernière.

— Bien. Je ne le vois qu'aux réunions de direction des services, chaque mois. Je ne le connais donc pas vraiment... Mais mon expérience personnelle m'a appris que les hommes qui ont autant de pouvoir jouent parfois à des jeux vicieux avec le cœur des femmes.

Ma curiosité piquée au vif, j'avale le reste de mon whisky cul sec.

— Votre expérience personnelle?

Puisque c'est elle qui a provoqué cette conversation en me convoquant dans son bureau, j'ose lui poser la question. Mme Gallagher hoche la tête, le regard dur.

— Je travaillais dans une grande entreprise, comme celle-ci. J'avais... Eh bien, le PDG était presque aussi énigmatique que M. St Brenton! Riche, beau... C'était un homme d'expérience et il a jeté son dévolu sur moi. J'étais jeune. Ça ne s'est pas bien terminé...

L'amertume de sa voix provoque un élan de compassion immédiat. Mon cœur se serre. Son histoire s'est mal terminée, et alors? Pourquoi est-ce que ça devrait aussi être le cas de la mienne?

— Pour résumer, vous avez une relation avec l'un des célibataires les plus convoités du monde, reprend-elle. Ce n'est pas l'idée la plus intelligente que vous ayez eue, n'est-ce pas?

J'acquiesce tristement.

— Je suis désolée. Vraiment.

Tout à coup, j'ai envie de partir. Je veux rentrer chez moi. Même si à l'heure actuelle, je ne sais pas vraiment où c'est, chez moi...

— Je... Ne me virez pas, s'il vous plaît! J'aime travailler ici.

Au moins, cette discussion m'aura permis de prendre une décision. Je ne veux quitter ni ce boulot ni cette ville. Je ne m'y sentirai peut-être pas chez moi sans Zach, mais je sens que j'ai encore des choses à vivre ici.

— Ne soyez pas ridicule! lance sèchement Mme Gallagher en se levant.

Je l'imite maladroitement, mes gestes reflétant l'incertitude qui m'habite.

— La façon dont M. St Brenton se comporte quand il est avec vous est à mille lieues de la façon dont me traitait mon amant à l'époque, me confie-t-elle. Au début, je voulais vous avertir, vous conseiller de vous éloigner de lui. Mais il tient à vous, ça se voit. Profondément. Qui plus est, vous êtes une femme intelligente et déterminée. Vous pouvez le faire changer d'avis.

Je la fixe, interloquée. Cette conversation est vraiment à sens unique et je ne suis pas sûre de réussir à suivre.

— À vous de prendre une décision. Peut-être serait-il plus facile de partir maintenant. Et je sais que vous êtes assez forte pour le faire. Mais en avez-vous envie, Devon?

Je suis incapable de répondre. Ma bouche est sèche et j'ai la tête qui tourne.

— Non. Non, je... Je n'ai pas besoin de lui. Mais j'ai envie d'être avec lui.

Chaque parcelle de mon corps en a envie... même si lui ne le veut pas, pas de la même façon en tout cas.

— Eh bien, alors, montrez-lui ce qu'il rate! lance Mme Gallagher en ramassant son sac à main au pied de son bureau avant de le passer à son épaule. J'ai un déjeuner tardif aujourd'hui. Vous pouvez rester ici quelques minutes si vous avez besoin de passer un appel personnel.

Elle est déjà en train de passer la porte de son bureau quand je réussis enfin à parler.

— Merci.

Je n'ai rien trouvé d'autre à dire. Je suis toujours sous le choc de la tournure qu'ont pris les événements... La dernière chose à laquelle je m'attendais, c'était bien que ma responsable – si froide et distante – fasse preuve d'une telle sollicitude à mon égard!

Elle n'ajoute rien, se contentant de me faire un signe de la tête avant de rejoindre les ascenseurs.

Seule avec mes pensées, je ferme la porte puis passe de l'autre côté du bureau. Mes mains sont moites et glacées.

Lentement, je décroche le téléphone.

— St Brenton.

Dès que j'entends la voix rauque et sexy de Zach, l'anxiété m'envahit et je manque de faire tomber le combiné. Sa voix me fait mal, j'aimerais être à côté de lui, pouvoir tendre la main, le toucher…

— Allô?

Sa voix est énervée – ce qui me fait trembler, mais aussi espérer: il semble aussi malheureux que moi.

— Bini, qu'y a-t-il? Je suis en rendez-vous.

La réalité se rappelle à moi. Il a décroché parce qu'il pensait que c'était l'un de ses directeurs de service qui l'appelait. Je croise les doigts pour qu'il ne raccroche pas en découvrant qui est à l'appareil.

— Ce n'est pas Bini.

Un silence lourd de l'autre côté du fil. Je suis sûre qu'il a reconnu ma voix, pourtant, il ne raccroche pas.

Montrez-lui ce qu'il rate.

C'est peut-être ma dernière chance.

— J'aimerais sentir votre queue en moi, là, maintenant.

J'ai soufflé ces mots aussi vite que possible, pour ne pas risquer de me dégonfler. Et maintenant, je chancelle: j'ai réussi à me choquer moi-même.

Du côté de Zach, le silence se prolonge, plus lourd encore. Je me recroqueville sur mon siège.

— Je suis en rendez-vous, répète-t-il prudemment.

Son ton est soigneusement maîtrisé, mais il ne me demande pas de raccrocher. Je suis terrifiée – j'ai tellement de raisons de l'être! Je ne sais pas vraiment ce que je suis en train de faire. Mais qu'est-ce que j'ai à perdre?

— Vous vous souvenez de la première fois que vous m'avez prise dans votre bureau? Vous avez remonté ma jupe et vous m'avez fessée avec un martinet...

Je l'entends inspirer brusquement, et je m'inquiète : peut-être suis-je allée trop loin?

— Je m'en souviens.

Il joue le jeu! Je suis ravie... et bientôt très excitée. J'ai l'impression que ses yeux sont braqués sur moi en ce moment même, cherchant à percevoir la façon dont mon corps réagit.

Avant qu'il ne change d'avis, qu'il m'ordonne d'arrêter, je poursuis :

— Si j'étais dans votre bureau là, tout de suite, j'enlèverai ma jupe, mon haut, ma culotte et mon soutien-gorge... Vous seriez assis à votre bureau, comme vous l'êtes sans doute en ce moment. Je marcherais vers vous, je descendrais votre baguette et je prendrais votre queue dans ma main. Ce serait si bon pour vous, de sentir votre sexe bandé enfin libéré de toute entrave...

J'inspire à pleins poumons, je sens mon visage rougir à la fois d'excitation et de honte. Ça me semble si mal de dire ce genre de choses à haute voix. C'est la première fois que je fais quelque chose comme ça.

— Continuez Devon.

Je voudrais me lever, pour soulager la pression que je sens monter entre mes cuisses, mais le ton de sa voix quand il prononce mon prénom me coupe les jambes et me fait retomber dans le fauteuil.

— J'ai envie de m'asseoir sur le bord de votre bureau, de me pencher pour vous prendre dans ma bouche. J'ai envie de vous goûter, de sucer votre queue profondément enfoncée dans ma gorge. Je vous imagine gémir, me tirer les cheveux, donner une claque sur mes fesses nues, juste pour me montrer à quel point vous avez envie de moi…

— Et qu'en pensez-vous?

La personne qui se trouve avec Zach dans son bureau doit penser que nous sommes en train de parler d'un rendez-vous avec un client. Mais pour moi, qui connais le son de sa voix quand il perd le contrôle, la petite hésitation dans sa respiration est perceptible. Elle montre qu'il est loin d'être aussi calme qu'il le prétend.

Je prends confiance en moi. Ma main descend pour caresser ma poitrine avec légèreté. Et comme j'imagine que c'est la main de Zach sur ma peau, bientôt mon téton pointe sous mes doigts.

— Sentir votre main sur ma peau me donnerait envie de vous, comme à chaque fois, dis-je d'une voix plus basse, et à présent plus sincère. Ce seul contact et votre goût dans ma bouche suffiraient pour que je sois trempée.

J'entends une très légère inspiration. Je ne sais pas comment il parvient à garder son calme. Ma peau est brûlante, j'ai l'impression d'avoir de la fièvre, je le désire de tout mon corps, à en avoir mal.

— C'est vrai.

Il avoue. Il sait parfaitement l'effet qu'il produit sur moi. Il sait que je l'aime, merde! J'aimerais tant qu'il accepte de s'ouvrir à moi, qu'il me dise lui aussi ce qu'il ressent…

— Je ne pourrais pas tenir plus longtemps. Je me laisserais glisser du bureau jusqu'à vos genoux. Je vous imagine prendre votre queue dans une main et me pénétrer jusqu'à ce que je crie d'être si totalement remplie. Ensuite, je me mettrais à bouger. Je vous chevaucherais dans votre fauteuil, complètement nue, jusqu'à ce que je sente vos hanches s'arc-bouter et votre chaleur se répandre en moi…

Mes mains tremblent sur le combiné. J'aimerais tellement que ce soit la réalité que j'ai l'impression de pouvoir sentir son goût salé sur ma langue.

— Et vous?

Son ton est toujours léger, sa voix toujours neutre, mais j'y entends un sérieux qui contredit sa question. Si ce fantasme était une réalité, je sais qu'il m'aurait fait jouir. Mais ce n'est pas la réalité. Et je ne sais pas si ça le sera de nouveau un jour.

— Une fois que vous auriez terminé, je me lèverais, je m'habillerais et je quitterais le bureau. Parce que ce serait mon cadeau pour vous.

Je sens mon excitation retomber rapidement et mes émotions prendre de nouveau le dessus. Cette conversation est devenue beaucoup plus métaphorique que prévu.

— Je veux juste que vous soyez heureux.

Mais merde, même à travers son silence, je sens sa faim de moi, son désir pour moi! Ce n'est pas une question d'attirance. Non.

Mais il n'est pas amoureux de moi et ne peut pas se contenter d'accepter ce que je veux lui donner.

— Au revoir, Zach.

Je raccroche sans attendre sa réponse. Bouleversée par les événements des dernières vingt-quatre heures, je cède enfin. Je pose ma tête dans mes bras sur le bureau de Mme Gallagher et je me mets à pleurer.

Ce torrent de larmes m'a fait du bien.

Ma journée de travail terminée, j'entre dans le parking, et je me sens... eh bien, j'ai toujours l'impression d'avoir été renversée par un camion. Mais le désespoir a un peu reflué. La vie continue...

Même s'il ne veut pas l'avouer, ce coup de téléphone m'a confirmé que je peux toucher Zach, que, d'une certaine façon, il tient à moi. Quelles que soient ses raisons de me rejeter, elles n'ont rien à voir avec moi.

J'ai fait une dernière tentative.

Maintenant, je peux essayer de passer à autre chose sans regret. Je dis bien essayer.

Chaque parcelle de mon être a besoin de lui. J'espère que ça passera.

En ouvrant la portière de ma voiture, je décide que je mérite bien de la glace et un verre de vin pour mon dîner, que je prendrai dans un bain moussant brûlant.

Soudain, j'aperçois une ombre du coin de l'œil. Je pousse un cri et sursaute. Résultat : je me tords la cheville sur mes hauts talons et je suis projetée en avant.

Des bras puissants me retiennent et me soulèvent. Je crie de nouveau, cherchant du regard le gardien du parking. Mais le petit homme aux cheveux gris n'est pas à son poste. À sa place se tient Charles, et même si une lueur de sympathie passe sur son visage, il ne semble pas du tout avoir l'intention de venir à mon secours.

— Putain, mais qu'est-ce que vous faites !?

Je crie depuis mon inconfortable position. Je m'étais détendue aussitôt après avoir compris que c'était lui qui m'avait balancée sur son épaule sans plus de cérémonie, mais la frustration et la colère ont vite remplacé ma frayeur.

— Je peux marcher, merci bien !

— Je vous emmène chez moi, grogne-t-il pour toute réponse pendant que je me débats à grands coups de pied.

Je redouble d'efforts quand nous passons devant Charles, qui ouvre la porte du parking privé de Zach et s'efface pour nous laisser entrer.

Je fusille le vieil homme du regard, mais il détourne les yeux.

— Et ça ne vous viendrait pas à l'esprit de demander si oui ou non je veux venir avec vous?

Je sens le corps solide de Zach contre le mien et j'essaie de ne pas me laisser aller malgré moi à apprécier cette sensation.

C'est encore pire quand il me fait glisser au sol. Je veux m'écarter, mais il resserre son étreinte, me plaquant contre sa voiture. Je sens la chaleur de sa queue dure qui appuie sur mon ventre.

— J'y ai pensé, réplique-t-il, mais je ne suis pas d'humeur. Peu m'importe que vous ayez envie de m'accompagner ou pas.

Outrée, je suis encore en train de bafouiller tandis que Zach ouvre la portière arrière, puis me soulève par la taille et me dépose à l'intérieur. Comme je refuse de coopérer, je me retrouve à genoux sur le plancher de la voiture, échevelée, les joues rouges.

Zach me rejoint dans la voiture et s'installe sur une des banquettes. Stoïque, il m'observe alors que je lui jette un regard assassin.

— C'est vous qui avez commencé, me rappelle-t-il calmement, ce qui est loin d'apaiser ma colère.

J'ai tellement de choses à lui dire que je ne sais même pas par où commencer.

— Alors c'est comme ça que ça se passe?

Il se penche vers moi et tire sur le col de mon cardigan. Les boutons volent, allant s'éparpiller aux quatre coins de l'habitacle, tandis que mon gilet ouvert révèle ma poitrine.

— Vous avez le choix, répond-il. Nous pouvons parler. Ou bien, si vous n'êtes pas d'humeur à avoir une conversation, vous pouvez me sucer. À vous de décider.

Ses longues mains desserrent sa cravate en soie violet foncé, puis, rapide comme l'éclair, m'attire vers lui, serre mes mains dans mon dos et passe la cravate autour de mes poignets.

Je suis stupéfaite. Et excitée.

— Je croyais que j'avais le choix! dis-je, la bouche sèche.

Je sais au fond de moi que si je le veux, je peux refuser l'un et l'autre scénarios qu'il me propose, exiger qu'il fasse arrêter la voiture et qu'il me laisse descendre.

Mais je sais aussi – tout comme Zach – que ce n'est pas ce que je désire vraiment.

— À vous de décider, me répond-il avec un petit sourire satisfait, le regard à la fois provocateur et très sérieux. Mais même si vous préfériez la conversation, j'aime vous regarder quand vous êtes comme ça, les mains liées, la poitrine offerte…

Je gémis doucement, incapable de contrôler mon excitation. Les lèvres serrées, je désigne ses genoux d'un signe de tête.

— Ouvrez votre pantalon.

Son expression s'assombrit et mon pouls s'accélère.

— Ce n'est pas à vous de donner les ordres.

Je vois danser dans ses yeux les émotions contradictoires qui le traversent.

Il est excité, mais sa mâchoire crispée m'indique aussi qu'il est à deux doigts de me prendre sur ses genoux et de m'y allonger pour me donner une fessée mémorable.

Cette seule idée me fait immédiatement mouiller.

— Très bien, dis-je en relevant le menton d'un air de défi. Ouvrez votre pantalon… Monsieur.

Zach lève un sourcil, le visage sombre.

— Continue comme ça, petite insolente.

Il soulève les hanches du siège, défait sa ceinture puis baisse sa braguette. Le bruit métallique résonne dans l'habitacle.

En voyant son érection enfin libérée du pantalon dans sa main, je sens une puissante vague de chaleur déferler sur moi.

Comme d'habitude, il ne porte rien sous son pantalon, et il n'y a donc plus d'obstacle qui me sépare de sa queue quand il se recule sur la banquette en cuir et écarte les jambes pour que je puisse ramper entre elles.

En levant les yeux vers lui, je suis secouée par un frisson. Plus que jamais, je suis frappée par sa beauté ténébreuse. Son visage, son corps... tout en lui provoque chez moi une attirance si primaire qu'elle semble gravée dans mon ADN.

— Prenez-moi dans votre bouche.

Zach m'offre son érection qu'il tient toujours d'une main. De l'autre, il me guide, m'aidant à avancer à genoux sur le plancher de la voiture sans perdre l'équilibre quand Charles – installé de l'autre côté de la vitre de séparation – fait démarrer la voiture.

Je ferme les yeux et mes lèvres enveloppent son gland.

Je m'abandonne alors que son goût emplit ma bouche, apaisant mes émotions à vif.

— Oh oui...

Quand je rouvre les yeux, je lis de la satisfaction et du soulagement sur le visage de Zach, comme si nos émotions étaient liées. Il croise les mains derrière ma tête, sans appuyer, mais suffisamment pour maintenir ma position.

Il plonge son regard dans le mien, et une vague d'émotions s'empare de moi. Je pensais ne plus jamais le revoir comme ça. Mais après mon coup de téléphone, il est venu me chercher.

Je commence à le sucer, creusant mes joues. Sa respiration, légère au départ, devient rapidement haletante. À l'exception de quelques poussées de ses hanches quand je fais doucement courir mes dents à la base de son gland, il reste immobile.

Me voilà littéralement à ses pieds, mon cardigan déchiré, les mains liées dans le dos, sa queue dans ma bouche... Pourtant, je ne me suis jamais sentie aussi puissante.

Je continue, implacable, malgré la douleur qui point dans ma mâchoire et ma gorge qui brûle.

— Devon... arrêtez!

Les muscles de ses cuisses se tendent: je sens qu'il va jouir. C'est ce que je veux. J'ignore son ordre et continue à le sucer.

Il enfonce ses mains dans mes cheveux et tire ma tête en arrière. Je sens sa queue s'échapper de ma bouche sans que je puisse faire quoi que ce soit. La douleur m'arrache un grognement.

— Vous ne faites qu'aggraver votre punition, murmure-t-il, haletant.

Ses paroles lourdes de promesses me donnent des frissons. Ils se transforment bientôt en un tremblement de tout mon corps quand il reprend la parole et que je comprends qu'avec ce coup de téléphone, j'ai réveillé la bête qui sommeille en lui.

— Je ne jouirai pas avant d'être au plus profond de vous. D'ici là, votre corps m'appartient...

17

— Qu'est-ce que c'est que ce truc?

Zach a refusé de détacher mes poignets. Après m'avoir aidée à descendre de la voiture, il m'a soulevée dans ses bras et m'a portée à travers le garage jusque dans la maison, la tête blottie contre son torse. Je suis soulagée que Charles ait disparu avant que nous sortions de la voiture. Même si je suis sûre qu'il sait très bien ce que Zach et moi nous fabriquions à l'arrière, me retrouver face à lui en cardigan déchiré, le visage barbouillé de maquillage, ça aurait été trop pour moi.

Tout comme l'est le plateau en bois devant lequel Zach vient de me déposer. On dirait une table de pique-nique miniature, capitonnée et recouverte de cuir rouge foncé. Les mini-bancs qui la flanquent de chaque côté le sont aussi.

Comme Zach ne me répond pas, je me tourne vers lui et je m'aperçois qu'il me fixe d'un air courroucé. Je comprends immédiatement que je vais avoir des problèmes. Quand il libère son côté dominant – enfin, son côté encore plus dominant –, il semble devenir plus grand, plus ténébreux. Implacable.

Et c'est ce Zach-là qui est face à moi maintenant. La douleur de la veille est encore présente, je baisse donc aussitôt les yeux vers le sol et souffle :

— Je suis désolée.

Mais je ne peux pas m'empêcher de jeter un coup d'œil méfiant à la table.

— Je suis désolé, qui ?

Zach a enlevé sa veste de costume et déboutonne le haut de sa chemise, ce qui – même s'il semble toujours dangereux – lui donne un air plus détendu.

Détendu et prêt à jouer.

— Je suis désolée… Monsieur.

Il avance vers moi, et je remarque un léger frémissement de plaisir sur ses lèvres. Mes tétons durcissent avant même qu'il me touche. Quand il s'en aperçoit, il inspire profondément, satisfait.

— Quel est votre code de sécurité, Devon ? demande-t-il avec ce regard intense que je connais si bien maintenant, et qui me fait le même effet que si ses mains dansaient sur mon corps.

C'est à un tel point que quand ils les posent enfin sur moi, j'ai l'impression que deux hommes sont en train de me caresser. Il fait glisser le cardigan déchiré de mes épaules, puis, d'un geste, dégrafe mon soutien-gorge avant de le faire glisser lui aussi.

— Sombre, dis-je alors qu'il tire sur mon cardigan jusqu'à ce qu'il rejoigne la cravate avec laquelle il a attaché mes poignets, ajoutant une épaisseur à mes liens et laissant ma poitrine nue.

— Très bien, répond Zach.

Sa main remonte à l'intérieur de ma cuisse puis vient se plaquer sur mon pubis, juste au-dessus de ma fine culotte. Il glisse rapidement un doigt à l'intérieur, puis le retire après avoir évalué le degré de mon excitation.

— Où est le bracelet ?

Je sourcille, essayant de comprendre sa question malgré le brouillard de désir qui m'entoure.

— Le bracelet que je vous ai envoyé ce matin, répète Zach avec impatience. Où est-il?

— Hum… Dans mon sac.

Zach se détourne de moi pour récupérer mon sac en cuir, qu'il avait porté en même temps que moi il y a quelques minutes. Tandis qu'il se met à le fouiller, je marmonne dans ma barbe:

— Le sac à main d'une femme, c'est censé être privé!

Il trouve la petite boîte dorée, puis en tire le bracelet de saphirs.

Il revient vers moi et l'attache à mon poignet gauche, juste au-dessus de la cravate, sans même se préoccuper de mon intention de l'accepter ou non. Je ne peux résister à l'envie de le provoquer.

— Vous n'avez pas répondu: qu'est-ce que c'est que… ce truc?

Je sais qu'il est dangereux de le contrarier, mais je dois savoir.

— Vous êtes autorisée à poser des questions sur les jouets que je vais utiliser sur vous, mais seulement sur un ton respectueux.

Ce n'est qu'une petite réprimande. Je suis bien trop distraite par ce que font ses mains qui courent sur ma hanche pour m'en formaliser.

Zach passe un doigt dans l'élastique de ma culotte, tire d'un coup sec et l'arrache. Surprise, je pousse un cri.

— C'est un banc à fessées.

Ma culotte tombe au sol, suivie par ma jupe dont il a défait la fermeture éclair d'un seul geste.

Je suis complètement nue devant lui, et ses yeux caressent mon corps exposé.

— Vous allez être punie pour l'insolence dont vous avez fait preuve en passant ce coup de téléphone, ainsi que pour quelques infractions mineures, comme votre résistance dans la voiture ou votre manque de respect il y a quelques secondes.

J'en reste bouche bée, toujours aussi stupéfaite quand il s'adresse à moi comme à une gamine qu'il s'apprête à punir.

— Ce banc va me faciliter la tâche, et même la rendre plus agréable pour moi.

— Je...

Je veux protester, mais je me ravise en me rappelant que ça ne fera qu'alourdir ma punition. Je ravale ma plainte, lèvres serrées.

— Parfait! Vous apprenez.

Quand il plaque sa bouche sur la mienne, j'oublie la raison pour laquelle j'étais si contrariée. Sa langue joue avec mes lèvres, m'arrachant un gémissement, alors que ses mains parcourent mon corps en de brûlants va-et-vient.

— Maintenant. Installez-vous sur le banc.

Un soupir de déception m'échappe quand il rompt notre étreinte. Il me retourne et, une main à plat sur mes fesses, m'aide à monter sur ce qu'il appelle un banc à fessées.

Immédiatement, tout mon corps se tend.

— Vous avez un code de sécurité, Devon.

Si ses mots sont rassurants, sa main, elle, me pousse en avant jusqu'à ce que je me retrouve le torse plaqué sur le plateau central.

— Vous pouvez décider d'arrêter à tout moment. Si c'est ce que vous voulez vraiment.

J'inspire profondément, essayant de me calmer. Ses paroles ne font pas disparaître mes peurs comme par magie. Les objets qu'il a déjà utilisés sur moi – les menottes, le martinet, et même le battoir – semblent bien dérisoires. Ce qu'il me demande maintenant, c'est d'abandonner la moindre parcelle de contrôle. D'être liée, immobilisée, plus vulnérable que jamais.

Je suis terrifiée et je suis excitée.

Je comprends également que ça pourrait être l'occasion que j'attendais. Si je lui montre que je suis capable d'accepter une telle vulnérabilité, peut-être comprendra-t-il qu'il peut se montrer vulnérable, lui aussi.

— OK.

Le tremblement de ma voix me contrarie.

Je peux le faire.

Je lui fais confiance.

C'est pour ça que j'accepte.

— Bien, petite coquine, souffle Zach, quand il voit que j'arrête de lutter.

Il me caresse doucement le long de ma colonne vertébrale. Je fais le dos rond, comme un chaton qu'on cajole.

— Vous pouvez me faire confiance... Vous le savez, n'est-ce pas?

C'est ça, ricane une voix dans ma tête. C'est aussi ce que disait le loup au Petit Chaperon Rouge...

J'avais raison de me méfier. Quelques instants plus tard, brûlante de désir, je ronronne presque sous ses caresses, quand je sens quelque chose de froid autour de ma taille. Je me raidis. Posant les mains sur le banc étroit, j'essaie de tourner la tête pour voir ce qu'il est en train de faire.

Cette sensation de froid, c'est un lien en cuir. En quelques secondes, je me retrouve attachée au banc par la taille.

— Je n'aime pas beaucoup ça.

Les battements de mon cœur et ma respiration s'accélèrent.

— Inspirez profondément, calmement.

Je le maudis : on voit bien que ce n'est pas lui qui est attaché sur ce banc!

— Vous pouvez y arriver. Être attachée doit vous amener à abandonner tout contrôle.

Il place un autre lien, cette fois-ci autour de ma cage thoracique. J'essaie de me dérober, mais je suis immobilisée. Les liens ne sont pas serrés au point d'être inconfortables, mais c'est tout de même une sensation étrange. Inconnue.

Le contact du cuir froid sur mes seins, contre ma joue. La contrainte des liens sur mon dos. Si j'écarte les jambes, la pointe de mes pieds touche le sol.

Je sursaute quand je sens la chaleur de la main de Zach qui se referme sur ma cheville et écarte mes jambes.

— Non!

Malgré mon cri perçant, Zach continue: il attache ma cheville gauche au banc, puis passe à la droite.

— Vous n'avez pas entendu? J'ai dit non!

Je l'entends s'approcher. Il s'accroupit à hauteur de mon regard.

— Êtes-vous en train d'utiliser votre code de sécurité, Devon?

Son visage n'affiche aucune expression, comme si la réponse – positive ou négative – lui importait peu. Pourtant, je sais que c'est faux.

— Non, dis-je d'une voix sèche.

Je lui fais confiance mais je suis mal à l'aise. Tout cela est loin d'être agréable.

— Très bien, alors.

Une lueur d'encouragement passe dans son regard avant qu'il se replace au bout du banc. J'entends le bruit puissant de la gifle qui fait écho dans la chambre une fraction de seconde avant de sentir la paume de sa main qui s'est abattue sur ma fesse gauche.

— Aïe!

J'essaie de me dérober, d'échapper à la douleur. Impossible. Je suis attachée, à sa merci.

— Si vous voulez continuer, je ne veux plus vous entendre. Vous devez vous donner à moi entièrement, corps et âme.

Je déglutis péniblement, mais je sens qu'un délicieux frisson parcourt mes chairs. J'aime quand Zach prend le contrôle.

— Vous vous souvenez de ça, petite?

Il avance jusqu'à ce que je puisse voir ce qu'il tient dans la main : un petit objet en cuir, celui que j'ai dû lui livrer dans son bureau, le jour où il m'a donné pour la première fois un aperçu de ses goûts très particuliers. Il me semble que c'était il y a des siècles... Il s'est passé tellement de choses depuis !

— Oui.

J'entends son grognement avant même de refermer la bouche. Aussitôt, je m'éclaircis la gorge et reprends :

— Oui, Monsieur.

— Bien.

De retour derrière moi, je sais qu'il étudie les courbes de mes fesses nues. J'essaie de bouger, sans succès.

— Je vais m'en servir sur vous, Devon. Ce sera votre punition pour ce coup de téléphone.

Un bruit de protestation s'échappe de ma gorge avant que je parvienne à l'arrêter, et je me mords aussitôt la lèvre.

— Est-ce que vous vous rendez compte de ce que j'ai ressenti? Assis là, en rendez-vous avec Glen, pendant que vous murmuriez ces choses à mon oreille?

Immédiatement, j'imagine l'expression qu'aurait eue l'homme qui m'a embauchée s'il avait su ce qui se tramait.

— Vous aviez à peine dit bonjour que je bandais déjà, plus dur que ça ne m'était jamais arrivé. J'avais envie de venir, de vous allonger sur votre bureau et de vous prendre là, tout de suite, sans me soucier de qui pourrait nous voir.

Je sens un désir brûlant se diffuser dans tout mon corps.

— J'ai même eu envie de vous mettre sur haut-parleur, rien que pour voir l'expression choquée de Glen. Ça m'aurait changé de son air nerveux, termine-t-il, une légère trace d'amusement dans la voix.

Malgré ma nervosité et mon excitation, je ne peux retenir un petit rire.

— Vous trouvez ça drôle, hein? grogne Zach.

Le martinet effleure mes fesses. Ses souples lanières de cuir taquinent ma peau juste avant de la fouetter. Je me tortille, en vain.

Ça ne fait pas vraiment mal, mais c'est plus qu'une simple brûlure. Quand les lanières s'abattent une deuxième fois, je lutte pour inspirer malgré la douleur.

— C'est ça. Respirez, et la sensation d'inconfort s'atténuera.

La voix de Zach se fait rauque. Je sais qu'il aime ça, qu'il aime fouetter ma chair nue, qu'il aime la voir rougir.

— Je vais vous donner dix coups de plus, Devon. Chacun un peu plus appuyé que le précédent. Vous allez les compter à voix haute. C'est compris?

Je tressaille. Dix? C'est trop, non?

Le martinet s'abat de nouveau.

— Et à chaque fois que je devrai le faire pour que vous répondiez à mes questions, ce sera un coup pour rien.

Il rit quand je grogne:

— Oui. J'ai compris.

Il ne m'accorde même pas une seconde pour reprendre mon souffle: à peine ai-je fini de parler que le martinet cingle ma peau.

— Un!

Le coup me brûle. Ce n'est pas aussi douloureux que d'être fessée, mais plus intense. J'écarquille les yeux en pensant qu'il reste encore neuf coups. Malgré la douleur, mon excitation est à son comble.

Je compte les coups, et la douleur augmente à chacun d'eux. Au dixième, ma voix tremblote, les larmes brouillent ma vue. Je ne suis pas sûre de pouvoir en supporter plus.

Pourtant, je mouille de plus en plus, mon clitoris est brûlant de désir. J'ai tellement envie de lui que j'en tremble. Ce n'est pas la première fois que Zach fait naître en moi un tel mélange de sensations – un mélange extrêmement étrange, mais ça n'avait jamais été aussi intense.

— Dix! dis-je en sanglotant, chaque nerf de ma peau à vif.

Je suis soudain absolument consciente de mon corps, d'une façon que je n'avais encore jamais expérimentée. Et je ne trouve pas ça très confortable.

— C'est très bien, me félicite Zach en passant la main sur ma peau échauffée.

Je m'écarte, non pas en raison de la douleur, mais parce que je ne suis pas sûre de supporter une stimulation supplémentaire, quelle que soit sa nature.

— Regardez-moi ce cul! Si joli, si rose… Vous vous en êtes très bien sortie. Vous êtes prête pour la suite.

— La suite? dis-je en sentant que mon corps se met à trembler. Zach… je ne pense pas…

— Vous avez passé l'étape douloureuse de la soirée, Devon.

Je pousse un soupir de soulagement, mais ce sentiment est de courte durée: j'entends Zach ouvrir quelque chose, puis un autre bruit que je n'identifie pas.

— Maintenant, il est temps de passer au plaisir!

Après l'avoir réchauffé dans ses mains, Zach verse un liquide sur mes fesses maltraitées. Je soupire de plaisir tandis qu'il calme la douleur.

— La sensation va être intense, me prévient Zach.

Je fronce les sourcils, sans comprendre. Intense? Tout ce que je ressens, c'est une chaleur délicieuse qui soulage la brûlure de ma peau fouettée par le martinet.

Puis...

— Aaah!

La chaleur semble se couvrir d'une fine couche de glace. Ces deux sensations sont irrésistibles, incroyablement intenses.

Mon corps se crispe, je m'agite en vain dans l'espoir d'être soulagée ne serait-ce qu'une seconde.

Quelque part derrière moi, j'entends Zach qui soupire de plaisir.

— C'est de l'huile de menthe japonaise. Elle aura plusieurs usages, ce soir, explique-t-il avec un petit rire alors que je le maudis.

Ses mains étalent l'huile sur mes fesses, ajoutant une nouvelle couche de chaleur qui manque de me faire pleurer. Je veux me coller à lui, je veux qu'il me touche. Nous n'avons encore eu aucun contact vraiment sexuel, et pourtant, je suis déjà prête à exploser.

— L'huile de menthe a un effet rafraîchissant. Elle est très stimulante quand elle est appliquée sur des fesses échauffées et sensibles. Et j'ai l'intention de vous montrer qu'elle peut aussi l'être ailleurs...

Ses mains descendent jusqu'à l'intérieur de mes cuisses puis viennent effleurer les lèvres de mon sexe. Il tend un doigt pour masser mon clitoris en cercles fermes et insistants.

Même s'il n'y avait pas la morsure de l'huile, son geste sûr est fait pour m'amener rapidement à l'orgasme. Je pousse un cri étranglé en jouissant dans une grande vague de frissons.

— Merci, dis-je en sentant la tension de mes muscles s'apaiser, et Zach rit à nouveau.

Je ne comprends pas: je ne voulais pas être drôle. Mais son rire est si contagieux que je finis par rire avec lui, même si je ne sais absolument pas pourquoi. C'est vrai, la soirée a été étrange et intense, mais Zach est parvenu à me donner du plaisir de tant de façons différentes...

— Eh bien, j'espère que vous êtes un peu soulagée, me lance-t-il avec une légère claque sur les fesses quand son rire s'éteint enfin. Mais vous n'avez pas à me remercier pour ça...

— Un peu soulagée?

Je pensais qu'il allait me détacher maintenant. Je panique légèrement en comprenant que ce n'est pas terminé.

— Nous ne sommes pas près d'avoir fini! annonce Zach, la voix pleine de promesses.

J'ai le souffle coupé quand il insinue un doigt dans la raie de mes fesses pour y étaler de l'huile.

— Vous pouvez aller beaucoup plus loin.

— Zach!

Il introduit son doigt huilé dans l'étroit orifice. Même s'il est infiniment plus petit que la queue qui m'a pénétrée à cet endroit hier, mes muscles sont encore meurtris.

— Je ne vais pas vous prendre par ici ce soir.

Un frisson de soulagement me parcourt, accompagné pourtant d'une légère déception.

— Même si c'est très tentant... Votre cul est d'un rouge si attirant après les attentions que j'ai eues pour lui.

— Ah...

Si c'est ce qu'il veut, je le lui donnerai. Mais je sais que ça fera mal, alors j'espère pouvoir l'éviter.

— Détendez-vous, Devon. Quand vous me cédez le contrôle, prendre soin de vous fait partie de mon rôle. Et ce ne serait pas le cas si je tentais de vous forcer à me recevoir de nouveau avant que vous n'ayez pu récupérer.

Il fait quelques va-et-vient avec son doigt, m'arrachant un gémissement – d'abord de plaisir, puis de dépit quand il le retire entièrement.

Zach ne me laisse pas le temps de reprendre mon souffle : un objet rigide remplace son doigt. Surprise, je pousse les fesses vers l'objet sans réfléchir, et le petit plug, lui aussi lubrifié avec l'huile de menthe, pénètre en moi, m'écartant juste assez pour éveiller ma chair.

— Non !

La sensation est inconfortable. Je suis encore trop endolorie.

— Zach, je ne peux pas.

— Devon.

Il tire une fois sur le plug, juste assez fort pour déclencher une réaction en chaîne dans l'ensemble de mon corps, avant de s'accroupir une nouvelle fois près du banc.

— Vous ne me faites toujours pas confiance pour ne pas vous pousser plus loin que là où vous pouvez aller ?

Je ne réponds pas, me contentant de l'observer avec de grands yeux. Les pensées tournent dans ma tête, trop nombreuses pour que je puisse les formuler.

Je suis sûre d'une chose : avec Zach, je me sens bien.

Je ferme les yeux aussi fort que possible. Derrière moi, j'entends le bruit des vêtements de Zach qui tombent sur le sol. Je plaque mes mains sous mes hanches, attendant qu'il enlève le plug et me pénètre.

Mais c'est à l'entrée de mon sexe que son gland se présente. Mes yeux s'ouvrent quand il me pénètre de quelques centimètres, puis me laisse un instant avant de s'enfoncer entièrement en moi.

— Unh.

Je suis incapable de parler. Ou de penser. La queue de Zach est déjà serrée en moi en temps normal, sans un plug. Alors avec cette intrusion supplémentaire dans mon corps, je me sens complètement remplie, étirée au maximum.

J'inspire profondément quand je sens le frottement de sa queue et du plug à l'intérieur de moi, seulement séparés par une fine membrane. C'est inconfortable, voire même un peu douloureux.

Pourtant, c'est aussi l'une des sensations les plus érotiques, les plus excitantes que j'aie jamais ressenties.

— Arrêtez de penser autant!

Les mains de Zach passent de mes hanches au renflement de mes seins. Il glisse ses mains entre ma peau et le cuir du banc, pour faire rouler mes tétons pointés entre ses doigts.

Je ruisselle d'excitation. Je gémis, je tente d'offrir mes seins plus entièrement à ses mains, pour lui montrer combien j'aime ça. Il se recule, ne laissant en moi que l'extrémité de sa queue, puis il s'enfonce de nouveau, lentement et régulièrement.

C'est trop. Je ne peux apprécier aucune sensation en étant ainsi prises de toutes parts.

— Chut!

Zach me pénètre entièrement. Quand il fait pivoter ses hanches, mes yeux se révulsent.

— Arrêtez de lutter, Devon. Arrêtez d'essayer de contrôler. Faites le vide dans votre esprit, laissez les sensations le remplir.

J'ouvre la bouche pour protester, et la referme aussitôt.

Me mordant la lèvre, j'inspire puis expire, lentement, à pleins poumons, essayant de vider mon esprit. Je veux tout le plaisir que Zach peut me donner. Je veux tout partager avec lui.

Zach s'enfonce, me pénètre entièrement, puis se retire jusqu'à ce que seul son gland reste en moi. Puis il accélère ses va-et-vient. Je calque ma respiration sur ce rythme régulier, qui n'est perturbé que par les tractions occasionnelles qu'il imprime au plug, et enfin, je sens mon corps se détendre.

Mes fesses sont toujours en feu, et même si les picotements glacés de l'huile de menthe se sont atténués, je sens toujours un frémissement sur ma peau. Je suis excitée à en avoir mal, remplie de toutes les façons possibles pendant que mes seins sont soumis à la plus délicieuse des tortures.

Ce mélange de sensations me dépasse. J'entends le claquement de la peau de Zach contre la mienne quand il accélère ses mouvements. Je sens aussi la morsure des liens de cuir, la dernière chose qui me relie à la réalité. Mon corps tout entier vibre de la promesse d'un plaisir que je n'imaginais même pas possible.

— Jouissez pour moi, Devon.

Les mots de Zach me parviennent comme étouffés par un mur d'eau. J'essaie de décoller la joue du banc, mais c'est comme d'essayer d'avancer dans des sables mouvants.

— Maintenant!

Les mains de Zach quittent mes seins pour se glisser entre mes jambes. L'une ouvre mes lèvres, pendant que l'autre pince mon clitoris en une série de courtes pressions rapides qui ramassent la multitude de mes sensations en une minuscule explosion nucléaire dans mon bas-ventre.

Au moment où elle explose, l'orgasme ravage tout sur son passage. Mon esprit se vide, il n'est plus réceptif qu'à une chose. Le plaisir.

Je frissonne, encore et encore et encore. Et quand enfin je commence à redescendre, Zach caresse mon sexe encore une fois et une nouvelle vague s'abat sur moi.

J'ai perdu tout contrôle conscient alors qu'il s'enfonce profondément, aussi profondément que possible, et je sens la chaleur de son orgasme – qui lui arrache un cri –, me réchauffer de l'intérieur.

Je reste là, incapable de bouger pendant de longues minutes avant qu'un fil de conscience ne me revienne.

Je sens que Zach se retire, et je tressaille quand il enlève le plug. Au milieu de cet intense plaisir, j'ai oublié que j'étais attachée; je m'en souviens quand je le sens défaire les liens autour de mes chevilles et masser mes pieds pour que le sang y revienne.

Il ôte ensuite les liens qui entourent ma taille et mon dos, avant de m'envelopper dans une couverture épaisse et bien chaude. Je me blottis dans ses bras tandis qu'il me porte jusqu'à la salle de bains.

Je sais qu'il me chuchote des mots doux, mais je suis bien trop loin pour comprendre leur sens. Je n'avais jamais rien vécu de ce genre auparavant. Je me sens vide, et pourtant, incroyablement pleine. Je flotte sur quelque chose que je pourrais – si je croyais à ce genre de choses –, appeler de l'énergie pure.

— Buvez ça.

Toujours enveloppée dans la couverture, Zach me dépose sur un coussin, placé à côté de son énorme baignoire, sur les dalles chauffantes du sol. Il me met une bouteille d'eau dans la main, et me fixe jusqu'à ce que je la porte à mes lèvres et que, mécaniquement, j'en avale une gorgée.

Satisfait, il hoche la tête, puis ouvre les robinets, et l'eau se déverse dans la baignoire. Il y verse une huile qui sent la mandarine, et cette vive odeur d'agrumes m'aide à reprendre mes esprits.

Distraitement, je me dis qu'un artiste serait ravi de voir Zach comme je le vois en ce moment, de l'eau jusqu'aux genoux, les ombres ondulantes du ciel marin à l'extérieur mettant ses muscles en relief.

Il pose un genou sur le rebord de la baignoire en marbre, me soulève dans ses bras et me dépose dans l'eau, toujours avec ma couverture. L'eau s'infiltre dans la laine épaisse, puis atteint ma chair sensible. Ce n'est qu'une fois que j'ai poussé un grognement de contentement, savourant la chaleur de l'eau sur ma peau, que Zach retire le tissu trempé et le jette à côté de la baignoire. J'incline la tête en suivant la serviette d'un regard curieux. Pourquoi ne l'a-t-il pas enlevée avant de me mettre dans le bain? Je n'ai pas assez d'énergie pour lui poser la question.

— Je ne voulais pas que vous ayez froid, chuchote Zach en m'enlaçant la taille, mon dos contre son torse.

Il s'assied sur le siège creusé dans la baignoire et m'attire sur ses genoux, puis il attrape la bouteille d'eau que je n'ai pas terminée et la porte à mes lèvres, s'assurant que je boive le reste.

— Oh.

Je dois lutter pour la finir, mais je sais qu'il a raison, que j'en ai besoin après l'intensité de ce que nous venons de vivre.

Il ne voulait pas que j'aie froid. Ce petit détail fait battre mon cœur encore tremblant dans ma poitrine, il le remplit tellement que j'ai l'impression qu'il pourrait exploser.

Je savais déjà que j'étais amoureuse de lui, mais maintenant… Je pense que je serais incapable de le quitter à nouveau. Je suis raide dingue, folle amoureuse de lui. Il m'a fait connaître un plaisir d'une intensité dont je n'avais même jamais rêvé, et il est le seul homme qui ait jamais tenu à moi si profondément.

Cette pensée m'aide à sortir de ma béatitude léthargique, à reprendre le contrôle de moi-même. Et aussitôt, je sens mes muscles se tendre, et mon esprit essayer d'ériger une muraille autour de mon cœur, pour lui éviter une douleur certaine.

— Je vois que vous êtes de retour, souffle Zach jouant avec mes mèches trempées de sueur.

Prenant de l'eau dans ses mains, il me rince les cheveux, avant d'y verser du shampoing et de masser mon cuir chevelu. Je ferme les yeux avec un soupir de bonheur, pendant que ses pouces s'occupent d'un nœud à la base de mon crâne.

— Pourquoi faites-vous ça? dis-je d'une voix faible, alors qu'il rince le shampoing au parfum de fraise en évitant d'en faire couler sur mon visage. Pas le sexe. Ça, je comprends. Parce que, peu importe à quel point nous essayons de le nier, nous sommes connectés pour ça, à un niveau que je n'imaginais même pas possible.

Je sens que Zach se crispe, mais il ordonne aussitôt à son corps de se relâcher. Il sort de son immobilité pour attraper un morceau de savon à l'odeur sucrée.

Je ne sais pas s'il va me répondre. Mais il se décide soudain, alors qu'il masse l'eau savonneuse sur ma peau.

— C'est la responsabilité d'un dominant de prendre soin de sa soumise après... après.

Moi qui pensais être vidée de toute émotion, je sens la colère poindre. Poings serrés, ma frustration monte. Nous y voilà. C'est le retour du cercle vicieux. Nous avons envie l'un de l'autre. Je suis prête à tout lui donner... Et Zach a l'impression que lui ne le peut pas. Cette fois-ci, je décide d'essayer une approche différente.

— Puisque vous êtes très doué pour découvrir des détails de ma vie dont je ne vous ai pas parlé, j'imagine que vous savez que mes parents sont morts dans un accident de voiture?

Aussitôt, les ongles de Zach mordent dans ma peau, douloureusement. Une nouvelle fois, je le sens s'efforcer de détendre ses muscles, un à un.

— Je le sais.

Il a refermé les portes. Je l'entends dans sa voix. Mais malgré ma peur, j'insiste.

— Ils étaient en voyage quand c'est arrivé. Une escapade romantique pour un week-end. Je n'étais même pas là.

Les mains de Zach, qui étaient en train de savonner mes seins, se referment vivement sur mes tétons – comme un avertissement. Que je décide d'ignorer.

— Même si je n'étais pas là, j'ai quand même fait des cauchemars, des rêves qui me semblaient si réels que je n'ai pas pu monter dans une voiture pendant des mois après leur décès. J'aurais pu ne jamais y parvenir, mais je savais qu'être capable de conduire, cela signifiait être libre.

Je serre les dents, en partie à cause des souvenirs que j'ai fait de mon mieux pour oublier, et en partie parce que je m'attends à ce qu'il se mette à crier, qu'il m'ordonne de partir.

— Laissez tomber, Devon.

Sa voix est dénuée d'émotions, mais je sais que c'est sa façon de gérer ses sentiments.

— Il faudra m'y forcer.

Je sais par expérience que parfois une personne a besoin qu'on la pousse – même si c'est inconfortable –, pour affronter la réalité et commencer à aller mieux.

Tout à coup, il me retourne, écarte mes jambes, et je me retrouve à califourchon sur lui, le souffle coupé. Il me pénètre sans prévenir et se met à faire des va-et-vient, encore et encore, avec violence.

Je sais qu'il est en train de détourner mon attention, de changer de sujet… Mais mon corps est tellement conditionné à être excité dès que Zach me touche que la seule chose dont je suis capable, c'est de m'accrocher, alors qu'il se perd dans mon corps.

Mes seins flottent à la surface de l'eau. Glissant sa bouche sous la surface, alors qu'il continue à aller et venir en moi, il aspire d'abord un téton, puis l'autre entre ses lèvres. Il les suce, fort, puis les lèche, la surface rugueuse de sa langue me rendant folle.

J'ai envie qu'il ralentisse, qu'il me laisse reprendre mes esprits. Je veux continuer cette conversation mais il ne s'arrête pas, nous emmenant tous les deux vers l'orgasme sans faire la moindre pause.

Je tends la main entre mes jambes, et j'attrape sa queue entre mon pouce et mon index. Comme il continue à me pénétrer, j'ajoute une petite rotation du poignet pour lui rappeler que je suis là, que c'est en moi qu'il se trouve.

— Putain. Devon !

Ses mouvements faiblissent une seconde, alors j'en profite pour m'écarter de lui.

— Asseyez-vous sur le bord de la baignoire.

Ma voix est bien plus assurée que je ne le suis moi-même. Alors, il veut se servir de mon corps comme d'une tactique de diversion? Eh bien, je peux lui garantir qu'il va apprécier l'expérience. Je lis le danger dans ses yeux qui s'assombrissent, mais je répète mon geste.

— Maintenant.

Le regard que me jette Zach me dit que j'en entendrai parler plus tard. Pourtant, il sort de l'eau et s'exécute.

J'avance rapidement vers lui. Je saisis ses couilles dans une main pendant que j'aspire sa queue entre mes lèvres. Il pousse un grognement et ses hanches s'avancent pour faire pénétrer sa queue plus profondément dans ma bouche. Ses mains empoignent mes cheveux tandis que je fais tourner ma langue sur son gland et que ma main continue sa rotation à la base de sa queue.

Satisfaite, je sens une première goutte de liquide salé sur ma langue. Je continue mon assaut, et quelques secondes plus tard, quand je sens ses couilles se tendre, je sais qu'il est au bord de l'explosion.

— Non!

Zach me tire les cheveux pour faire basculer ma tête en arrière et en profite pour se glisser de nouveau dans l'eau. Maintenant, je suis prête à l'accueillir quand il me retourne, mon dos plaqué contre son torse, et s'enfonce encore une fois en moi.

Dans cette position, c'est lui qui contrôle tout. Je peux faire seulement passer mes jambes sous ses cuisses et me laisser faire.

À chaque fois qu'il me pénètre, mes seins sortent de l'eau. Infaillibles, ses mains s'insinuent entre mes cuisses et jouent avec mon clitoris exactement de la façon que j'aime – il le sait désormais.

— Je ne vous ai pas assez goûtée, murmure-t-il, m'arrachant un frisson. Un jour, je vous attacherai, jambes écartées, pour dévorer votre petite chatte pendant des heures...

Ses mots et ses doigts sur mon clitoris me font basculer. Une autre poussée et il me suit, sa chaleur brûlante dans mon ventre.

Une fois qu'il a terminé, et que je savoure un impossible nouvel orgasme, nous restons immobiles, blottis l'un contre l'autre jusqu'à ce que l'eau du bain commence à se refroidir. Ma joue humide appuyée sur son épaule, je m'interroge sur la force du lien qui nous unit. Sera-t-il suffisant pour nous deux?

Pourrais-je vivre de cette façon, en sachant qu'il n'est pas capable d'abattre cette ultime barrière pour moi? Mon cerveau me dit que ça me mènerait tout droit à un cœur brisé, au désastre assuré.

Mon cœur, lui, me dit que je pourrais bien être plus heureuse avec un Zach en morceaux que sans Zach du tout.

18

Une fois sortie du bain, j'espère retrouver la chaleur des bras de Zach, mais la chambre est vide. Mes pieds laissent une empreinte humide sur l'épaisse moquette quand je quitte la pièce.

L'odeur d'épice qui chatouille mes narines me guide à travers la maison. Je retrouve Zach dans la cuisine.

Debout devant la cuisinière, il me tourne le dos, occupé à surveiller la viande et les morceaux de poivrons qu'il fait revenir dans une poêle. Je l'observe en silence depuis le pas de la porte. S'il semble moins sûr de lui ici que dans une salle de réunion – ou dans une chambre –, il a toujours cette façon d'occuper l'espace, de le maîtriser.

Je tire sur le bas du T-shirt de Zach que j'ai enfilé après le bain. Je n'ai pas de vêtements de rechange, et je ne pourrai pas me promener toute nue sans être mal à l'aise. Je sais que c'est idiot, puisqu'il connaît mon corps par cœur, mais je ne peux pas me débarrasser comme ça de ma pudeur.

Soudain, alors que je le regarde cuisiner pour moi, je sens tous mes sentiments refaire surface. Cet homme – cet être beau et complexe – me fait complètement craquer. Mais tant qu'il ne pourra pas tout me donner, les choses ne marcheront pas entre nous.

Profites-en tant que ça dure. Je ferme les yeux. Quand je les rouvre, je suis décidée : je vais me fier à mon instinct.

Avant de pouvoir trop y réfléchir, j'avance sans bruit jusque derrière lui, puis l'enlace à la taille et le serre dans mes bras.

— Eh!

Je me penche pour humer l'odeur de la poêle. Le parfum me met l'eau à la bouche. Je ne m'étais pas rendu compte que j'avais faim. C'est tout Zach, ça! Toujours en train d'anticiper mes désirs.

— Qu'est-ce que vous préparez?

Sa première réaction est de se crisper. Je ne fais pas de commentaires, me contentant de reculer et de me hisser sur un tabouret de bar.

— Des tacos au bœuf, répond-il en se tournant vers moi.

Il y a quelque chose d'indéchiffrable dans les profondeurs de ses yeux. Pourtant, son expression est chaleureuse. Il passe la main sur ma cuisse et dépose un baiser rapide sur mes lèvres.

— Est-ce que vous voulez un peu de vin?

J'acquiesce d'un murmure et il prend une bouteille de vin dans le réfrigérateur. Il ouvre ensuite un premier placard, celui des assiettes, puis un second, celui des tasses à café. Il pousse un grognement de frustration et ouvre violemment la porte du troisième, avant d'en sortir les deux verres à vin qu'il cherchait.

Je n'arrive pas à réprimer un petit rire pendant qu'il y verse un vin jaune pâle et me le tend.

— Qu'est-ce qui vous fait rire, coquine? demande-t-il avec un sourire plein d'autodérision.

Je le regarde, envoûtée, déchirer le sachet de tortillas qu'il a sorti du congélateur. On voit bien qu'il ne cuisine pas très souvent. Et c'est pour moi qu'il le fait. Cette idée fait battre mon cœur un peu plus vite que la normale.

— Vous ne passez pas beaucoup de temps dans la cuisine, hein?

Je fais rouler sur ma langue le vin qui est à la fois acide et sucré.

— Je n'en ai pas beaucoup l'occasion, réplique Zach, qui vient s'insinuer entre mes jambes et me pince les fesses avec un air espiègle.

Je pousse un cri, surprise. Je ne m'attendais pas à ça!

Zach plonge un doigt dans mon verre de vin, le passe sur mes lèvres, puis se penche pour les goûter. Il est torse nu et son pantalon de jogging descend sur ses hanches. Je m'attendais à ce que ses mains partent explorer mon corps – comme à leur habitude. Mais son baiser est chaleureux, familier. Réconfortant. Je suis prise au dépourvu, perturbée.

— Ça, j'arrive à le faire, dit-il en se retournant vers la cuisi- nière. De la viande hachée, des poivrons et des tomates, des tortillas, du fromage…

Après avoir sorti une assiette du placard, il découpe plu- sieurs grosses parts dans le plat.

— Je sais aussi faire les œufs brouillés ou des spaghettis. Et je suis le roi des plats préparés!

Il dépose l'assiette devant moi sur le bar, ouvre un tiroir, puis un autre, jusqu'à ce qu'il trouve une fourchette. La chaleur de l'assiette me réchauffe, pourtant, malgré mon estomac qui crie famine, je lui jette un regard dubitatif.

— Zach, ça me fait plaisir que vous ayez cuisiné pour moi. Mais je ne peux pas manger tout ça!

Il s'avance de nouveau entre mes jambes avec un grand sourire, tenant l'assiette entre nous.

— Ce n'est pas que pour vous, explique-t-il en plongeant la fourchette dans le plat avant de la porter à mes lèvres. On partage… Ça salit moins d'assiettes!

Comme je reste bouche bée, il en profite pour glisser la fourchette dans ma bouche.

Il a cuisiné pour moi. Et maintenant, il me nourrit.

Si je ne savais pas qu'un obstacle majeur se dresse sur notre route, je pourrais presque croire que nous sommes un couple comme les autres.

— Alors?

Zach me regarde mâcher et avaler. C'est bon. Rien de très élaboré, mais le fait qu'il l'ait cuisiné pour moi en fait le meilleur plat que j'aie jamais goûté.

Je ne peux pas le lui dire, sinon, c'est sûr, il se refermera complètement. Ostensiblement, je hausse les épaules d'un air décontracté, puis j'attrape mon verre de vin pour en boire une gorgée.

— Eh bien, ça ne vaut pas des œufs brouillés, mais je fera avec…

Je glapis quand il m'attrape les cheveux, entortillant ma queue-de-cheval mouillée dans ses doigts. Il tire doucement ma tête en arrière et dépose un baiser dans mon cou. Son regard, intense, me met mal à l'aise, et j'essaie de me dégager de son étreinte, mais en vain.

— Je ne fais pas la cuisine pour n'importe qui, vous savez, déclare-t-il d'un ton léger que son expression contredit.

Nos regards se croisent, et l'air de la pièce me semble soudain plus lourd.

— Est-ce que vous avez déjà cuisiné pour quelqu'un avant aujourd'hui?

J'aurais pu me retenir de poser la question, mais j'ai envie de savoir.

— Non.

Je tressaille en mon for intérieur, je m'attends à ce qu'il se replie sur lui-même. Mais après une très longue pause, il se penche vers moi et dépose sur mes lèvres un baiser plus léger qu'une plume.

— Maintenant, mangez! m'ordonne-t-il en portant une nouvelle fourchetée à ma bouche. Vous allez avoir besoin de forces. Je n'en ai pas encore fini avec vous…

Je sens les dernières digues, celles que j'avais réussi à maintenir en place, celles qui protégeaient mon cœur, céder d'un coup quand la fourchette passe mes lèvres.

Je suis foutue.

Je suis à deux doigts de m'endormir quand la main de Zach trouve la mienne dans l'obscurité. Nos doigts s'entremêlent et un sourire ensommeillé passe sur mon visage alors que je me rapproche de son corps chaud.

Soudain, il commence à parler, d'une voix tendue. Je comprends immédiatement ce qui est en train de se passer, et je me redresse sur un coude, attentive.

— Vous n'avez aucune idée de ce que j'ai vécu.

Dans le noir, je vois qu'il regarde le plafond, les ombres de l'extérieur dansent sur son visage.

— Ma mère nous a quittés, mon père et moi, quand j'étais encore enfant. Mon père n'a jamais levé la main sur moi, mais après le départ de ma mère, dans chaque mot qu'il me disait, à chaque fois qu'il me regardait, je voyais qu'il aurait préféré que ce soit moi qui ne sois plus là, pas elle.

Il a tant de haine de lui-même dans sa voix que je suis profondément choquée. Je savais qu'il avait des problèmes, mais ça – tout ça –, il l'avait bien caché, très bien, même.

— Il n'y avait plus d'amour pour qui que ce soit dans cette maison. Un des psys que j'ai vus… plus tard… m'a montré que je faisais en sorte de ne pas en trouver ailleurs non plus. J'étais un enfant violent, toujours en colère, je provoquais sans arrêt des bagarres à l'école. Je fumais beaucoup d'herbe, buvais à chaque fois que j'en avais envie, et je restais dans mon coin, pour ne jamais devenir proche de quelqu'un, pour que personne ne puisse me blesser à nouveau.

Hormis l'alcool et les drogues, il pourrait tout à fait être en train de parler de lui, à l'heure actuelle. Mais je garde cette pensée pour moi – je ne veux pas rompre le charme qui lui a permis de me dire ça.

— Marie… C'était quelqu'un qui s'était glissé au-delà de toutes ces barrières. Elle était exactement le genre de fille que je méprisais. Elle était pom-pom girl, très bonne élève et déléguée de classe. Elle venait d'une famille aimante, unie. Elle avait tout ce qui me manquait.

Il rit, mais pas du rire amer auquel je m'attendais.

Je lutte contre la pointe de jalousie que je ressens envers cette fille qui a été dans la vie de Zach il y a très longtemps.

— Nous étions en binôme en cours de biologie. Je savais qu'elle me draguait, mais au départ je pensais que c'était seulement pour énerver ses parents, ou bien qu'elle était attirée par les *bad boys*. Je me disais qu'il devait y avoir une raison cachée, sans quoi il serait impossible qu'elle s'intéresse à moi.

L'émerveillement est perceptible dans sa voix. Je me déplace un peu dans le lit ; cette histoire me met mal à l'aise.

Qu'est-ce que tu croyais, Devon ? Que les fantômes qui le hantaient étaient de jolis rayons de soleil, des chiots et des arcs-en-ciel ? Bien sûr qu'il y a eu quelqu'un avant toi !

— Elle n'était pas comme ça, elle n'était pas prétentieuse pour un sou. Elle m'aimait vraiment bien. Et moi aussi, je l'aimais bien. Et cela a suffi pour que Marie aille au-delà de mes barrières, par la simple force de son sourire et de sa personnalité. Pour la première fois de ma vie, j'ai su ce que c'était d'aimer et plus encore, d'être aimé en retour.

Je la déteste. Je déteste cette fille du passé, dont je ne sais presque rien. Je la déteste parce qu'un jour, Zach l'a aimée. Et qu'il a accepté son amour en retour, contrairement au mien.

Mes ongles mordent dans mes paumes jusqu'à ce que la douleur m'oblige à desserrer les poings.

Comme s'il avait senti ma détresse, Zach roule sur le côté, prend ma main et la pose à plat devant lui. Il y trace des motifs avec un doigt, en la regardant dans l'obscurité, pour éviter de lever les yeux. Éviter de me regarder.

— Nous sommes sortis ensemble pendant presque deux ans. Elle m'a remis dans le droit chemin. J'ai suffisamment remonté mes notes pour être admis à la fac. Elle est allée dans une bien meilleure école que moi, mais on se voyait toujours à chaque fois qu'on le pouvait.

Je déglutis, l'encourageant par mon silence à continuer.

Son ton se fait plus grave, et je me tends. Je sais que ce qui va suivre sera le cœur de ses problèmes. Je me demande juste s'il va être capable de me le raconter…

Il retient un moment son souffle, puis reprend son histoire. Je soupire de soulagement.

— Elle était revenue chez elle pour Noël, c'était la première année après notre départ du lycée, souffle Zach, d'une voix tendue, monocorde.

Son doigt appuie plus fort sur ma paume et je grimace, mais ne retire pas ma main.

— Nous sommes allés à une fête. Aucun de nous deux n'avait bu. Elle parce qu'elle n'aimait pas ça, et moi parce que j'avais bu assez pour toute une vie au début de mon adolescence.

Oh, non! Mon cœur se serre à mesure que je devine la fin de cette histoire.

— Nous revenions de la fête. Mon père était absent pour le week-end et nous étions excités à l'idée de passer la nuit ensemble.

Je sais ce qui va suivre, et pourtant, je ne peux réprimer un frisson de jalousie. Je suis une personne horrible.

— Vous pouvez deviner la suite, j'en suis sûr. Je ne suis pas le seul à qui c'est arrivé… Un conducteur ivre nous a percutés de plein fouet. Je m'en suis sorti avec quelques égratignures. Marie a été tuée.

J'ai l'impression qu'un poing géant me broie le cœur. Tout sentiment de jalousie ou de colère a disparu en une seconde.

Pauvre, pauvre garçon. Ce garçon qui, en grandissant, est devenu Zach. Zachariah St Brenton, le puissant et distant homme d'affaires milliardaire.

— C'est vous qui conduisiez.

Ce n'est pas une question. Je comprends tout maintenant, y compris son besoin de contrôle.

— Oui, lâche-t-il d'une voix rauque.

Alors qu'il a évité mon regard pendant toute la conversation, il lève les yeux vers moi. Je sursaute. Même dans la pénombre, la méfiance se lit sur son visage.

— À Cambria, le soir où vous êtes partie… Je vous courais après pour vous dire que j'avais seulement besoin d'un peu de temps pour réfléchir… à ce que vous m'aviez dit.

Zach se soulève sur un coude puis passe la main dans ses cheveux – signe qu'il est stressé.

— Quand la voiture a manqué de vous renverser… ma colère… ce n'était pas parce que vous m'aviez dit que vous m'aimiez. J'ai eu si peur, si peur que tout recommence…

Je retiens mon souffle. Mon cœur bat à tout rompre. Il est si proche, si proche de dire ce que je veux si désespérément entendre.

— J'ai pris conscience de quelque chose.

Oui. Oui. S'il te plaît. Dis-moi que tu m'aimes aussi.

Mais les trois petits mots que j'attendais ne viennent pas. Zach attrape une télécommande sur sa table de nuit et appuie sur un bouton. Les lumières du plafond s'allument, tamisées, mais éblouissantes pour mes yeux qui s'étaient ajustés à l'obscurité.

Il examine les petits points roses qu'ont laissés ses doigts sur mon bras tout à l'heure, quand il se perdait en moi. Les traces sont à peine visibles à l'œil nu et elles ne me font pas mal du tout. Pourtant, la culpabilité se lit sur le visage de Zach alors qu'il les étudie une à une.

— J'étais consentante, Zach, dis-je dans un souffle, essayant de dissimuler le début de panique dans ma voix.

Il a fini par se confier à moi. Mon Dieu, pourvu qu'il ne se renferme pas maintenant !

J'aperçois la lueur qui brille dans les profondeurs de ses yeux lorsqu'il est d'humeur dominatrice.

— J'ai vu un psy pendant des années après l'accident, déclare-t-il, l'air si féroce que j'ai peur de l'interrompre. Mon besoin de contrôle est né de cet accident de voiture. Le médecin pensait que ça allait encore plus loin. Il était certain que mes... goûts... étaient liés à ma culpabilité après la mort de Marie. Selon lui, en me livrant à des pratiques SM, j'essayais de repousser toute partenaire potentielle, puisque, au fond de moi, je ne pensais pas mériter d'être avec quelqu'un.

Je reste immobile, figée par son regard. Pauvre Zach. Pas étonnant qu'il soit d'humeur si changeante. Il a vécu des choses si dures.

— Je ne suis pas d'accord, reprend-il, et son expression me met au défi de le contredire. Mon côté dominant vient de l'accident. Ça, je pense que c'est vrai. Mais si je vis de cette façon, c'est parce que j'ai besoin de quelque chose que le sexe traditionnel ne peut pas m'apporter.

Ses yeux parcourent mon visage, y cherchant des indices qui trahiraient ce que je pense. Je ne sais absolument pas quoi dire.

— Peu importe d'où vient ce... besoin... Il fait partie de moi, maintenant. Et bien que beaucoup de femmes apprécient un peu de perversion quand elles baisent, si cela s'étend aux autres domaines de leurs vues, elles fuient!

Je sais qu'il utilise ce langage grossier exprès pour me choquer, mais sa déclaration me fait quand même l'effet d'une claque. Je suis l'une des femmes dont il parle, à ses yeux au moins. Je suis là pour m'amuser, pour un peu de perversion dans nos relations sexuelles. Pourquoi refuse-t-il de comprendre que je l'aime, que j'aime tout chez lui? Peut-être suis-je en compétition avec le fantôme de la douce Marie, finalement...

Même après m'avoir confié son histoire, je comprends qu'il ne veut – non, qu'il ne peut – pas me donner la dernière pièce du puzzle.

— Je vois.

Je sens mes propres barrières se dresser pour entourer mon cœur. Je repousse les couvertures et me glisse hors du lit, puis lutte avec le fermoir du bracelet qu'il a placé autour de mon poignet un peu plus tôt. Quand il tombe dans ma paume, je serre le poing, avant de le jeter sur Zach, de toutes mes forces.

— Tu sais quoi, Zach? Cette fois-ci, je vais partir avant que tu me mettes dehors. Écoute bien ce que je vais te dire, parce que je ne le répéterai pas. C'est fini.

Et me revoilà, assise à mon bureau, en train d'essayer de me remettre d'une nouvelle scène avec Zach. Ça devient une mauvaise habitude...

Cette fois-ci, pourtant, tout est différent. Cette fois-ci, je suis assez forte pour savoir que cette pagaille – tout ce bordel – n'a rien à voir avec moi. J'ai essayé. J'ai tout donné, même des choses que je n'imaginais pas pouvoir donner. Et cette idée me réconforte dans ma souffrance.

— Tu es superbe aujourd'hui, Devon!

Je lève les yeux et découvre Tony, en train de me détailler des pieds à la tête d'un regard admiratif. Je lève les sourcils.

— On n'a pas le droit de sortir ensemble, mais rien ne m'interdit de regarder! dit-il en haussant les épaules, un peu honteux.

Je lève les yeux au ciel et rigole, même si au fond ce compliment me fait du bien. C'est une bouée de sauvetage dans les eaux grises de cette journée.

— Je t'ai apporté du café, lui dis-je. Il est sur ton bureau.

Tony se retourne vers le gobelet posé devant son ordinateur, puis me sourit, heureux de cette attention. Une petite goutte de plaisir dans cet océan de malheur.

J'ai mis un point d'honneur à soigner mon apparence ce matin. La nouvelle Devon, celle qui est sortie de sa coquille pour ne jamais y retourner, refuse de se cacher derrière ses vêtements noirs ou derrière sa timidité.

Aujourd'hui, je porte un chemisier turquoise ajusté – plutôt qu'une taille trop grande pour essayer de cacher mes formes. Mon pantalon est café au lait et mes chaussures assorties ont des talons nettement plus hauts que ceux dans lesquels je me sens à l'aise d'habitude. Même si j'ai l'impression de mourir à petit feu, je refuse de le montrer.

En attendant que mon ordinateur démarre, je me penche pour attraper mon baume à lèvres dans mon sac à main, sous mon bureau. Ma bouche est encore endolorie depuis mes ébats avec Zach hier. Quand je me redresse, il est là, dans son luxueux costume noir, si parfaitement ajusté que mon corps en est jaloux.

— Vous êtes là, dit-il.

Je lui lance un regard sombre, satisfaite de voir que Zachariah St Brenton, d'habitude toujours tiré à quatre épingles, a une allure catastrophique. Sa peau est pâle et des cernes noirs entourent ses yeux. Il a l'air de ne pas avoir dormi une seule seconde cette nuit et ses cheveux sont en bataille. Je peine à réprimer une note acerbe dans ma voix.

— Bien sûr que je suis là. Je travaille ici. Mais vous, que faites-vous ici ? Et par « ici », je veux dire à mon bureau, où vous m'empêchez de faire mon travail.

Je lui ai déjà tout donné. Je ne vais pas lui montrer ma douleur en plus. Il écarquille les yeux, stupéfait. Je me fiche qu'il s'énerve à cause de mon manque de respect, ou pour n'importe quel autre prétexte qui lui permettra de faire une scène. Ses émotions ne sont plus mon problème. J'ai au moins appris ça !

— Je n'arrive pas à croire que vous soyez restée, répète-t-il, en m'observant comme une bête curieuse.

Je lui rends son regard. Je crois déceler une trace d'étonnement dans ses yeux, mais elle disparaît aussi vite qu'elle était apparue.

— Je suis censée être là, non ?

S'il est en train d'essayer de me virer parce que j'ai couché avec le patron, je ne vais pas me laisser faire !

— Je me plais ici. Avec ou sans vous.

— Non, non… répond-il. Bien sûr que vous êtes censée être là. Je suis seulement… Je suis surpris.

Du coin de l'œil, je m'aperçois, mal à l'aise, que nous sommes en train d'attirer quasiment autant d'attention que la dernière fois.

J'aime vraiment mon boulot. Si nous ne sommes pas ensemble, alors ces petites visites de Zach vont devoir cesser. Sinon ma vie au bureau va devenir un enfer. Je serai toujours la femme qui a eu une liaison avec le PDG, et rien d'autre.

— J'aimerais vous parler, mademoiselle Reid. Allons prendre le petit déjeuner.

La voix de Zach m'implore. J'hésite un instant, avant de retrouver une volonté de fer.

— Tout a été dit hier soir, Zach, dis-je en chuchotant, consciente que tout le service tente d'écouter notre conversation. S'il vous plaît, laissez-moi tranquille…

Mes paroles semblent provoquer un déclic. Sous mes yeux, il se transforme, et c'est Zach le dominant qui prend le dessus. Même dans mon état d'anxiété actuel, ma réaction est immédiate : je sens la chaleur envahir mon corps et s'étendre à des endroits auxquels je ne devrais même pas penser.

Ça suffit! Je me sermonne intérieurement, sans succès. Je suis si profondément connectée à cet homme que je vais mettre des années à m'en remettre.

Quand il baisse les yeux vers moi, je comprends que tout le pouvoir est maintenant entre mes mains. Je bafouille, incapable de trouver les mots justes.

— À moins que vous n'ayez recours au code de sécurité, je vais continuer, me prévient-il, avec un regard qui ne laisse aucun doute : si je discutais ses ordres, je serais punie pour ça.

Je sens que je perds mon sang-froid et que le contrôle m'échappe.

— Maintenant, j'insiste. Venez avec moi.

J'ouvre la bouche pour refuser, mais il ajoute :

— Je ne voudrais pas devoir vous jeter sur mon épaule… mais je le ferai si j'y suis obligé, alors vous feriez aussi bien de me suivre.

Il se retourne et s'éloigne, d'une démarche qui ne me semble pas aussi assurée que d'habitude. C'est cette incertitude qui lui ressemble si peu qui me convainc. Je n'ai pas d'autre choix que de lui obéir.

Furieuse, je le suis dans la salle de réunion où j'attrape la télécommande et appuie sur des boutons au hasard, essayant d'opacifier les parois vitrées. Tout ce que j'arrive à faire, c'est descendre un écran du plafond, et à éteindre les lumières. Je pousse une exclamation frustrée et Zach me prend calmement la télécommande des mains. Il appuie sur les bons boutons, rallume les lumières, opacifie les vitres et fait remonter l'écran dans le plafond.

— Tenez-vous tranquille et écoutez-moi, s'il vous plaît.

Au ton de sa voix, je comprends qu'il s'attend à être écouté, mais, à la façon dont il se tient, je décèle aussi de la nervosité. Je me plante devant lui, mains sur les hanches. Sa colère est visible.

J'aime cet homme – vraiment, sincèrement –, un sentiment qui est à des années-lumière de ce que je pensais ressentir pour mon ex. Et je suis si blessée, si énervée par la façon dont il traite mon amour…

— Je sais que je ne gère pas très bien la situation, commence-t-il d'une voix sombre qui change des inflexions autoritaires habituelles.

Et ça a l'effet désiré, me dis-je, puisque ça arrête ma tirade intérieure à mi-chemin.

— Contentez-vous de m'écouter une seconde, d'accord?

Il passe la main dans ses cheveux, signe de stress, et se met à faire les cent pas dans la pièce. Je n'avais jamais vu Zach – si détendu, calme, maître de lui – faire ça auparavant.

— Sexuellement, je suis un dominant. Vous le savez. Et vous êtes une soumise. Vous n'avez peut-être pas envie de l'admettre, mais vous savez que c'est vrai.

Mon cœur fait un bond dans ma poitrine, quand je repense au nirvana que j'ai atteint la veille grâce à son caractère dominateur.

— Je ne vois pas le rapport, Zach, dis-je en protestation, mais il lève la main et m'intime l'ordre de rester silencieuse.

— Avec vous… mon Dieu, Devon, avec vous, je n'ai pas besoin de tout contrôler. C'est la première fois depuis des années que je suis capable de me détendre.

Ses yeux cherchent et trouvent les miens, et je prends une brève inspiration. J'y lis une honnêteté brute.

— Je ne l'aurais pas cru, dis-je en levant un sourcil, sûre qu'il croit à ce qu'il dit, même si une partie de son discours sonne faux.

— Vous semblez tout à fait vous contrôler quand il s'agit de moi, j'ajoute.

Un sourire fugace passe sur les lèvres de Zach, et il est si atrocement sexy que mon ventre se noue.

— Avoir besoin de contrôle et aimer le contrôle sont deux choses différentes.

Le sourire disparaît et il s'avance pour saisir ma main, raide dans la sienne.

— À la seconde où vous êtes partie, hier, j'ai eu envie que vous reveniez. Je ne m'attendais pas à ce que tout cela aille si loin, et je ne sais pas si je serais bon pour vous à long terme, mais je ne sais pas non plus si je peux vivre sans vous.

Ses paroles me coupent le souffle. Je le dévisage, bouche bée. Mon cerveau se démène comme un forcené pour comprendre ce que Zach vient de me dire.

— Je... Je ne comprends pas, dis-je, la voix tremblante.

Je ne suis pas sûre que mon cœur puisse supporter un nouveau jeu de fuis-moi-je-te-suis, suis-moi-je-te-fuis. Mais... j'ai tellement envie d'être avec lui. Avec lui pour toujours.

— Qu'est-ce qui a changé ?

Même si je suis toujours très méfiante, je sens que la glace qui emprisonne mon cœur commence à fondre. Il lâche mes mains, puis m'enlace à la taille. Ce geste possessif, sa main au creux de mes reins, déclenche un élan de désir, comme une fleur qui s'oriente vers le soleil.

— Jusqu'à ce que vous partiez hier soir, j'étais convaincu que je devais être fort pour nous deux, qu'il ne serait pas juste de vous infliger mes démons.

Je souffle de frustration – c'est ce que j'ai fui en arrivant à San Francisco : une vie menée selon les attentes des autres.

— Mais quand je vous ai raconté mon histoire… vous n'avez pas flanché. Vous ne vous êtes pas détournée. Vous n'étiez pas dégoûtée de moi.

Je sens la colère m'envahir.

— Bien sûr que je n'étais pas dégoûtée! Mais pourquoi le serais-je?

Exaspérée, je pose les mains sur son torse pour le repousser. Soudain, il éclate de rire et je le regarde comme si une seconde tête venait de lui pousser.

— Est-ce que vous vous sentez bien, Zach? Je sais que vous n'avez pas beaucoup dormi cette nuit…

Je continue à essayer de me dégager de ses bras, mais il ne fait que m'attirer plus près de lui et enfouit son visage dans mes cheveux.

— Vous ne voyez même pas pourquoi vous seriez dégoûtée, n'est-ce pas? La plupart des gens se seraient détournés devant l'étendue infinie de mes problèmes. Mais vous ne voyez que le bien en moi. Vous êtes un don du ciel.

Ses lèvres effleurent la peau délicate de mon cou, là où bat mon pouls, et je sens mes genoux se dérober.

— Zach, je ne peux pas recommencer. J'ai besoin que vous me donniez tout, ou bien rien du tout.

Il s'écarte cette fois-ci et je recule jusqu'à être hors de sa portée, hors de son aura, là où je peux respirer.

Quand je relève les yeux vers lui, il tient le bracelet dans une main et un écrin dans l'autre. Je sens mon sang bouillonner dans mes veines, je suis folle d'impatience, alors même que mon esprit fait rapidement le tour de toutes les choses atroces qui pourraient se passer dans les cinq prochaines minutes, en essayant de m'y préparer.

— Vous êtes la première femme que je rencontre depuis Marie qui vaut le coup de prendre ce risque.

Je me mets à trembler quand il prend ma main dans la sienne et attache le bracelet à mon poignet. Le cercle de saphirs étoilés, d'une beauté stupéfiante, joue avec la lumière.

— Je préfère saisir ma chance avec vous et risquer de vous perdre un jour, plutôt que de ne jamais vous avoir.

Une fois le bracelet attaché à mon poignet, Zach me tend l'écrin. J'ai l'impression de devoir écarter un épais brouillard pour le saisir.

Des frissons courent le long de ma colonne vertébrale quand je découvre son contenu: une bague. C'est un saphir étoilé monté en solitaire sur un anneau d'or blanc. Il est synonyme de promesses que je ne peux pas tout à fait croire.

— Qu'est-ce... qu'est-ce que c'est, Zach? dis-je en le regardant les yeux écarquillés.

Ça ne peut pas être la réalité. Je suis en train de rêver, c'est sûr.

— Ce que vous voulez que ce soit, Devon.

Un petit son étouffé s'échappe de ma gorge quand Zach prend la bague et la glisse à mon doigt – à mon annulaire. Surexcitée, je me mets à trembler. Sa main, qui caresse la peau délicate de l'intérieur de mon poignet, me ramène sur terre.

— Je suis sérieux. Je ferai ce qui vous rendra le plus heureuse. Devon, vous m'avez montré que je peux être dominant et prendre quand même le risque d'être avec quelqu'un. Je veux être avec vous, quel que soit le genre de relation. Je vous épouserai demain si vous m'acceptez. Ou bien nous pouvons nous fiancer. Ou bien cette bague peut être un gage de mon amour.

Sa voix tremble sur le mot que j'avais tant envie d'entendre.

— J'accepterais même que ce soit un signe d'amitié, du moment que cette amitié est accompagnée d'un dévouement éternel... et de sexe!

J'éclate de rire et l'attrape par sa veste de costume.

— Redites-le-moi.

Je sens la joie m'envahir, et j'ai encore l'impression de rêver.

— Redire quoi? demande-t-il avec un sourire sexy, son visage innocent et léger maintenant que ma réponse se lit si clairement dans mes yeux. De sexe?

— Ne jouez pas avec moi! Dites-le!

Toute trace d'humour disparaît de son visage. Il prend mes deux mains dans la sienne, me regarde droit dans les yeux, et j'y vois ce que je veux savoir avant même qu'il ne le dise.

— Je vous aime.

Mon cœur bondit dans ma poitrine.

— Je vous aime, Devon, et cette bague peut symboliser ce que vous voulez, tout ce que vous voulez, du moment que ça inclut l'amour.

— Je vous aime aussi.

Je ferme les yeux pendant un long moment et je laisse la béatitude m'envahir.

Je ne sais pas comment nous en sommes arrivés là – j'ai l'impression d'avoir passé les deux derniers mois sur des montagnes russes. Mais maintenant, ma vie commence. J'ai tout ce dont je pouvais rêver.

— Que dites-vous de ça: cette bague signifie que je suis à vous. Et que vous êtes à moi.

Zach me serre contre son torse et se jette sur mes lèvres. La chaleur m'inonde aussitôt. Sa main empoigne mon sein à travers mon chemisier. Le souffle coupé, je sens mon téton durcir sous ses doigts.

— Vous êtes magnifique aujourd'hui.

Zach lâche mes lèvres juste assez longtemps pour murmurer ces mots à mon oreille puis referme ses dents sur mon cou, laissant de petites traces, avant de reprendre son baiser fougueux.

— Vous devriez porter des vêtements colorés plus souvent. Je vous en achèterai.

— Qu'est-ce que vous faites, Zach?

Je gémis quand il lâche mon sein, m'attrape par la taille et me soulève. Mes jambes s'enroulent autour de sa taille, mon sexe brûlant s'embrase au contact de sa puissante érection.

— Je vais vous prendre sur la table de la salle de réunion, Devon.

Il pose mes fesses sur le bord de la table, mes jambes toujours autour de lui, et se met à défaire les boutons de mon chemisier.

— Ici? dis-je en clignant des yeux, surprise.

Je tends la main vers la ceinture de son pantalon et passe le doigt à l'intérieur, pour parcourir le velours chaud de son érection.

— Maintenant?

Zach confirme en grognant et en poussant ses hanches vers ma main. Il se contente de baisser l'armature et la dentelle, sans se donner la peine de défaire l'attache de mon soutien-gorge. Mes seins surgissent, présentés comme une offrande.

— Maintenant. Et vous allez me laisser faire. Vous savez pourquoi?

— Non. Pourquoi?

Je me cambre pour lui faciliter l'accès de mes tétons dressés. Des picotements parcourent ma peau quand je pense que mes collègues sont juste de l'autre côté de la porte, mais ça ne fait qu'augmenter mon excitation. Je vais avoir du mal à rester silencieuse...

Zach glisse la main dans mon pantalon, puis dans ma culotte et enfin trouve mon clitoris. Tout en commençant à le caresser d'un geste sûr, il glisse un autre doigt dans mon sexe brûlant. Je souris et réagis en m'avançant vers lui, toute réserve envolée.

Je ferai n'importe quoi pour cet homme.

Je ferai tout pour lui.

Je lui appartiens, corps et âme.

— Vous allez me laisser faire parce que je vous aime.

Zachariah St Brenton ne se trompe jamais.

dans la même collection

tout ce qu'il voudra
Sara Fawkes

Le poste d'intérimaire de Lucy dans une grande
entreprise new-yorkaise n'est pas le job de ses
rêves, mais il lui permet de payer ses factures.
Le point culminant de sa journée ? Prendre
l'ascenseur le matin en compagnie d'un bel
inconnu.

Sa vie bascule quand elle se laisse séduire par
l'étranger, cédant sans aucune résistance à un
homme dont elle ne connaît même pas le nom.
Lucy découvrira très vite que cet homme n'est
autre que Jeremiah Hamilton, le PDG milliardaire
de la compagnie pour laquelle elle travaille, qui lui
propose alors un contrat très particulier : devenir
son assistante personnelle et se soumettre à tout
ce qu'il voudra… Mais la vie du milliardaire est
semée d'embûches, et certains de ses secrets sont
dangereux. Lucy va se trouver prise dans un piège
qui pourrait se révéler mortel…

les couleurs du plaisir
libérée
Kathryn Taylor

Grace est une jeune femme sans histoires.
Elle ne s'est jusqu'à présent jamais
vraiment intéressée aux hommes.
Sa rencontre avec le charismatique Jonathan
Huntington, pendant un stage à Londres, la sort
de son sommeil de Belle au bois dormant.
Jonathan est riche et incroyablement séduisant,
sans oublier qu'il est vicomte. Il n'a cependant
rien d'un prince de conte de fées…
Plus il entraîne Grace dans les profondeurs
de son monde de sombres désirs, plus la jeune
femme se perd dans un tourbillon de plaisirs.
Mais le jour où Jonathan exige d'elle une preuve
d'amour quasiment impossible à satisfaire,
elle doit reconnaître à quel point ses sentiments
pour lui la mettent en danger.

MARABOUT
s'engage pour l'environnement
en réduisant l'empreinte carbone
de ses livres.
Celle de cet exemplaire est de :
500 g éq. CO₂
Rendez-vous sur
www.marabout-durable.fr

PAPIER À BASE DE
FIBRES RECYCLÉES

Imprimé en France par CPI Brodard et Taupin en avril 2014
ISBN : 978-2-501-09281-4
4144150/03
Dépôt légal : janvier 2014
N° d'impression : 3005258